# edition suhrkamp

Redaktion: Günther Busch

Bertolt Brecht, geboren am 10. Februar 1898 in Augsburg, starb am 14. August 1956 in Berlin.

Das Interesse an der Lyrik Brechts hat in den letzten Jahren kontinuierlich zugenommen; nicht nur ist die Zahl der wissenschaftlichen Untersuchungen gestiegen, die Brechts poetische Texte zum Gegenstand haben; auch an den Schulen und Universitäten wächst die Beachtung der Gedichte Brechts. Dies ist freilich nur die eine Seite der Medaille; die andere ist die vielfältige Wirkung der Brechtschen Lyrik, ihre Aneignung und Verwandlung in der neueren Geschichte der lyrischen Form, der poetischen Kunstmittel selber. Beobachtungen dieser Art haben den Verlag bewogen, die Gesammelten Gedichte in vier Bänden innerhalb der *edition suhrkamp* einem breiten Publikum zugänglich zu machen. Band 1 versammelt die Gedichte 1913 bis 1926, die *Hauspostille* und die Gedichte aus den Jahren 1926 bis 1933; Band 2 die Lieder, Gedichte, Chöre, die Gedichte 1933 bis 1938, die *Svendborger Gedichte* und die zwischen 1938 und 1941 entstandenen Gedichte; Band 3 enthält die Gedichte 1941 bis 1956, die Übersetzungen, Bearbeitungen und Nachdichtungen; Band 4 schließlich bringt die Gedichte aus den Stücken sowie den philologischen Apparat (Anmerkungen und Register).

Bertolt Brecht
Gesammelte Gedichte
Band 1

Suhrkamp Verlag

Herausgegeben vom Suhrkamp Verlag
in Zusammenarbeit mit Elisabeth Hauptmann·

edition suhrkamp 835
Erste Auflage 1976
© Copyright Suhrkamp Verlag, Frankfurt am Main 1967.
Alle Rechte vorbehalten, insbesondere das der Übersetzung, des
öffentlichen Vortrags, des Rundfunkvortrags, auch einzelner Ab-
schnitte. Copyrightangaben zu den Gedichten am Schluß des Bandes 4. Satz in Linotype Garamond bei MZ-Verlagsdruckerei
GmbH, Memmingen. Druck und Bindung bei Nomos Verlags-
gesellschaft, Baden-Baden. Gesamtausstattung Willy Fleckhaus.

4  5  6  7  8  9  –  92  91  90  89  88  87

# Gedichte 1

Gedichte 1913-1926
Bertolt Brechts Hauspostille
Gedichte 1926-1933

Redaktion: Elisabeth Hauptmann
in Zusammenarbeit mit Rosemarie Hill

Gedichte 1913 – 1926

## DER BRENNENDE BAUM

1913

Durch des Abends dunstig roten Nebel
Sahen wir die roten, steilen Flammen
Schwelend schlagen in den schwarzen Himmel.
In den Feldern dort in schwüler Stille
Prasselnd
Brannte ein Baum.

Hochauf reckten sich die schreckerstarrten Äste
Schwarz, von rotem Funkenregen
Wild und wirr umtanzt.
Durch den Nebel brandete die Feuerflut.
Schaurig tanzten wirre, dorre Blätter
Aufjauchzend, frei, um zu verkohlen
Höhnend um den alten Stamm.

Doch still und groß hinleuchtend in die Nacht
So wie ein alter Recke, müd, todmüd
Doch königlich in seiner Not
Stand der brennende Baum.

Und plötzlich reckt er auf die schwarzen, starren Äste
Hoch schießt die Purpurlohe an ihm auf –
Hoch steht er in dem schwarzen Himmel eine Weile

Dann kracht der Stamm, von Funken rot umtanzt
Zusammen.

MODERNE LEGENDE

Als der Abend übers Schlachtfeld wehte
Waren die Feinde geschlagen.
Klingend die Telegrafendrähte
Haben die Kunde hinausgetragen.

Da schwoll am einen Ende der Welt
Ein Heulen, das am Himmelsgewölbe zerschellt'
Ein Schrei, der aus rasenden Mündern quoll
Und wahnsinnstrunken zum Himmel schwoll.
Tausend Lippen wurden vom Fluchen blaß
Tausend Hände ballten sich wild im Haß.

Und am andern Ende der Welt
Ein Jauchzen am Himmelsgewölbe zerschellt'
Ein Jubeln, ein Toben, ein Rasen der Lust
Ein freies Aufatmen und Recken der Brust.
Tausend Lippen wühlten im alten Gebet
Tausend Hände falteten fromm sich und stet.

In der Nacht noch spät
Sangen die Telegrafendräht'
Von den Toten, die auf dem Schlachtfeld geblieben – –
Siehe, da ward es still bei Freunden und Feinden.

Nur die Mütter weinten
Hüben – und drüben.

HANS LODY

Du starbst verlassen
An einem grauen Tag den einsamen Tod.
Die dich hassen

Gaben dir letztes Geleite und letztes Brot.
Liedlos, ehrlos war deine Not.
Aber du hast dein Leben dafür gelassen
Daß eines Tages in hellem Sonnenschein
Deutsche Lieder brausend über dein Grab hinziehen
Deutsche Fahnen darüber im Sonnengold wehen
Und deutsche Hände darüber Blumen ausstreu'n.


DEUTSCHES FRÜHLINGSGEBET


Wenn diesen Frühling der Bauer früh über die Äcker geht
Ernster wohl noch als in früheren, helleren Lenzen
Hört er die Lerche nicht, die im Himmel erklingt
Jauchzend vom Frühling singt –
Sieht er die Bäume nicht, die fröhlich und unnütz die Felder
          bekränzen.
Nein – er sieht nur das junge Korn, das schimmernd in seidenen
          Matten steht.
Und er faltet die Hände still und spricht das Gebet:

Herr, schütte dein Licht
Aus goldenem Sonnenbecher auf die grünende Erde
Daß sie gesegnet werde
Und segnend aufbricht.

Herr!
Horch, wie die Mütter schreien im dämmernden Land voll Not:
Herr, sie schreien immer für ihre hungernden Kinder um Brot!
Sieh, Herr, wir bangen nicht in dieser feurigen Nacht
Wir fürchten nicht Haß, Lüge und Übermacht.
Kämpfen und Hinterhalt fürchten wir nicht.
Beben kaum für Hof, Haus, Land:
Unsre Söhne bluten an fern dunklem Strand.
Ein Schatten fiel über uns und ein drohend Gesicht

Riesenhaft, grauenhaft groß.
Und wir bangten nicht, sorgten nicht
Als er vorbeischritt, dein düsterer Tod ...
Aber, Herr, eins, für eins zittern wir bloß:
In dieser grünenden Äcker Schoß
Reift unser Schicksal und unser Los ...
Ständig und dunkel dem Tage entgegen
Dem Fluch oder Segen:
Reift für unsre Kinder das bißchen Brot.

Herr, wir wissen, was wir dir danken.
Mach uns unsern Glauben nicht wanken.
Herr, schütte dein Licht
Aus goldenem Sonnenbecher auf die grünende Erde
Daß sie gesegnet werde
Und segnend aufbricht.

Wenn der Bauer, endend, schwer atmend steht
Atmet er plötzlich der würzigen Saaten Duft
Merkt er das mähliche Reifen von reicheren Lenzen
Hört er die klingenden Lerchen aufjauchzen in sonniger Luft
Sieht er die jungen Felder opalgleich grünend erglänzen.
Und er fühlt das Blühen der Frucht, die im Frühwind weht.
Fühlt die segnende Kraft der Erfüllung in seinem Gebet.


DER FÄHNRICH

In jenen Tagen der großen Frühjahrsstürme schrieb er's nach
          Haus:
– Mutter ... Mutter, ich halt's nicht mehr länger aus ... –
Schrieb es mit steilen, zittrigen Lettern neben der flatternden
          Stallaterne.
Sah, bevor er es schrieb, in das Dunkel, seltsam geschüttelt, hinaus
Wo ein Gespenst herschattete, grauenhaft, fremd und fern.

Lauschte dem harten
Klirren der Schaufeln, die seine toten Freunde einscharrten.
Und schrieb es besinnungslos nieder, das »Mutter, ich halt's
        nicht mehr aus«.


Und drei Tage drauf, als seine Mutter über dem Brief schon
        weinte
Riß er hinweg über Blut und Leibergekrampf
Den zierlichen Degen gezückt, die Kompagnie zum Kampf
Schmal und blaß, doch mit Augen wie Opferflammen.
Stürmte und focht und erschlug, umnebelt von Blut und Dampf
In trunkenem Rasen – f ü n f Feinde . . .
Dann brach er im Tod, mit irren, erschrocknen Augen,
        aufschreiend zusammen.


KARFREITAG

## Prolog

Als sie aber hinuntergingen in diesen Tagen
Zu ihren Gräbern, jeder zum Seinen, ganz aufrecht n i c h t
        durch den Schmerz –
Denn sie hatten allzuviel schon ertragen –
Da sahen einige von ihnen himmelwärts.
Und der Himmel war trüb und grau und bedrückt.
Sieh, da geschah es, daß eine Stimme wie Erz
Wild auf sie fiel, von oben herabfiel, und einige hörten die
        Stimme fragen:
Wo sind e u r e Helden? Ihr geht sehr gebückt! –
Da bog sich einer zurück und faßte sich mühsam und hatte das
        Herz
Und hörte sich sagen:
Unsere Sieger liegen erschlagen.

Und siehe, da war es, als wäre allen
Göttlich aufstrahlend, von oben gezückt
Licht aus dem Himmel auf ihre trüben Stirnen gefallen.
Gingen nun aufrecht und mühlos wie trotzige Krieger
Als wären sie alle wie jene S i e g e r –
Und stolz und befreit ihrer Trauer entrückt.

## Epilog

Abermals gingen einige über sein Feld zur Abendzeit.
Der Himmel war dunkel. Wind ging. Das Korn blühte
      weit.
Sie gingen gebeugt und schwer im letzten Licht.
Ein fremder Mann ging mit ihnen. Sie kannten ihn nicht.
Sie waren traurig, weil Jesus gestorben war.
Aber einmal sagte einer: Es ist sonderbar.
Er starb für sich. Und starb ohne Sinn und Gewinn.
Daß ich auch nicht leben mag: daß ich einsam bin.
Sagte ein anderer: Er wußte wohl nicht, was uns frommt.
Sagte ein dritter: Ich glaube nicht, daß er wiederkommt.
Sie gingen gebeugt und schwer im letzten Licht.
Ein fremder Mann ging mit ihnen. Sie kannten ihn nicht.
Und einer sah übers Ährenfeld und fühlte seine Augen
      brennen.
Und sprach: Daß es Menschen gibt, die für Menschen
      sterben können!
Und er fühlte Staunen in sich (als er weiterspann):
Und daß es Dinge gibt, für die man sterben kann.
Und jeder hat sie, und er hat sie nicht
Weil er's nicht weiß. – Das sagte er im allerletzten Licht.
Es war ein junger Mensch. Es ging um die Abendzeit.
Der Himmel war dunkel. Wind ging. Das Korn blühte weit.
Sie gingen gebeugt und schwer im letzten Licht.
Ein fremder Mann ging mit ihnen. Sie kannten ihn nicht.

KARSAMSTAGSLEGENDE

*Den Verwaisten gewidmet*

Seine Dornenkrone
Nahmen sie ab
Legten ihn ohne
Die Würde ins Grab.

Als sie gehetzt und müde
Andern Abends wieder zum Grabe kamen
Siehe, da blühte
Aus dem Hügel jenes Dornes Samen.

Und in den Blüten, abendgrau verhüllt
Sang wunderleise
Eine Drossel süß und mild
Eine helle Weise.

Da fühlten sie kaum
Mehr den Tod am Ort
Sahen über Zeit und Raum
Lächelten im hellen Traum
Gingen träumend fort.


DER BELGISCHE ACKER

An den Grenzen Mord, Schlachten und Dörfer in Brand.
Aber nachts flackert der Feuerschein
Rot und lodernd ins belgische Land hinein
Spiegelt in blanken Äckern sich, im endlos blühenden Land.
Geschützdonner brüllt
Dumpf überrollt vom Sturmglockenklang
Tage und Nächte den wirkenden Frühling lang
Über Altflanderns sprossendes Friedhofgefild.

Als der Frühling aus dem Meere quillt
Schreiten über die Äcker und Straßen in wimmelnden Zügen
Deutsche Soldaten über die Höfe und Wiesen und Flächen
Mit flatternden Eggen und wühlenden Pflügen
Malmen und brechen
Die springenden Schollen
Werfen aus vollen
Fäusten, die heiß vom Gewehrlauf noch und geschwollen
Klingendes Fruchtkorn über die bräutliche Erde.

Tag und Nacht grub der Pflug Acker und Ackerrain.
Straße und Garten und Anger, Verhaue und Brüche von
          Stein . . .
Verschonte keine Grenzmark, keinen Feldergang
Der Pflug, den die deutsche Faust ehern zwang –
Tag und Nacht grub der Pflug tiefer ins feindliche Erdreich
          sich ein.

Und in den Äckern sproßte das Korn.
Fern noch brüllte, brannte und stampfte
Die Schlacht.
Schon aus dem Schacht
Begrabenen Zorns
Wuchs, als der Sommer aus Schollen und Halmen dampfte
Kraftvoll die Frucht. Aus den Leibern der Toten sog
Sie Kraft. Aus verwesender Jugend, aus der Erde blutvollem
          Trog.
Ja, es heben
Opfernd geeinte
Hände gefallener Freunde und Feinde
Still an die segnende Sonne empor das blühende Leben
Und aus dem Gottesacker der Erde, aus Moder und Tod
Wuchs übers atmende Land
Breit in die Sonne gespannt
Siegreichen Lebenden auf das göttliche Brot.

Rauschende Nächte spiegelt das Feuergeflacker
Des Kriegs sich in Belgiens blühendem Acker
Und am Tage klingen aus wogenden Ährenmeeren
Widerschallend von der französischen Schlachten Getöse
Auf zum Himmel, sonnendurchbebt
Die ehern schweren
Gesänge von Deutschlands siegender Größe
Die aus Friedhöfen sich Brotäcker gräbt.


DER TSINGTAUSOLDAT

In jener blauen Nacht vor dem Sturm auf der Felsenbastei
Springt den Wachtposten stier
Das Entsetzen an wie ein dunkel kralliges Tier:
Daß er von Gott und dem Teufel verraten sei
Das wirft ihn hinaus aus Zeit und Raum.
Und seine Qual wächst ihm übers Land in Vision und
        Traum.

Aus Gefels und Schlund
Raucht Giftdampf
Schwarz wimmelnd drunten zum letzten Krampf
Schirrt der Feind sich klirrend im dämmernden Grund
An dem gewölbigen Bau des Nachthimmels blutrot
Flackert Brand
Grau und geduckt wie ein gespenstiger Hund
Schleicht aus dem brennenden Land
Gegen die Felsenbastei Tsingtaus der Tod.
Über dem Strom blaut schimmernd die Nacht
Da starrt der Posten hinab in den Schacht
Irr und geschüttelt vor Angst:
Eine Stimme tief unten lacht:
Und wenn du vor Gier nach den Sternen langst
Dir hilft kein Mensch und kein Gott – und

Morgen liegst du zerfetzt und verstampft
Im Tod die blühenden Glieder verkrampft
Im Grund.

Aus Gefels und Schlund
Raucht Giftdampf
Schwarz wimmelnd drunten zum letzten Krampf
Schirrt der Feind sich klirrend im dämmernden Grund
Doch an des Nachthimmels blaugewölbigem Bau
Wächst es aus schwarzem Kot
Wächst aus des Feindes Verhau
Flackernder Schein überm todstillen Land.
Ist das Brand?
. . . . . . . . . . . . . . . . . . . . . . .
Morgenrot . . . .
. . . . . . . . . . . . . . . . . . . . . . .
Schwer taumelt der Posten zum Rande vor.
Starrt seltsam gepackt in des Himmels helloffenes Tor:
Und als wollt er den Becher des Lebens wie ein Alteisen
Opfernd hinab in den Abgrund schmeißen
Taumelt er schwankend und starrend zum Rand:
Und das todblasse Antlitz, verzerrt im Ruß
Schmeißt er's hinab in den Dunst
Schreit es heiser und wild gestöhnt vor Brunst
Schreit, daß es gellt in Verzweiflung . . . Aufschluchzen . . .
                Gruß . . .

Hin in Grund und Brand:
Mein Deutschland!

*Fragment*

DAS LIED DER EISENBAHNTRUPPE VON FORT DONALD

1

Die Männer von Fort Donald – hohé!
Zogen den Strom hinauf, bis die Wälder ewig und seelenlos sind.
Aber eines Tags ging Regen nieder und der Wald wuchs um
       sie zum See.
Sie standen im Wasser bis an die Knie.
   Und der Morgen kommt nie, sagten sie
   Und wir versaufen vor der Früh, sagten sie
Und sie horchten stumm auf den Eriewind.


2

Die Männer von Fort Donald – hohé!
Standen am Wasser mit Pickel und Schiene und schauten
       zum dunkleren Himmel hinauf
Denn es ward dunkel und der Abend wuchs aus dem
       plätschernden See.
Ach, kein Fetzen Himmel, der Hoffnung lieh.
   Und wir sind schon müd, sagten sie
   Und wir schlafen noch ein, sagten sie
Und uns weckt keine Sonne mehr auf.


3

Die Männer von Fort Donald – hohé!
Sagten gleich: Wenn wir einschlafen, sind wir adje!
Denn Schlaf wuchs aus Wasser und Nacht, und sie waren
       voll Furcht wie Vieh
Einer sagte: Singt »Johnny über der See«.
   Ja, das hält uns vielleicht auf, sagten sie
   Ja, wir singen seinen Song, sagten sie
Und sie sangen von Johnny über der See.

4

Die Männer von Fort Donald – hohé!
Tappten in diesem dunklen Ohio wie Maulwürfe blind
Aber sie sangen so laut, als ob ihnen wunder was
              Angenehmes geschäh
Ja, so sangen sie nie.
   Oh, wo ist mein Johnny zur Nacht, sangen sie
   Oh, wo ist mein Johnny zur Nacht, sangen sie
Und das nasse Ohio wuchs unten, und oben wuchs Regen
              und Wind.


5

Die Männer von Fort Donald – hohé!
Werden jetzt wachen und singen, bis sie ersoffen sind.
Doch das Wasser ist höher als sie bis zur Früh, und lauter als
              sie der Eriewind schrie.
   Wo ist mein Johnny zur Nacht, sangen sie
   Dieses Ohio ist naß, sagten sie
Früh wachte nur noch das Wasser und nur noch der Eriewind.


6

Die Männer von Fort Donald – hohé!
Die Züge sausen über sie weg an den Eriesee
Und der Wind an der Stelle singt eine dumme Melodie
Und die Kiefern schrein den Zügen nach: Hohé!
   Damals kam der Morgen nie, schreien sie
   Ja, sie versoffen vor der Früh, schreien sie
Unser Wind singt abends oft noch ihren »Johnny über der See«.

MÜTTER VERMISSTER

Seit der Tod ihm Leib, Namen und Trauer abnahm
Hören sie auf, ihr Leben zu lenken
Hören sie auf, zu planen, zu denken
Danken für Trödel, den Armut und Mitleid verschenken
Staunen wie Blinde, denen's zu gar plötzlich kam
Mitten im Sonnenschein, der sie liebend umfing
Daß die Sonne so seltsam schnell unterging.

Leben ist Sünde. Liebe ist Leid.
Süß ist Vergessen. Schön ist Erinnerung.
Und werden sie alt und stürben gern heut
So ist heut und ist morgen noch lange nicht Zeit
Denn sein Platz muß frei sein. Sein Platz ist bereit.
Und werden sie alt: er ist immer jung
Viele Jahre geht er immer im Soldatenkleid.

Und die Jahre gehen. Noch ist er nicht tot.
Nie ist er tot. Nur kommt er nie wieder mehr.
Eine Kanne bleibt voll und ein Stuhl bleibt leer.
Und sie sparen ihm Bett und sie sparen ihm Brot
Und sie beten für ihn, und leiden sie Not
Sie bitten ihn immer wieder flehend her.

Sie fragen und sagen: sie hören kaum hin.
Sie sehen durch Fenster und sehen doch nicht.
Hörten Windbrausen nicht. Sahn nicht Wolkengehn.
Waren taub, wenn der Regen rann, waren blind, wenn sie
          Sonne sehn.
Doch die alten Augen in müdem Gesicht
Werden strahlend und jung: sie denken an ihn.
Und glauben sie nur und verzweifeln sie nicht
So wird einmal Licht.

Oh, einmal wird Licht; sonst kann Gott nicht sein –
Und sei's, wenn sie stürben, in letzter Zeit:
Die dunklen Zimmer werden weit.
Und hell im Licht steht einer breit.
Sein Stuhl ist frei. Sein Mahl ist bereit.
Und er bricht ihnen Brot, und er reicht ihnen Wein
Und sie lächeln im Sterben verklärt und befreit
Und gehen sehr leicht in den Himmel ein.


DAS BESCHWERDELIED

So mancher rennt sich müd
Weil er die Ruh zu sehr
Liebt. Alle rennen nach dem Glück:
Das Glück rennt hinterher.
Wer sich lang zermartert
Kommt zu spät zum Fraß.
Wer sich kurz zermartert
Rennt die falsche Straß.

Weit schneller rennt man ohne Kopf
Verliert ihn gern und dann
Greift man die Frucht und staunt, daß man
Ohne Kopf nichts fressen kann.
Wollt ihr Sterne langen
Müßt ihr rennen sehr.
Denn ihr tragt an Stangen
Schnell sie vor euch her.

Der Baum des Lebens strotzt
Von Früchten überall:
Steig nicht hinauf, du schindst dich nur:
Man pflückt sie nur im Fall!

Wird euch von der Meute
Zahnwerk eingehauen
Müßt ihr Zahn und Beute
Ungekaut verdauen.

Und flaggst du faul im Gras
Und streckst die Zung heraus:
Plumpst dir die Frucht ins große Maul
Und schlägt die Zähn dir aus.
Rauft ihr um das Saufen
Wird der Wein verschüttet
Und ihr seid vom Raufen
Statt vom Wein zerrüttet.

Und kommt ihr hoch, so kommt
Ihr höchstens auf ein Weib
Das zieht ihr aus, sie euch hinab:
Ihr zahlt den Zeitvertreib.
Schön ist das Leben
Wenn du schöner bist:
Dann bleibst du dran kleben
Weil es schmutzig ist.

Das ewig Weibliche
Ja, manchen zieht's hinan:
An einem Galgen sehr solid!
Nur hängt kein Mann dann dran.
Sind zu kurz die Brücken
Was das Herz beschweren!
Ob viel oder wenig fehlt
Daß sie lang g'nug wären!

## DIE LEGENDE DER DIRNE EVLYN ROE

Als der Frühling kam und das Meer war blau
Da fand sie nimmer Ruh –
Da kam mit dem letzten Boot an Bord
Die junge Evlyn Roe.

Sie trug ein härnes Tuch auf dem Leib
Der schöner als irdisch war.
Sie trug kein andres Gold und Geschmeid
Als ihr wunderreiches Haar.

»Herr Kapitän, laß mich mit dir ins heil'ge Land fahrn
Ich muß zu Jesus Christ.«
»Du sollst mitfahrn, Weib, weil wir Narrn
Und du so herrlich bist.«

»Er lohn's Euch. Ich bin nur ein arm Weib.
Mein Seel gehört dem Herrn Jesu Christ.«
»So gib uns deinen süßen Leib!
Denn der Herr, den du liebst, kann das nimmermehr zahln:
Weil er gestorben ist.«

Sie fuhren hin in Sonn und Wind
Und liebten Evlyn Roe.
Sie aß ihr Brot und trank ihren Wein
Und weinte immer dazu.

Sie tanzten nachts. Sie tanzten tags
Sie ließen das Steuern sein.
Evlyn Roe war so scheu und so weich:
Sie waren härter als Stein.

Der Frühling ging. Der Sommer schwand.
Sie lief wohl nachts mit zerfetztem Schuh

Von Rah zu Rah und starrte ins Grau
Und suchte einen stillen Strand
Die arme Evlyn Roe.

Sie tanzte nachts. Sie tanzte tags.
Da ward sie wie ein Sieches matt.
»Herr Kapitän, wann kommen wir
In des Herrn heilige Stadt?«

Der Kapitän lag in ihrem Schoß
Und küßte und lachte dazu:
»Und ist wer schuld, daß wir nie hinkommen:
So ist es Evlyn Roe.«

Sie tanzte nachts. Sie tanzte tags.
Da ward sie wie ein Leichnam matt.
Und vom Kapitän bis zum jüngsten Boy
Hatten sie alle satt.

Sie trug ein seiden Gewand auf dem Leib
Der siech und voll Schwielen war
Und trug auf der entstellten Stirn
Ein schmutzzerwühltes Haar.

»Nie seh ich dich, Herr Jesus Christ
Mit meinem sündigen Leib.
Du darfst nicht gehn zu einer Hur
Und bin ein so arm Weib.«

Sie lief wohl lang von Rah zu Rah
Und Herz und Fuß tat ihr weh:
Sie ging wohl nachts, wenn's keiner sah
Sie ging wohl nachts in die See.

Das war im kühlen Januar
Sie schwamm einen weiten Weg hinauf
Und erst im März oder im April
Brechen die Blüten auf.

Sie ließ sich den dunklen Wellen, und die
Wuschen sie weiß und rein
Nun wird sie wohl vor dem Kapitän
Im heiligen Lande sein.

Als im Frühling sie in den Himmel kam
Schlug Petrus die Tür ihr zu:
»Gott hat mir gesagt: Ich will nit han
Die Dirne Evlyn Roe.«

Doch als sie in die Hölle kam
Sie riegeln die Türen zu:
Der Teufel schrie: »Ich will nit han
Die fromme Evlyn Roe.«

Da ging sie durch Wind und Sternenraum
Und wanderte immerzu.
Spät abends durchs Feld sah ich sie schon gehn:
Sie wankte oft. Nie blieb sie stehn.
Die arme Evlyn Roe.


VON DEN SÜNDERN IN DER HÖLLE


1

Die Sünder in der Hölle
Haben's heißer, als man glaubt.
Doch fließt, wenn einer weint um sie
Die Trän mild auf ihr Haupt.

2

Doch die am ärgsten brennen
Haben keinen, der drum weint
Die müssen an ihrem Feiertag
Drum betteln gehn, daß einer greint.


3

Doch keiner sieht sie stehen
Durch die die Winde wehn.
Durch die die Sonne scheint hindurch
Die kann man nicht mehr sehn.


4

Da kommt der Müllereisert
Der starb in Amerika
Das wußte seine Braut noch nicht
Drum war kein Wasser da.


5

Es kommt der Caspar Neher
Sobald die Sonne scheint
Dem hatten sie, Gott weiß warum
Keine Träne nachgeweint.


6

Dann kommt George Pfanzelt
Ein unglückseliger Mann
Der hatte die Idee gehabt
Es käm nicht auf ihn an.

7

Und dort die liebe Marie
Verfaulet im Spital
Kriegt keine Träne nachgeweint:
Der war es zu egal.


8

Und dort im Lichte steht Bert Brecht
An einem Hundestein
Der kriegt kein Wasser, weil man glaubt
Der müßt im Himmel sein.


9

Jetzt brennt er in der Höllen
Oh, weint, ihr Brüder mein!
Sonst steht er am Sonntagnachmittag
Immer wieder dort an seinem Hundestein.


PROTOTYP EINES BÖSEN


1

Frostzerbeult und blau wie Schiefer
Sitzend vor dem Beinerhaus
Schlief er. Und aus schwarzem Kiefer
Fiel ein kaltes Lachen aus.
Ach, er spie's wie Speichelbatzen
Auf das Tabernakel hin
Zwischen Fischkopf, toten Katzen:
Als noch kühl die Sonne schien.

2

Aber

3

Wohin geht er, wenn es nachtet
Der von Mutterzähren troff?
Der der Witwen Lamm geschlachtet
Und die Milch der Waisen soff?
Will er, noch im Bauch das Kälbchen
Vor den guten Hirten, wie?
Tief behängt mit Jungfernskälpchen
Vor die Liebe Frau Marie?

4

Ah, er kämmt sich das veralgte
Haar mit Fingern ins Gesicht?
Meint, man sieht so die verkalkte
Freche Schandvisage nicht?
Ach, wie macht er seine böse
Fresse zittern, arm und nackt?
Daß ihn Gott aus Mitleid löse
Oder weil ihn Schauder packt?

5

Sterbend hat er schnell geschissen
Noch auf seine Sterbestatt.
Aber wird man dort wohl wissen
Was er hier gefressen hat?
Kalt hat man ihn mit dem Schlangen-
fraß des Lebens abgespeist.

Will man da von ihm verlangen
Daß er sich erkenntlich weist?

*Darum bitt ich hiemit um Erbarmen*
*Mit den Schweinen und den Schweinetrögen!*
*Helft mir bitten, daß auch diese Armen*
*In den Himmel eingehn mögen.*


TARPEJA

Rom schloß die Tore. Sonst kam keine Änderung.
Alltag und Allnacht. Essen. Schlafen. Zeugen.
Sonst störte keine Ändrung diese Stadt.
Nur nachts – drei Nächte lang – stieg ächzend
Zum grauen hohen Himmel Stöhnen, so
Wie unbewußt ein wildes Tier im Schlaf
Sich wälzt; schwer träumt; und stöhnt.
Ein dünner Rauch zog langsam und verstohlen sternwärts
Vom Kapitol, wo sie wohl Opfer brannten.
Stumm vor den Toren lagerten drei Tage
Wie fremde Bettler die Sabinerhorden.
In Lumpen halb und zerfetztem Leder
Vom raschen Aufbruch und den Wind der Berge
Noch in den Gliedern, Raubvolk, Mordvolk!
Sie dehnten wild drei Tage ihre Körper
Und starrten rudelweis von Fels und Hügel
Brennenden Augs hinüber auf die Stadt
Die ruhig lag und in der Sonne schlief.
Drei Tage zitterten noch ihre Gäule
Vom scharfen Ritt. Drei Tage füllte
Ein dumpfer Lärm die Ebene und nur
Ihr Schweiß stank feindlich auf zum Himmel.
Drei Tage und drei Nächte gingen
Dann kam der letzte Tag und dann kam sie.

Am vierten Abend schlich ein fremdes Weib
Ins Lager, ganz verhüllt, und bot
Fast ohne Wort dem schweigenden Sabiner
Verrat. Ihr Lohn? Sie maß den Führer
Den seine Krieger kaum zu sehen wagten
Mit tiefen dunklen jungen wilden Augen.
Und sagte lauter: nur um Gold. Was sonst?
Für diese Spange, die du trägst! – Und lachte.
Und schweren Atems sprach er sie ihr zu.
Oh, als sie ging, hob ihr der Wind den Mantel
Da sahen alle: schön wie Sünde war sie.
In dieser Nacht verhüllten graue Wolken
Den Rauch vom Kapitol. Die römischen Wachen sangen
Um nicht zu schlafen. Und in dieser Nacht
Schwieg Waffenlärm und Gestampf der müden Gäule.
Doch tausend Bettler harrten vor den Toren.
Sie harrten stumm, gewürgt vom Zorn
Und lautlos, grau und gedrängt, und hoben all die Nacht
Stirnen wie graue Steine reglos hoch. Und all die Nacht
Fiel nicht ein Wort und nicht ein Schild. Die Dämmerung
Sah Funkeln nur vom Erz des Augs und Schilds.
Und all die Nacht war Ruhe über Rom.
Rom fraß und trank und zeugte Rom und schlief.
Dann kam die Frühe. Ja. Und dann kam sie.
Sie stand nicht auf der Mauer überm Tor
Das stumm sich auftat und die Feinde schluckte
Die Bettler einlud, Mord verschlang und Tod –
Im grauen Kleide lehnte sie am Pfosten.
Sie schrie nicht gellend auf. Sie grüßte nicht.
Sie sah nicht rückwärts über ihre Heimat
Die wohl bald brannte, wenn die Sonne kam
In die wie wilde und gefräßige Wellen
Das fremde Mordvolk drang: sie sah es nicht.
Sie sah nur still und starr mit brennenden Augen

Nur in die Weite sah sie, ob er kam.
Sie sah sein Volk nicht. Fühlte, hörte nichts.
Die schrieen nicht, die mit gepreßten Lippen
Schulter an Schulter, unaufhaltsam, gierig
Die Heimat würgten – nur die andern
Die andern schrieen. Kinder-, Mütterstimmen
So wild und hell, daß es auch Götter hörten.
Sie hörte nichts. Sie träumte seine Stimme.
Und dann, dann kam er und sie taumelt vor.
Er will vorbei und schlägt den scheuen Gaul
Mit schwerer Peitsche und sieht weit weg, weit
Mit scharfen harten Augen in das Drängen.
Sie aber, grau und trocken schluchzend, wirft sich
Ihm vor den Gaul und schreit, schreit nur ein Wort:
Die Spange! schrie sie, und das Drängen stockte.
Und alle sahn, wie schön sie war. Doch er
Fuhr mit der schweren Hand sich über seine Stirn
So wie man Fliegen wegwischt oder Schweiß und warf
Sehr lässig ihr die Spange zu und sagte:
Deckt dieses Aas mit euren Schilden zu
Daß ich es nicht mehr sehen muß. Und wagte
Doch nicht sie anzusehn und wartete nur mehr
Bis er die Schilde auf sie krachen hörte
Und ihren Schrei und der Soldaten Lachen hörte –
Dann ritt er weg. Den Hügel erzner Schilde
Der die Erschlagne deckte, sah er nicht.
Sie aber hörte die fremden Soldaten nicht mehr
Den Sieg und den Mord und das Sterben begrüßen:
Im frühen Tag lag sie im Schmutz der Gosse
Den goldnen Reif in den zerquetschten Händen
Zum Fraß den Gei'rn da – das schöne Aas.

Und über sie, ganz blind mit schweren Füßen
Schritt stumm und abgewandt das eherne Gesetz.

ROMANTIK ?

In einem Frühling kam an ein Gestade
Ein fremdes Schiff, das blau war wie das Meer
Mit schlaffen Segeln und geschloßner Lade
Und ohne Paß und mutterseelenleer.

Viel sonnige Tage lag es dort und viele
Sahn es vom Ufer sonnenhell und nah
Bis es so lang lag, daß die blauen Kiele
Kein Mensch mehr drüben schaukeln sah.

Nur nachts zuweilen hörten sehr Berauschte
In seinem Takelwerk fremde Musik
Und dennoch: keiner, der erstaunend lauschte
Und dennoch: keiner, dem der Wind die Segel bauschte
Nahm Müh und Mut, daß er das Schiff bestieg.

Es folgte einem fremden Sterne
Zu landen einst an einem Riff –
Denn mit dem Lenz in nebelblauer Ferne
Verschwand das blaue geisterhafte Schiff.


PLÄRRERLIED

Der Frühling sprang durch den Reifen
Des Himmels auf grünen Plan
Da kam mit Orgeln und Pfeifen
Der Plärrer bunt heran.

Dort hab ich ein Kind gesehen
Das hat ein goldenes Haar
Und ihre Augen stehen
Ihr einfach wunderbar.

Und in der Sonne drehen
Die Karusselle dort –
Und wenn sie stille stehen
Dann dreht mein Kopf sich fort.

Nachts ruhn die Karusselle
Wie Milchglasampeln still
Jede Nacht wird sternenhelle
Nun geh es, wie es will!

Nun bin ich trunken, Mädel!
Und trag zu aller Hohn
Statt meinem alten Schädel
Einen neuen Lampion.

Nun mag der Frühling gehen
Ich seh ihn immerdar:
Ich hab ein Kind gesehen
Die hat ein goldenes Haar.


LIED AN HERRN M.

Er barg in Augen sanft und schön
Einen wüsten Fluch.
Ihm hing vom zerfranzten Knopfloch obszön
Eine weiße sanfte Nelke mit einem Leichenruch.

Weit mehr als hohe Stirnen
War ihm ein goldenes Haar;
Doch entjungferte er die Dirnen
Nicht unter fünfzehn Jahr.

Und ging es, so ging er nicht schief:
Er hatte bläuliches Blut.

Er zog vor jedem schönen Baume tief
Seinen (sonderbar schäbigen) Hut.

Trug stets einen feinen grauen
Handschuh verflucht elegant:
Er gab nur Tieren und Frauen
Seine nackte Hand.

## CASPARS LIED MIT DER EINEN STROPHE

Cas ist tapfer. Cas schießt mit Kanonen
Auf seine Feinde, die sonst Freunde wären.
Seine Fäuste, wo sonst Seelen wohnen
Sind gefährlich dick durch ihre Schwären.
 Aber nachts singt Cas wie eine Zofe
 Caspars Lied mit der einen Strophe:
 Wenn nur der Krieg aus wär und ich daheim!

Cas ist zornig, denn der Krieg geht weiter.
Solang Cas zornig ist, ist Krieg der Brauch.
Cas schmeißt die Waffen weg, doch schmeißt er leider
Das Bajonett in seiner Feinde Bauch.
 Aber nachts singt Cas wie eine Zofe
 Caspars Lied mit der einen Strophe:
 Wenn nur der Krieg aus wär und ich daheim!

Cas hat blaue Augen wie der Himmel
Dicke Fäuste und ein großes Herz.
Trinkt er Schnaps, so trabt er wie ein Schimmel
Feist und selig lächelnd gräberwärts.
 Aber nachts singt Cas wie eine Zofe
 Caspars Lied mit der einen Strophe:
 Wenn nur der Krieg aus wär und ich daheim!

Cas wächst riesig zwischen den Geschützen
Fett und klobig wie ein Schwein im Dreck
Daß er heimkommt, dazu kann es nützen
Doch daheim fällt dies als Nutzen weg.
   Und drum singt Cas nachts wie eine Zofe
   Caspars Lied mit der einen Strophe:
   Wenn nur der Krieg aus wär und ich daheim!

Cas ist unverwundbar und so weiter
Glaubt an Schicksal und an Harmonie
Cas weiß sicher, daß er heimkommt, leider
Weiß Cas gar nicht und ich auch nicht: wie.
   Aber nachts singt Cas wie eine Zofe
   Caspars Lied mit der einen Strophe:
   Wenn nur der Krieg aus wär und ich daheim!

Cas ist fröhlich. Cas schoß seine Seele
Lang schon in den blauen Himmel hin.
Man kann singen mit und ohne Kehle
Aber niemals ohne Lust und Sinn.
   Aber nachts singt Cas wie eine Zofe
   Caspars Lied mit der einen Strophe:
   Wenn nur der Krieg aus wär und ich daheim!

## VON EINEM MALER

Neher Cas reitet auf einem Dromedar durch die Sandwüste
und malt mit Wasserfarben eine grüne Dattelpalme
(unter schwerem Maschinengewehrfeuer).

Es ist Krieg. Der furchtbare Himmel ist blauer als sonst.
Mancher fällt tot in das Sumpfgras.
Man kann braune Männer totschießen. Abends kann man sie
malen. Sie haben oft merkwürdige Hände.

Neher Cas malt den bleichen Himmel über dem Ganges im
Frühwind.
Sieben Kulis halten seine Leinwand; vierzehn Kulis halten
Neher Cas, der getrunken hat
weil der Himmel schön ist.

Neher Cas schläft nachts auf den Steinen und flucht, weil sie
hart sind.
Aber er findet auch das schön. (Das Fluchen mit inbegriffen.)
Er würde es gerne malen.

Neher Cas malt den violetten Himmel über Petschawar weiß:
weil er kein Blau mehr in der Tube hat.
Ihn frißt langsam die Sonne. Seine Seele verklärt sich.
Neher Cas malt immerdar.

Auf der See von Ceylon nach Port Said malt er auf die Innen-
wand des alten Segelschiffes
sein bestes Bild mit drei Farben, beim Licht zweier Luken.
Dann ging das Schiff unter, er rettet sich. Auf das Bild ist Cas
stolz. Es war unverkäuflich.


DAS LIED VOM GEIERBAUM

Vom Hahnenschrei bis zur Mitternacht
Raufen die Geier wie irr mit dem einsamen Baum.
So viel Flügel verdunkeln den Himmel, daß er durch Stunden
            die Sonne nicht sieht.
Aufsingt um ihn vom ehernen Flügelrauschen der Raum.
Und die peitschenden Flügel, die auf ihn gezückt
Zerhauen im Sturz ihm den zitternden Leib und zerstücken
            ihm Knospe und Glied.
Wenn ihr Flügelschlag in sein Astwerk kracht
Seine Rinde zerreißt, seine Krone zerpflückt

Steht er zusammengekauert gebückt
Verwahrlost und blutend, zerhackt und zerzaust
Von stählernen Schwingen wie Schwertern durchbraust
Schwankend und düster dämmernd im Ackerbeet.
Wohl ist das Würgen der Flügel so stark in seiner Zweige
      zerfetztem Gezwirne
Daß er zitternd im Grunde die Wurzel schon prüfte, ob sie
      ihn halten werde:
Da bebte die Wurzel unten, ganz unten, tief unter der
      Erde
Aber er stemmte sich doch in die Erde, er, der sich gegen
      den Himmel nicht wehrte
Aber er stemmt sich und steht.
Wohl träumt er Mittag und Abend und Mitternacht wie
      einen dunkelen Traum.
Aber er steht, mühsam wohl unter dem ungeheuren
      Pralle
Hebt schwer und schwankend hoch in die Luft zerfetzt
      seine Stirne:
Laut höhnte er nachts die sich mühenden Geier und
      verlachte sie alle.


Aber die Geier wiegten sich müde im Mondglanz und füllten
      mit ehernem Kreischen den Raum.
Und schon rauschten die Fittiche zitternder, und der Baum
      gibt wohl acht
Wie es den Geiern vor seiner Unsterblichkeit graust.
Oh, seine Zweige spannte er jubelnd weit, weit, denn es war
      eine Frühlingsnacht.


Ja, jetzt ist es müde, dies sterbliche Volk, und der Baum wird
      blühen, zerhackt und zerzaust.
Heute wollte er blühen beginnen – da lachte der Baum.
Aber die Geier wiegten sich müder im Mondglanz und füllten
      mit ehernem Kreischen den Raum.

Sie hörten ihn leise lachen, statt stöhnen – in seinem
            Traum.
Morgen würden sie staunen, wenn sie sahen, wie er herrlich
            frei blühte . . .
Schwerer ward ihr Gefieder, und sie wurden traurig und
            müde
Hoben sich schwer in die Lüfte und fielen in bleischwerem
            Falle
Auf den wunden Baum, da ward er zum eisernen Hügel.


Denn sie hockten im Schlafe gedrängt auf jedem einzelnen
            Ast
Hielten im Schlaf mit der todmüden Kralle
Zweige und Triebe und Knospen umfaßt.
Bogen die Schwingen wie eherne Schilde krumm
Und deckten den staunenden Baum von oben bis unten mit
            ehernem Flügel
Zitternd unter der müden Last:
Der Baum ward stumm.


Von der Mitternacht nur bis zum Hahnenschrei
Hocken die schlummernden Geier mit schauernden Flügeln
            und manchmal mit heiserem Schrei
Kummervoll auf dem stöhnenden Baum.
Verstumpft sind die Krallen; die Schwingen verdorben
Und sie träumen vom Baum, daß der unsterblich sei. –
Wenn sie im Frührot mit schmerzendem Schweben
Schläfrig in den dämmernden Frühlingsmorgen sich heben
Füllen mit ehernem Klingen die müden Flügel den Raum
Und sie schauen von oben wie Spuk und gespenstigen
            Traum:
Unten den Baum
Und der Baum ist gestorben.

LIED DER MÜDEN EMPÖRER

Wer immer seinen Schuh gespart
Dem ward er nie zerfranst.
Und wer nie müd noch traurig ward
Der hat auch nie getanzt.

Und wenn aus Altersschwäche gar
In Staub zerfällt dein Schuh
Der ganz wie du nur für Fußtritte war
War glücklicher doch noch als du.

Wir tanzten nie mit mehr Grazie
Als über Gräber noch.
Gott pfeift die schönste Melodie
Stets auf dem letzten Loch.

KLEINES LIED

1

Es war einmal ein Mann
Der fing das Trinken an
Mit achtzehn Jahren, und –
Daran ging er zugrund.
Er starb mit achtzig Jahr
Woran, ist sonnenklar.

2

Es war einmal ein Kind
Das starb viel zu geschwind
Mit einem Jahre, und –
Daran ging es zugrund.

Nie trank es: das ist klar
Und starb mit einem Jahr.


3

Daraus erkennt ihr wohl
Wie harmlos Alkohol ...


LIED DER GALGENVÖGEL

Daß euer schlechtes Brot uns nicht tut drucken
Spüln wir's hinab mit eurem schlechten Wein –
Daß wir uns ja nicht schon zu früh verschlucken.
Auch werden einst wir schrecklich durstig sein.

Wir lassen euch für eure schlechten Weine
Neidlos und edel euer Abendmahl ...
Wir haben Sünden. – Sorgen han wir keine.
Ihr aber habt dafür eure Moral.

Wir stopfen uns den Wanst mit guten Sachen
Das kost' euch Zähren viel und vielen Schweiß.
Wir haben oft das Maul zu voll zum Lachen
Ihr habt es oft zu voll vom Kyrieleis.

Und hängen wir einst zwischen Himmel und Boden
Wie Obst und Glocke, Storch und Jesus Christ
Dann, bitte, faltet die geleerten Pfoten
Zu einem Vater Eurer, der nicht ist.

Wir haun zusammen wonnig eure Frauen
Und ihr bezahlt uns heimlich eure Schmach ...
Sie werden mit Wonne zusammengehauen
Und laufen uns noch in die Kerker nach.

Den jungen Weibern mit den hohen Busen
Sind wir viel leichter als der Herr Gemahl
Sie liebt den Kerl, der ihr vom Bett weg Blusen
Die ihr Gemahl bezahlt, beim Abschied stahl.

Sie heben ihre Augen bis zum Himmel
Und ihre Röcke bis zum Hinterteil.
Und ist er frech, so macht der dümmste Lümmel
Bloß mit dem Adamsapfel sie schon geil.

Dein Rahm der Milch schmeckt schließlich nicht ganz übel
Besonders wenn du selbst ihn für uns kaufst
Wir tauchen dir das Schöpflein in den Kübel
Daß du in der entrahmten Milch versaufst . . .

Konnt in den Himmel uns der Sprung nicht glücken
War eure Welt uns schließlich einerlei.
Kannst du herauf schaun, Bruder mit dem krummen
        Rücken?
Wir sind frei, Bruder, wir sind frei!

EIN BITTERES LIEBESLIED

Mag es jetzt sein, wie es will
Einmal hatt' ich sie sehr lieb
Darum weiß ich auch: Einmal
Muß sie sehr schön gewesen sein.

Wohl weiß ich jetzt nicht mehr, wie sie da aussah:
Ein Tag verlöschte, was sieben Monde lang strahlend war

*Fragment*

AUSLASSUNGEN EINES MÄRTYRERS

Ich z. B. spiele Billard in der Bodenkammer
Wo die Wäsche zum Trocknen aufgehängt ist und pißt.
Meine Mutter sagt jeden Tag: Es ist ein Jammer
Wenn ein erwachsener Mensch so ist

Und so etwas sagt, wo ein anderer Mensch nicht an so etwas
        denkt.
Bei der Wäsche, das ist schon krankhaft, so was macht ein
        Pornografist!
Aber wie mir dieses Blattvordenmundnehmen zum Hals
        heraushängt
Und ich sage zu meiner Mutter: Was kann denn ich dafür,
        daß die Wäsche so ist!

Dann sagt sie: So etwas nimmt man nicht in den Mund,
        nur ein Schwein
Dann sage ich: Ich nehme es ja nicht in den Mund
Und: Dem Reinen ist alles rein
Das ist doch ganz natürlich, wenn einer sein Wasser läßt,
        das tut doch jeder Hund.

Aber dann weint sie natürlich und sagt: Von der Wäsche!
        Und ich brächte sie noch unter die Erde
Und der Tag werde noch kommen, wo ich sie werde mit den
        Nägeln auskratzen wollen
Aber dann sei es zu spät, und daß ich es noch merken werde
Was ich an ihr gehabt habe, aber das hätte ich dann früher
        bedenken sollen.

Da kannst du nur weggehen und deine Erbitterung
        niederschlucken
Wenn mit solchen Waffen gekämpft wird, und rauchen, bis
        du wieder auf der Höhe bist.

Dann sollen sie eben nichts von der Wahrheit in den
          Katechismus drucken
Wenn man nicht sagen darf, was ist.


VOM FRANÇOIS VILLON


1

François Villon war armer Leute Kind
Ihm schaukelte die Wiege kühler Föhn.
Von seiner Jugend unter Schnee und Wind
War nur der freie Himmel drüber schön.
   François Villon, den nie ein Bett bedeckte
   Fand früh und leicht, daß kühler Wind ihm schmeckte.


2

Der Füße Bluten und des Steißes Beißen
Lehrt ihn, daß Steine spitzer sind als Felsen.
Er lernte früh den Stein auf andre schmeißen
Und sich auf andrer Leute Häuten wälzen.
   Und wenn er sich nach seiner Decke streckte:
   So fand er früh und leicht, daß ihm das Strecken
          schmeckte.


3

Er konnte nicht an Gottes Tischen zechen
Und aus dem Himmel floß ihm niemals Segen.
Er mußte Menschen mit dem Messer stechen
Und seinen Hals in ihre Schlinge legen.
   Drum lud er ein, daß man am Arsch ihn leckte
   Wenn er beim Fressen war und es ihm schmeckte.

4

Ihm winkte nicht des Himmels süßer Lohn
Die Polizei brach früh der Seele Stolz
Und doch war dieser auch ein Gottessohn. –
Ist er durch Wind und Regen lang geflohn
Winkt ganz am End zum Lohn ein Marterholz.

5

François Villon starb auf der Flucht vorm Loch
Vor sie ihn fingen, schnell, im Strauch, aus List –
Doch seine freche Seele lebt wohl noch
Lang wie dies Liedlein, das unsterblich ist.
    Als er die viere streckte und verreckte
     Da fand er spät und schwer, daß auch dies Strecken
        schmeckte.

## LARRYS BALLADE VON DER MAMA ARMEE

Auf den Straßen in Sonne und Staub
Von den Mücken zerfressen –
Abends werden auf nassem Laub
Reis und verfaulte Fische gegessen.
In der Nacht ist Krach und der Feind ist da, Mama!
Musik spielt. Man kann trinken.
Man kann schießen, denn der Feind ist da, Mama!
Man kann Himmel sehn, der ist ja da, Mama!
Wenn man tot ist, kann man nur mehr stinken.

Mancher Bruder war bei uns schon da
Bei dem half halt kein Trinken
Mußte abends, wenn's keiner sah
Feig in den dunkeln Himmel noch hinken.

In der Nacht ist Krach und der Feind ist da, Mama!
Musik spielt. Man kann trinken.
Man kann schießen, denn der Feind ist da, Mama!
Man kann Himmel sehn, der ist ja da, Mama!
Wenn man tot ist, kann man nur mehr stinken.

Sonne brennt unserm Bruder ein Loch
Schlamm füllt schwarz seine Lungen.
Aber wir andern haben nachts noch
Reis und verfaulte Fische verschlungen.
In der Nacht ist Krach und der Feind ist da, Mama!
Musik spielt. Man kann trinken.
Man kann schießen, denn der Feind ist da, Mama!
Man kann Himmel sehn, der ist ja da, Mama!
Wenn man tot ist, kann man nur mehr stinken.

In den Flüssen schwimmt mancher Rekrut
Vom lieben Gott schon vergessen
Als ihn bei grauem Himmel und Mond
Mutter, die feisten Fische gefressen.
In der Nacht ist Krach und der Feind ist da, Mama!
Musik spielt. Man kann trinken.
Man kann schießen, denn der Feind ist da, Mama!
Man kann Himmel sehn, der ist ja da, Mama!
Wenn man tot ist, kann man nur mehr stinken.

Mancher, der staunend zum Himmel sah
Fühlte was oben zerspringen
Und dann hörte er nur mehr, Mama
Aber schon weit weg, die anderen singen.
In der Nacht ist Krach und der Feind ist da, Mama!
Musik spielt. Man kann trinken.
Man kann schießen, denn der Feind ist da, Mama!
Man kann Himmel sehn, der ist ja da, Mama!
Wenn man tot ist, kann man nur mehr stinken.

Manchen, der noch keine Mädchenbrust
Fühlte mit jungen Händen
Sah ich vor Ekel mit wilder Lust
Mit den zerschmetterten Armen verenden.
In der Nacht ist Krach und der Feind ist da, Mama!
Musik spielt. Man kann trinken.
Man kann schießen, denn der Feind ist da, Mama!
Man kann Himmel sehn, der ist ja da, Mama!
Wenn man tot ist, kann man nur mehr stinken.


GESANG DES SOLDATEN DER ROTEN ARMEE


1

Weil unser Land zerfressen ist
Mit einer matten Sonne drin
Spie es uns aus in dunkle Straßen
Und frierende Chausseen hin.


2

Schneewasser wusch im Frühjahr die Armee
Sie ist des roten Sommers Kind!
Schon im Oktober fiel auf sie der Schnee
Ihr Herz zerfror im Januarwind.


3

In diesen Jahren fiel das Wort Freiheit
Aus Mündern, drinnen Eis zerbrach.
Und viele sah man mit Tigergebissen
Ziehend der roten, unmenschlichen Fahne nach.

4

Oft abends, wenn im Hafer rot
Der Mond schwamm, vor dem Schlaf am Gaul
Redeten sie von kommenden Zeiten
Bis sie einschliefen, denn der Marsch macht faul


5

Im Regen und im dunklen Winde
War Schlaf uns schön auf hartem Stein.
Der Regen wusch die schmutzigen Augen
Von Schmutz und vielen Sünden rein.


6

Oft wurde nachts der Himmel rot
Sie hielten's für das Rot der Früh.
Dann war es Brand, doch auch das Frührot kam
Die Freiheit, Kinder, die kam nie.


7

Und drum: wo immer sie auch warn
Das ist die Hölle, sagten sie.
Die Zeit verging. Die letzte Hölle
War doch die allerletzte Hölle nie.


8

Sehr viele Höllen kamen noch.
Die Freiheit, Kinder, die kam nie.
Die Zeit vergeht. Doch kämen jetzt die Himmel
Die Himmel wären ohne sie.

9

Wenn unser Leib zerfressen ist
Mit einem matten Herzen drin
Speit die Armee einst unser Haut und Knochen
In kalte flache Löcher hin.


10

Und mit dem Leib, von Regen hart
Und mit dem Herz, versehrt von Eis
Und mit den blutbefleckten leeren Händen
So kommen wir grinsend in euer Paradeis.


BRIEF AN EINEN FREUND

Mein lieber B.
Und Donnerstag am Morgen:
Grau gähnt der Laden und roch sehr nach Seife.
Sie war sehr traurig, grämte sich verborgen.
Ich sagte, daß ich so was nicht begreife.
Und trug wie immer, für euch alle, Sorgen.
Sie sagte lächelnd, als ich nicht anfing:
Ich hatte gestern abend keine Ruhe.
So daß ich, was ich nie tat und nie wieder tue
Am Abend noch zu seinem Haus hinging.
Sie lachen jetzt. Ich aber glaub nicht, daß ich übertreibe
Ich hatte Heimweh nach ihm. Wo ich doch nicht darf.
Ich wußt auch nicht, daß er so an mir hing. –
Sie sah mit starrem Lächeln durch die Fensterscheibe
Nach einem buckligen, sehr alten Weibe
Das Straßendreck auf einen Karren warf.
Beim Abschied sah ich ihre Hände, die

Rot sind und mütterlich, so daß ich ihnen
Zutrau, daß sie sehr lieb streicheln müssen
Wenn Stirnen heiß sind oder Theemaschinen.
Und ich ward lächelnd stumm und drückte sie.
(Man kann nicht immer, wenn man Lust hat, küssen.)


Hm. Meine Mutter zählt bald fünfzig Jahr
Von denen dreißig sie im Sterben war.
Und gestern sagte sie und lachte, schau
Wie's unsern Mädchen leider nie gelingt:
Ja, vor er ging, da sagte er, und zwar
So ernst, wie ich im Sterben kaum gewesen
Er müsse heute noch und müss' es unbedingt
Einen Roman vollends zu Ende lesen. –
Das sagte er mir alter Frau.
Ich lachte auch. Und wußte nicht warum.
Und sah wie du drein dabei: Nämlich dumm.
Nun sind die Tage sonnig. Und es geht mir gut.
Die Nächte voller Sternenglanz und Ruh.
Und alle Bäume neigen sich dem zu
Der nicht wie Moder abends selber ruht.
Seit vielen Wochen harrte der Wald.
Und die Musik der Äcker, im Sonnenschein nackt
Und über alles Irdische aufschallt
In den strahlenden Himmel der Jugend aus grellen
Tierischen Pauken, göttlichen Tschinellen
Der Plärrer mit seinem betrunkenen Takt.
O gesegnete Heimat vom heimatslosen Gelichter:
Gassenhure, Strolch und Dichter;
Deine Kinder von jedem Wunder gepackt.

DER DICHTER, DER IHN MANCHMAL GELIEBT

Der Dichter, der ihn manchmal geliebt
Weil er ihm Wein und Brot für schöne Worte gibt
Sagt von ihm, daß er Zedernholz und Salböl tauscht.
Doch jenem ist es gleich, ob's Myrrhen sind
Erz oder Flöten. Gift, das tötet. Branntwein, der
　　　　　berauscht.
Kloakensteine, Stiere und Absinth –
Und weißes Segel, das im Wind sich bauscht.
Und er verachtet nur den schönen Wind.
Er gibt die Messer preiswert, die man ohne Mühe
In Menschen oder Kühe stößt; er lauert
Auf das, was kommen muß. Er kauft die Kühe
Und baut die Häuser, drein man Mörder mauert.
Er will das Schicksal lenken, nicht es halten.
Was frommt sich wegzuwerfen und was: Händefalten –
Er schleppt nicht Lasten übern schwachen Steg
Und will den Himmel nicht mit List bereden –
Er geht und tritt gelassen aus dem Weg
Wenn Stiere kommen und Propheten.
Seine Züge aber schleppen über die bleichen Prärien
Wein und Korn und Werkzeuge her
Fühllos und pünktlich. Seine Schiffe ziehn
Menschen und Tiere über das tödliche Meer.
Eilfertig stürzen sich seine Züge von den Gebirgen, beladen
　　　　　mit Reis und Mut
In die Täler, woraus die Hungernden schrein
Und füllen sie mit Speisen, daß sie spein
Und bringen Schüsseln mit, drein man Erbrochnes tut.
Mitunter kauft er Musik für die traurigen Herzen
Und für die Einsamen kauft er Menschen mit leichter
　　　　　Mühe
Und denen Sonnen untergingen, kauft er Kerzen
Die brennen preiswert bis zur neuen Frühe.

Manchmal gehen ihm Schiffe unter, aber es macht nichts
Oder es wächst auf seinen Äckern grauer Grind.
Dann siehst du in den Augen seines Angesichts
Freude über gute Äcker, die Schiffe, die angekommen
        sind.
(Denn er ist nicht Herr über Sonne und dummen Wind.)
Ihn fesseln die Dinge, die da sind: Er weiß
Jedes Ding ist mehr wert als sein Preis.
Und der den Säufern ihren Branntwein reicht
Und den Sterbenden die Särge zimmert
Weiß, daß der am größten ist, der sich nicht kümmert
Und macht den Sterbenden die Herzen leicht.
Ist das kindlichste von Gottes Kindern
Will die Dinge nicht verbessern, die er liebt, wie sie
        sind
Und unter Gottes Zöllnern und Gottes Sündern
Geht er gelassen unter Gottes Wind.


## BALLADE VOM TOD DER ANNA GEWÖLKEGESICHT

### 1

Sieben Jahre vergingen. Mit Kirsch und Wacholder
Spült er ihr Antlitz aus seinem Gehirn
Und das Loch in der Luft wurde schwärzer und voll der
Sintflut von Schnäpsen war leer dies Gehirn.

### 2

Mit Kirsch und Tabak, mit Orgeln und Orgien:
Wie war ihr Gesicht, als sie wegwich von hier?
Wie war ihr Gesicht? Es verschwamm in den Wolken?
He, Gesicht! Und er sah dieses weiße Papier!

3

Wohin immer er fuhr, an vielmal viel Küsten!
(Er fuhr nicht wohin bloß wie du und ich!)
Ihm schrie eine Stimme weiß über den Wassern
Eine Stimme, der ihre Lippe verblich . . .


4

Einmal sieht er noch ihr Gesicht: in der Wolke!
Es verblaßte schon sehr. Da er allzu lang blieb . . .
Einmal hörte er noch, fern im Wind, ihre Stimme
Sehr weit in dem Wind, in dem die Wolke hintrieb . . .


5

Aber in späteren Jahren verblieben
Ihm nur mehr Wolke und Wind, und die
Fingen an zu schweigen wie jene
Und fingen an zu vergehen wie sie.


6

Oh, wenn er durchnäßt von den salzigen Wässern
Von wilden Winden die wilden Hände zerfleischt
Hinunterschwimmt, vernimmt er als letztes
Eine Möwe, die über den Segeln noch kreischt!


7

Von den grünen Bitternissen, den Winden
Den fliegenden Himmeln, dem leuchtenden Schnee
Und Kirsch und Tabak und Orgeln blieb nichts mehr
Als ein Kreischen in Luft und ein Salzschlücklein See.

8

Aber immer zu jenen hinwelkenden Hügeln
In den weißen Winden des wilden April
Fliegen wie Wolken die blässeren Wünsche:
Ein Gesicht vergeht. Und ein Mund wird still.


DAS LIED VON DER WOLKE DER NACHT

Mein Herz ist trüb wie die Wolke der Nacht
Und heimatlos, oh Du!
Die Wolke des Himmels über Feld und Baum
Die wissen nicht wozu.
Sie haben einen weiten Raum.

Mein Herz ist wild wie die Wolke der Nacht
Und sehnsuchtstoll, oh Du!
Die will der ganze weite Himmel sein
Und sie weiß nicht wozu.
Die Wolke der Nacht ist mit dem Wind allein.


VOM SCHLECHTEN GEBISS

I

Zahnlos von vielem Brombeernschlecken
Katzbalgerei und Zähneblecken
Unschuldig ein Kind, keusch wie ein Greis
Verfliegt mir mein Leben in solcher Weis':

2

Wohl zermalme ich Steine mit meinem Kiefer
Aber mein Zahnfleisch ist blau wie Schiefer!
Darum jeden Tag mit dem Gaumen gekaut
Daß mir das Pack in den Magen schaut?!

3

Viele Weiber trollten mit mir in Lumpen
Aber seit ich diese verfaulten Stumpen
Im Maul hab, bin für sie ich kein Mann
Der Fleisch einfach zerreißen kann.

4

Viele Jahre ging ich herum, einen Kiefer voll Zähne
Und es dankte mir niemals so eine Hyäne.
Jetzt seh ich, dessen Bild in ihren Hirnen schwankt
Daß ich alles nur meinen Zähnen verdankt.

5

Verachtet und boshaft, wurde ich mit den Jahren kälter
Und begab mich ganz auf die metaphysischen Felder.
Gemieden von mir, bin ich seit Tag und Jahr
Dem Schnaps verfallen mit Haut und Haar.

OH, IHR ZEITEN MEINER JUGEND

Oh, ihr Zeiten meiner Jugend! Immer
Matter wird Erinnerung jetzt schon.
Leichte Schatten! Weiß getünchte Zimmer!
Und darinnen rot Orchestrion.

In den apfellichten Teichen karpften
Wir gefräßig leicht in windiger Flut
Und in himbeerfarbenen Hemden harpften
Wir am Abend im Melonenhut.

O Gekreisch der schnarrenden Gitarren!
Ach, du himmlisch aufgeblähter Hals!
Hosen, die von Schmutz und Liebe starren!
Und in schleimig grünen Nächten: welch Gebalz!

Schläfrig lungern zwischen Weidenstrunken!
Unter apfelgrünem Himmel, o Tabak!
Ach, wie Tauben fliegend, die vom Kirsch betrunken –
Trauriger endend als ein Rupfensack.

Zartes Lammfleisch du, in steifem Linnen.
Ach, schon sucht dich wild der gute Hirt!
Ja, noch weidest du, und rot darinnen
Sitzt ein Herz, das bald verfaulen wird.


DER ALTE MANN IM FRÜHLING

Ach, in meinen Jugendjahren
War der Frühling schöner noch als heut.
Daß die schönen Mädchen schöner waren
Ist das letzte, was uns Alte freut.

Deine Mutter sagt es auch seit Jahren
Alter macht das Urteil erst gescheit.
Denn wir Alten haben viel erfahren:
Aber dieses war die schönste Zeit.

Daß die Wiesen nicht und nicht die Ähren
Wie dereinst so golden und so grün

Muß wohl sein; denn wenn sie noch so wären
Könnt ich doch nie mehr zu ihnen hin.

Aber daß die Sonne immer kälter
Wo sie doch dereinst so herrlich war –
Ist nicht gut, denn wird man merklich älter
Liebt man Sonne mehr mit jedem Jahr.

Und Gedichte, Liebende und Leben
Ist nun anders als es früher war –
Und nur wir sind immer gleich geblieben.
Denn man haßt die Änderung im grauen Haar.


WER IM GUTEN GLÜCK

Wer im guten Glück des Unglücks gedenkt
Dem wird das Glück zu Unrecht geschenkt
Wer da spart ein Stück für die sauren Wochen
Der wird auf dem Ätna nur Suppen kochen!

Das Glück ist dunkel und es läuft schnell!
Das Unglück aber ist lang und hell.
Die ihr Licht haben wolltet und müßtet ihr's stehlen
Daß ihr seht, was ihr liebtet, wie wird es euch quälen!
(Eure Augen sind schwächer als eure Seelen!)

Daß die Sterne zu weit sind, das schuf euch nicht Qual
Und daß ihr zu schwach seid, das traf euch einmal.
Das macht euch nicht, daß sie versinken, erbleichen
Sondern daß sie sich wie die Eier gleichen.

Wenn einer vor Drang nicht zu Atem kam
Wenn ihn das Geschick roh beim Schopfe nahm

Ohne viel Sperenzchen und ohn viel Federlesen –
Das sind seine besten Jahre gewesen!

Wenn alles verbraucht ist und vieles verkauft
Nur nicht mehr ums Übrige abgerauft!
Ach, geh doch gemütlich und lässig hinab, was willst du
      verlangen
Als daß die nachsahen, sagen: er ist wohl gerne gegangen!


ANNA REDET SCHLECHT VON BIDI

Eingebildet bis zum Platzen
Faul wie ein Ameisenbär
Nichts als seine Eier kratzen
Und das Maul aufreißen der.

Tabakrauchen, Zeitunglesen
Schnapsgesäuf und Billardspiel
Hundskalt und ein großes Wesen
Und kein menschliches Gefühl.

Und nichts als mit Huren lumpen
Und zum Schiffen noch zu faul.
Grinst er, sieht man seine Stumpen
Keinen Zahn hat er im Maul.

Aber der wird auch noch schauen
Daß der nicht am besten lacht
Dem wird man die Schaufel hauen
Auf den Kopf, vor wir's gedacht.

Der kommt doch auch noch gekrochen
Den trifft man noch seinerzeit.

Wo wär, wenn das ungerochen
Bleibt, da noch Gerechtigkeit?


BIDI IM HERBST


Die Septembernächte sind gut zum Rauchen
Es muß hell sein zum Rauchen, das steht in den Dogmen.
Man kann noch etwas sich im Weiher tauchen
Und sich mit seinem Hemd abtrocknen.

Zuviel Wasser sollte man nicht brauchen.
Es ist gut in trockenen Blättern hinzudächseln.
Im September ist es da noch ganz gut rauchen
Schon im Oktober kannst du nachts die Hände leicht
        verwechseln.

Mit Weibern ist es im Oktober ja besser
Die legen sich gern zwischen Blätterleichen
Im Oktober ist es auch nässer
Aber mit einer Pfeife das, das ist kein Vergleichen.


DIE ACHILLESVERSE


Zuerst ziehe ich mir die Schuhe aus zum Liegen
Dann wasche ich mich drei Tage nicht
Und verseuche mich für euch durch Zwetschgenwässer
Lasse mir die Haare wachsen nach Vergnügen
Und bekämpfe nur mit Jalousien das Licht.

Erst am vierten Tage wird mir etwas besser
Aber oft dann erst am sechsten Tage kriege
Die Achillesverse ich in Sicht.

HYMNE AN GOTT

1

Tief in den dunkeln Tälern sterben die Hungernden.
Du aber zeigst ihnen Brot und lässest sie sterben.
Du aber thronst ewig und unsichtbar
Strahlend und grausam über dem ewigen Plan.

2

Ließest die Jungen sterben und die Genießenden
Aber die sterben wollten, ließest du nicht ...
Viele von denen, die jetzt vermodert sind
Glaubten an dich und starben mit Zuversicht.

3

Ließest die Armen arm sein manches Jahr
Weil ihre Sehnsucht schöner als dein Himmel war
Starben sie leider, bevor mit dem Lichte du kamst
Starben sie selig doch – und verfaulten sofort.

4

Viele sagen, du bist nicht und das sei besser so.
Aber wie kann das nicht sein, das so betrügen kann?
Wo so viel leben von dir und anders nicht sterben
konnten –
Sag mir, was heißt das dagegen – daß du nicht bist?

DER HIMMEL DER ENTTÄUSCHTEN

1

Halben Weges zwischen Nacht und Morgen
Nackt und frierend zwischen dem Gestein
Unter kaltem Himmel wie verborgen
Wird der Himmel der Enttäuschten sein.

2

Alle tausend Jahre weiße Wolken
Hoch am Himmel. Tausend Jahre nie.
Aber alle tausend Jahre immer
Hoch am Himmel. Weiß und lachend. Sie.

3

Immer Stille über großen Steinen
Wenig Helle, aber immer Schein
Trübe Seelen, satt sogar vom Greinen
Sitzen traumlos, stumm und sehr allein.

4

Aber aus dem untern Himmel singen
Manchmal Stimmen feierlich und rein:
Aus dem Himmel der Bewundrer dringen
Zarte Hymnen manchmal oben ein.

NORDLANDSAGE

Sie zogen von den Bergen groß und fett mit roten
       Haaren
Erzerne Waffen in den großen Händen
Die selbst wie ungeschlachte Tiere waren
Sie sangen, daß der blaue Himmel brauste.
Weiber mit flatternden Haaren und ungeheuren Lenden
Klammerten sich an fette und sanftmütige Stiere.
Abends, wenn der Wind im dunkeln Wipfel der Pappeln
       sauste
Träumen sie allesamt vom blauen Meere.

Darin ersoffen sie bei Kupferneumond wie zu schwere
       Tiere.


WIE ICH GENAU WEISS

Wie ich genau weiß
Fahren die Unreinen zur Hölle
Über den ganzen Himmel.
Sie werden gefahren in Wägen, durchsichtig
Es wird ihnen gesagt: Dies unter euch
Ist der Himmel.
Ich weiß es, daß dies ihnen gesagt wird
Denn ich denke mir
Gerade unter ihnen
Sind viele, die ihn nicht erkennen würden, denn
       gerade sie
Haben ihn sich strahlender gedacht.

LIED VON DEN SELIGEN

Wenn ihr sterbt, dann werden einige in den Himmel
      eingehn.
Die werden sich nicht wundern, denn sie haben ihn schon
      gesehn.
Mörder und Säufer werden darinnen sein.
Wer die nicht lieben kann, kommt nicht herein.

Wer den Bruder schlug, der findet den Himmel nicht so
      schwer
Die Betrunkenen gehen sehr leicht diese Wege her . . .
Wer die Sterne sah, als er in Gossen lag
Der erhebt sich leicht an seinem Ehrentag.

Wer nie blind war, wird den Himmel nie sehn
Keiner allein kann in den Himmel gehn
Leiden werden auch dorten sein.
Alle tragen aller Last gemein.

Kinder und Narren, die gehen wohl ins helle Land . . .
Mörder und Opfer, die gehen Hand in Hand.
Arm in Arm, wer von Blut und Tränen troff
Bruder Baal und Bruder Karamasoff.

AUS KEINEM ANDERN GRUND

I

Wenn der Abendstern im Froste zittert
Kriechen wir in euer Holz
Hören dort den Wind von innen, igeln uns im

Kober ein: wohl denn, wir sind nicht stolz!
Warm ist warm. Und es gibt viele Tiere.
Manchmal lahmt ihr Fuß: ihr Herz lahmt nie.
Seht uns an! Glotzt nicht! Wir überfliegen
Heute nacht den Mont Cenis!


2

Keinen Wind von Bergen, Wind von Meeren
Warmen Wind und salzigen Wind!
Leichter überwintert unser Herz in Stunden
Die wir eingebrannt in Branntwein sind!
Auch kommen nachts oft sicher Fledermäuse
An euer Fenster, winters, sicher! und
Ihr macht es auf und laßt sie in die Balken
Weil es sie friert: aus keinem andern Grund.


3

Krochen frierend oft aus dem Gewässer
Zwischen salzigem Getier
Auf ein Eiland. Und die Tiere wurden besser
Wenn die Sonne warm schien. Und auch wir.
Auch haben wir oft selbst gar vielen Tieren
Quartier gegeben. An der Brust oft. Und
Wir haben nichts dabei gedacht. Wir taten's
Weil es sie fror: aus keinem andern Grund.


4

Sahen Himmel azurn, Himmel schwärzer
Als die Blattern, und sie sind
Schneller oft als eure Mütter bleich geworden
Und vergangen wie das Gras im Wind!

Sie waren schön und haben uns verlassen
Und wir verkrochen uns im Strauche und
Sagten im Schlaf zu uns, sie verblassen
Weil es Nacht wird! Aus keinem andern Grund.


5

Kannten Burschen, deren Auge heller
Als das eure war, und sie
Sind verschwunden wie die schwarzen Priemenstumpen
Die ein Saufbold in die Schwemme spie.
Auch schneiten sicher nachts an eure Fenster
Schon blässere Gesichter als die unsern und
Sie gingen morgens weiter, liefen
Weil das Spaß macht. Aus keinem andern Grund.


6

Als wir endlich stille lagen
Hörten wir Gegrunz
Und die nackten Steine fragen:
Kinder, bleibt ihr jetzt bei uns?
Wenn wir in den bittren Wässern
Noch ertrinken wie das Vieh
Sagen wir, wir überfliegen
Heute nacht den Mont Cenis.


KARL HOLLMANNS SANG

Rauchend den gelben Tabak
Am Flußkies bei ruhigem Wetter
Schnapp ich noch Luft. Im Sack
Noch Tabak und die Zeitungsblätter.

Dann denk ich an meinen Freund Jack
Bis es Nacht wird. Es graust mir oft selber
Ich rauche so gelben Tabak
Und mein Freund Jack war gelber!
In lackiertem Holz sein Gesicht
Es war zum Davon-zu-Laufen!
Pfui Teufel, es half dir da nicht
Fünf Gläser Kirschwasser zu saufen!
Gott, die Sterbsakramente empfing
Er. Beim Wurm werden die nicht viel
          helfen!
Eher, daß die Haut ihm aufging
Dick wie Bananenschelven.
Na, schließlich ist es auch gleich
Es ist keiner auf Kissen gebettet
Die Welt ist ein stinkender Teich
Siehst du, Jack, und du bist gerettet.
Ich schau da nicht auf dich herab
Ich sag nicht, du seist zu beneiden
Ich sag nur: man findet sich ab!
Jack, du warst der Mann von uns beiden!
Leer jetzt wie ein Zeitungsblatt!
Weihrauchgeräuchertes! Quitter
Mit dem Teufel ist niemand! Es hat
Würmer! Ach, Jack, es ist bitter!
Ach, Jack, ich möchte nur wissen
Tut dir wirklich auch nichts mehr weh?
Ich glaub, ich bin froh: mir pissen
Die Fliegen noch in den Kaffee.
Ach, Jack, ist der Himmel heut grün!
Und die Fliegen! Ein förmlicher Schwarm oft!
Ja, der Teich, Jack, der ist immerhin
Zwischendrin auch ziemlich warm oft!

Wenn es kälter wird, troll ich mich dann
Mit noch etwas Luft in den Händen
Heim. Ich, ein lebendiger Mann
Mit einem Dach über meinen vier Wänden.


O FALLADAH, DIE DU HANGEST!


Ich zog meine Fuhre trotz meiner Schwäche
Ich kam bis zur Frankfurter Allee.
Dort denke ich noch: O je!
Diese Schwäche! Wenn ich mich gehenlasse
Kann's mir passieren, daß ich zusammenbreche.
Zehn Minuten später lagen nur noch meine Knochen auf der
        Straße.

Kaum war ich da nämlich zusammengebrochen
(Der Kutscher lief zum Telefon)
Da stürzten sich aus den Häusern schon
Hungrige Menschen, um ein Pfund Fleisch zu erben
Rissen mit Messern mir das Fleisch von den Knochen
Und ich lebte überhaupt noch und war gar nicht fertig mit dem
        Sterben.

Aber die kannte ich doch von früher, die Leute!
Die brachten mir Säcke gegen die Fliegen doch
Schenkten mir altes Brot und ermahnten noch
Meinen Kutscher, sanft mit mir umzugehen.
Einst mir so freundlich und mir so feindlich heute!
Plötzlich waren sie wie ausgewechselt! Ach, was war mit
        ihnen geschehen?

Da fragte ich mich: Was für eine Kälte
Muß über die Leute gekommen sein!
Wer schlägt da so auf sie ein

Daß sie jetzt so durch und durch erkaltet?
So helfet ihnen doch! Und tut es in Bälde!
Sonst passiert euch etwas, was ihr nicht für möglich haltet!


UND ALLE DIE JAHRE AM ABEND


Und alle die Jahre am Abend
Ging Wind und die Wiese verblich
Und der Bäume dunklere Wipfel
Füllten mit Schwärzerem sich.
Oh, ihr wilden Wasser der Riffe!
Oh, du roter enthäuteter Mond!
Oh, ihr braunen Segel der Schiffe
Gebläht über den Horizont!


Kalt und        und mit 4 mal 10 Jahren
Mit Mond und Wiese und Wind.


*Fragment*


IHR GROSSEN BÄUME IN DEN NIEDERUNGEN


Ihr großen Bäume in den Niederungen
Mit mildem Licht von Wolken in den Kronen
Die finstern Wurzeln tief in sich verschlungen
So steht ihr da, worinnen Tiere wohnen.
Der Sturm peitscht eure nackten Äste finster.
Wir sind sehr einsam, und es macht auch nichts.
Wir haben nie ein Licht und nicht einmal Gespenster.
Und hätten wir's, was täten wir mit Licht?


*Fragment*

ÜBER DEN SCHNAPSGENUSS

1

In dem grünen Kuddelmuddel
Sitzt ein Aas mit einer Buddel
Grünem Schnaps. (Grünem Schnaps.)
Sitzt ein Aas mit einer Buddel und Herzklaps.
(Und Herzklaps.)

2

Sehet an, Josef, den Keuschen
Zwischen ungeheuren Fleischen
Sitzt und schnullt. (Sitzt und schnullt)
An den Fingern, an den keuschen, aus Unschuld.
(Aus Unschuld.)

3

Sieben Sterne schmecken bitter.
Süß gezupfte Magenzither
Macht sie gut. (Macht sie gut.)
Sieben Lieder, sieben Liter, das gibt Mut.
(Das gibt Mut.)

4

Linsel Klopps ging grad wie'n Meier.
Doch nun ist ihm auch viel freier
Seit er schwankt. (Seit er schwankt.)
Ach, du Schwan in deinem Weiher, sei bedankt.
(Sei bedankt.)

LIED DER SCHWESTERN

In den finstern Wäldern, sagt man
Wächst er auf wie fremdes, sanftes Vieh.
Viele Männer kamen von den Wäldern.
Aber aus den Wäldern kam er nie.

Und man sagte uns: in jenen Feldern
Mit den Bäumen wächst er sanft und still.
Aber viele kamen von den Feldern. Keiner
Der uns seinen Ort verraten will.

In den Städten, sagt man, leben viele.
Und in Höfen sieht man viele stehn.
Viele fragten wir, die dorther kamen:
Aber keiner hatte ihn gesehn.

Seitdem denken wir: in weißen Wolken
Gibt es oft ein sonderbares Licht.
Vielleicht sehen wir einst in den Wolken
Weiß, vom Wind verwehet, sein Gesicht.


ABER IN KALTER NACHT

Aber in kalter Nacht die erbleichten Leiber
Trieb nur mehr der Frost zusammen im Erlengrunde.
Halb erwacht, hörten sie nachts statt Liebesgestammel
Nur mehr vereinsamt und bleich das Geheul auch
           frierender Hunde.

Strich sie am Abend das Haar aus der Stirn und mühte sich
           ab, um zu lächeln
Sah er, tief atmend, stumm weg in den glanzlosen Himmel.

Und am Abend sahn sie zur Erde, wenn über sie endlos
Große Vögel in Schwärmen vom Süden her brausten,
   erregtes Gewimmel.

Auf sie fiel schwarzer Regen.


ICH BEGINNE ZU SPRECHEN VOM TOD

1

Ich beginne zu sprechen vom Tod.
Viele Irrglauben sind verbreitet
Aber wenn man den Wunsch von der Furcht abscheidet
Kommt uns die erste Ahnung von dem, was uns droht.

Die Welt gewinnt, wer das vergißt:
Daß der Tod ein halber Atemzug ist.


2

Denn das ist kein Atemzug
Den zu tun noch uns dann verbleibt
Und das ist nicht das Genug
Sondern es ist das Zu-Wenig, was den Angstschweiß
   austreibt.

Weise ist, wer darin irrt
Und meint, daß er sterbend fertig wird.


3

Die Dinge sind, wie sie sind
Ein Daumen ist immer ein Daumen

Aber deinem japsenden Gaumen
Langt nicht ein Wirbelwind.

Dein Hals ist angesägt und leck
Dein Atem pfeift aus dem Spalt hinweg.


4

Dieses wächserne Grubenlicht
Diese steifen Finger auf deinen Leinen
Die Esser um dich mit dem kalten Weinen
Glaub nicht, du merkst sie nicht.

Was da um dich steht und da so weint
Das war der Mensch, das war dein Feind.


5

Du kannst ihn nicht fressen mehr
Deine Zähne sind dir lang wie Rechen
Aber die werden die Nacht noch brechen
Also bleibt dir von nun an der Magen leer.


#### ICH HABE DICH NIE JE SO GELIEBT

Ich habe dich nie je so geliebt, ma sœur
Als wie ich fortging von dir in jenem Abendrot.
Der Wald schluckte mich, der blaue Wald, ma sœur
Über dem immer schon die bleichen Gestirne im
              Westen standen.

Ich lachte kein klein wenig, gar nicht, ma sœur
Der ich spielend dunklem Schicksal entgegenging –

Während schon die Gesichter hinter mir
Langsam im Abend des blauen Walds verblaßten.
Alles war schön an diesem einzigen Abend, ma sœur
Nachher nie wieder und nie zuvor –
Freilich: mir blieben nur mehr die großen Vögel
Die abends im dunklen Himmel Hunger haben.

## JENE VERLOREN SICH SELBST AUS DEN AUGEN

### 1

Jene verloren sich selbst aus den Augen.
Jeder vergaß sich selbst. Es schwemmte das Meer seinen
      Leichnam
Einmal an irgendein Riff, dort freuten sich Vögel darüber
Und lebten davon noch einige Wochen.
Viele versteckten sich hilflos in Nacht und glaubten, sie
      seien
Unsichtbar, wenn sie nicht sahen. Die Nacht
Gab ihnen Schutz und nahm ihnen lässig
Mütterlich streichelnd über ihr Antlitz
Stumm ihr Gesicht. In Wind und Wasserlaut
Wurden sie klagende Stimme, Scheuchen für Vögel
Und Kinderschreck, wehende Hemden im Flur
Zitternd in Angst vor Gelächter . . .

### 2

Und schon erhebt sich
Lachend im Winde, andres Geschlecht
Schläfer im Dunklen, Fresser der Vögel
Einig mit ihrem Leib
Und Herren unsäglicher Wonne.

3

Und aus den Seufzern jener
Aus Lachen und Niederfall
Speist sich die Sonne und tränkt sich die Nacht.
Also erneuert sich stündlich aus Fall und Verschlingung
Die unendliche Sensation
Welche bestimmt ist den Demütigen und denen, die reinen
         Herzens sind:
Jung sein mit Überschwang und altern mit Wollust.


DEUTSCHLAND, DU BLONDES, BLEICHES

Deutschland, du Blondes, Bleiches
Wildwolkiges mit sanfter Stirn!
Was ging vor in deinen lautlosen Himmeln?
Nun bist du das Aasloch Europas.

Geier über dir!
Tiere zerfleischen deinen guten Leib
Dich beschmutzen die Sterbenden mit ihrem Kot
Und ihr Wasser
Näßt deine Felder. Felder!

Wie sanft deine Flüsse einst!
Jetzt vergiftet von lila Anilin!
Mit nackten Zähnen raufen
Die Kinder das Getreide aus vor
Hunger

Aber die Ernte schwimmt in das
Stinkende Wasser!

Deutschland, du Blondes, Bleiches
Nimmerleinsland! Voll von
Seligen! Voll von Gestorbenen!
Nimmermehr, nimmermehr
Schlägt dein Herz, das vermodert
Ist, das du verkauft hast
Eingepökelt in Salz von Chile
Und hast dafür
Fahnen erhandelt!

O Aasland, Kümmernisloch!
Scham würgt die Erinnerung
Und in den Jungen, die du
Nicht verdorben hast
Erwacht Amerika!


UNSERE ERDE ZERFÄLLT


1

Unsre Erde zerfällt, doch die Erde rollt weiter
O Tier, von der roten Sonne behext!
Aus dem Aasloch Europa erhebt sich befreiter
Ein neues Geschlecht, und es dehnt sich und wächst.


2

Unter den fiebrigen Abendröten der Untergänge
Wandern Schwärme von neuen Menschen her
Über die Meere rollen sie so wie junge Gesänge
Über das schwarze Land und das gelbe ölige Meer.

3

Er spuckt auf die Häuser, die Dächer mit Fieber
Der Himmel genügt ihm mit Orion und Bär
Auf Kästen morschen Holzes jagt er lieber
Hinter den Haien, die nach ihm hungern, her.

4

Er ist furchtbar im Lieben: sie haßte den Schwachen!
Sie wickeln sich ein zu zweien in Haut
Für die Kinder läßt er ihr nichts als sein Lachen
Das sie an weißen Zähnen am Morgen in Dämmerung
        schaut.

5

Und an einem Weib, das sich einst ihm im Halse verbissen
Hautlos im Finstern, und er war jung
Erkannte er sich, und es schlug sein Gewissen
Und seine Eltern traten vor ihn aus Dämmerung.

6

Seine Eltern, das waren weißzähnige Tiere
Er erkannte sie gut und wie niemals das Einmaleins.
Mit dem Schrei in dem Hals, mit den Krallen der viere
Dem Geruch für den Wind und das Fleisch ihres Feinds.

7

Seit dem Tag ist er ganz aus den Städten verschlagen
Er flieht verstört der Eroberung zu ...

Oh, die Röten und Blässen der Himmel jagen
Sich von jetzt an für ihn wie die eigene Ruh!


8

Und Sonnen gehn auf mit jedem Öffnen der Lider
Und Abendröten für ihn! für ihn!
Bäume, wie er jung, schlagen ihn nieder
Und sein Sturz reißt ihn über neue Gegenden hin.


9

Seine Seele ist scheu, und der Himmel wird blässer
Wenn er denken soll mit dem Hirn statt den Knien
Er prüft jedes Wort wie ein schwarzes Gewässer
Ob es seicht und warm genug ist für ihn.


10

Und noch hat er die bittere Nacht in den Gelenken
Die Angst vor dem Licht in der Falte der Haut!
Nachts findet er blind die schwärzlichen Tränken
Und er schläft mit der Eule ein, wenn es graut.


11

Doch schon ist Gelächter, Lachen, oh, Lachen!
In ihm, des Lasziven Kindergemüt!
Doch noch Erz sein Gesicht, nur den tausendfachen
Windhauch spürt man, der ängstlich darüberflieht!

## DIE SCHWARZEN WÄLDER

1

Die schwarzen Wälder aufwärts
In das nackte böse Gestein
Es wachsen schwarze Wälder bis
In den kalten Himmel hinein.

2

Es schreien die Wälder vor Kummer
Von Frost und Oststurm zerstört –
Wir aber haben dort unten
Die flüsternden Worte gehört.

3

Die Bäche, die von dort kommen
Sind kalt, daß sie keiner erträgt
Wir aber haben uns unten
In kältere Betten gelegt.

4

Sie sagen, man sieht dort nur Finstres
Weil Tannen vorm Lichte stehn:
Wir aber haben dort unten
Das Schauspiel der Welt gesehn.

5

Sie sagen auch: Über den Wäldern
Drunten im Stein kommt nichts.
Da sind wir die Leute, hinüber-
zugehen ins Gestein gelaßnen Gesichts.

UND IMMER WIEDER GAB ES ABENDRÖTE

1

Und immer wieder gab es Abendröte
Geruch von Asphalt und von Thymian
Sie harrten immer drauf, daß er sie töte
Er aber, lässig, dachte nicht daran.

2

Die Himmel, strahlend wie die großen Lügen
Sie narrten sie: das alles hielt sie auf.
Er wollte wissen, wie lang sie's ertrügen
Sie aber, hilflos, kamen nicht darauf.

3

Und wenn sie fragten, ob er denn dann wünsche
Daß sie verzichteten, dann schwieg er auch.
Und ließ sie stehen in den dunklen Büschen
Und sagte nichts und hüllte sich in Rauch.

4

Sie aber sagten ja ins Ungewisse
Und gaben's auf und sanken in die Knie
Und schon vergingen ihre Bitternisse
(Und etwas früher noch vergingen sie).

MERKWÜRDIG

Es ist doch merkwürdig, wie doch auch die Größten vergehen
Und nichts bleibt außer Staub. Wie das Gras!

(Und es ist selten etwas so schrecklich und unaufgeklärt
      wie das.)
In Altötting z. B. ist der katholische Feldherr Tilly im
      Sarge zu sehen
Gegen nur zwei Mark Eintritt für Erwachsene präpariert
      unter Glas
(Es steht darauf: Tilly nicht berühren!)
Und der Kastellan sagte mir selber und im Angesicht der
      Bahre
Und er hatte auch gar keinen Grund, mich irrezuführen
Und es stimmte auch sicherlich:
Vor einigen Jahren hatte der Herr General noch Haare.
So etwas gibt einem immer wieder einfach einen Stich.


DER FLUSS LOBSINGT DIE STERNE IM GEBÜSCH

Der Fluß lobsingt die Sterne im Gebüsch!
Geruch von Pfefferminz und Thymian!
Ein kleiner Wind macht unsre Stirnen frisch
So hat es Gott uns Kindern angetan.

Das Gras ist weich: das Weib ohn Bitternis
Die schönen Weiden machen alles froh:
Heut ist die Lust den Willigen gewiß
Es ist zum Nimmerwiederfortgehn so.

# PSALMEN

## PSALM IM FRÜHJAHR

1. Jetzt liege ich auf der Lauer nach dem Sommer, Jungens.

2. Wir haben Rum eingekauft und auf die Gitarre neue Därme aufgezogen. Weiße Hemden müssen noch verdient werden.

3. Unsere Glieder wachsen wie das Gras im Juni und Mitte August verschwinden die Jungfrauen. Die Wonne nimmt um diese Zeit überhand.

4. Der Himmel füllt sich Tag für Tag mit sanftem Glanz und seine Nächte rauben einem den Schlaf.

## GOTTES ABENDLIED

Wenn der blaue Wind des Abends Gottvater weckt, sieht er den Himmel über sich erbleichen und genießt ihn. Sogleich werden seine Ohren durch den großen kosmischen Choral erquickt, dem er sich hingibt:

Der Schrei überschwemmter Wälder, die am Ertrinken sind.
Das Ächzen alter brauner Holzhäuser, denen die Last der Möbel und Menschen zu schwer wird.
Das trockene Husten erschöpfter Äcker, die man ihrer Kraft beraubt hat.
Das gigantische Darmgeräusch, mit dem das letzte Mammut sein hartes und seliges Erdenleben abschloß.
Die angstvollen Gebete der Mütter großer Männer.

Das Gletschergebrüll des weißen Himalaja, der in seiner
eisigen Einsamkeit sich amüsiert
Und die Qual Bert Brechts, dem es schlecht geht.
Und zugleich: die verrückten Lieder der Wasser, die in den
Wäldern emporkommen.
Das sanfte Atmen schlafender Menschen, von alten Dielen
gewiegt.
Das ekstatische Murmeln von Kornfeldern, lange Gebet-
mühlen.
Die großen Worte großer Männer
Und die wundervollen Gesänge Bert Brechts, dem es schlecht
geht.


VISION IN WEISS

1. Nachts erwache ich schweißgebadet am Husten, der mir den
Hals einschnürt. Meine Kammer ist zu eng. Sie ist voll von
Erzengeln.

2. Ich weiß es: ich habe zuviel geliebt. Ich habe zuviel Leiber
gefüllt, zuviel orangene Himmel verbraucht. Ich soll ausgerot-
tet werden.

3. Die weißen Leiber, die weichsten davon, haben meine Wärme
gestohlen, sie gingen dick von mir. Jetzt friere ich. Man deckt
mich mit vielen Betten zu, ich ersticke.

4. Ich argwöhne: man wird mich mit Weihrauch ausräuchern
wollen. Meine Kammer ist überschwemmt mit Weihwasser. Sie
sagen: ich habe die Weihwassersucht. Das ist dann tödlich.

5. Meine Geliebten bringen ein bißchen Kalk mit, in den Händen, die ich geküßt habe. Es wird die Rechnung präsentiert

über die orangenen Himmel, die Leiber und das andere. Ich kann nicht bezahlen.

6. Lieber sterbe ich. – Ich lehne mich zurück. Ich schließe die Augen. Die Erzengel klatschen.

FRACHT

1. Ich habe gehört, daß man vom Lieben einen dicken Hals kriegt. Ich mag keinen. Aber vom Schiffschaukeln kriegt man, höre ich, auch einen dicken Hals. Also wird es nicht zu vermeiden sein.

2. Die roten Plantücher, in die man sich beim Flug samt den Schiffen einwickelt, klatschen Beifall, die Gestänge großer Schiffe knirschen, weil sie hinauf müssen, ich vergleiche sie Tieren, die in die Zäume beißen, aber der Reiter sitzt auf dem Rücken. Er hat sich wie ein Zeck blutdürstig festgesogen, der abscheuliche Polyp, er umklammert das fette Purpurtier und reitet gegen den Himmel an, wo ihn Tücher auffangen. Die gelben Lampen glotzen hinauf, wie hoch man kommt, ohne daß das ganze Instrument platzt.

VOM SCHIFFSCHAUKELN

1. Man muß die Knie vorwerfen wie eine königliche Dirne, als ob man an Knien hinge. Die sehr groß sind. Und purpurne Todesstürze in den nackten Himmel, und man fliegt nach oben, bald mit dem Steiß, bald mit dem vorderen Gesicht. Wir sind völlig nackt, der Wind tastet durch die Gewänder. So wurden wir geboren.

2. Nie hört die Musik auf. Engel blasen in einem kleinen Pan-reigen, daß er fast platzt. Man fliegt in den Himmel, man fliegt über die Erde, Schwester Luft, Schwester! Bruder Wind! Die Zeit vergeht und nie Musik.

3. Nachts um 11 Uhr werden die Schaukeln geschlossen, damit der liebe Gott weiterschaukeln kann.

GESANG VON EINER GELIEBTEN

1. Ich weiß es, Geliebte: jetzt fallen mir die Haare aus vom wüsten Leben, und ich muß auf den Steinen liegen. Ihr seht mich trinken den billigsten Schnaps, und ich gehe bloß im Wind.

2. Aber es gab eine Zeit, Geliebte, wo ich rein war.

3. Ich hatte eine Frau, die war stärker als ich, wie das Gras stärker ist als der Stier: es richtet sich wieder auf.

4. Sie sah, daß ich böse war, und liebte mich.

5. Sie fragte nicht, wohin der Weg ging, der ihr Weg war, und vielleicht ging er hinunter. Als sie mir ihren Leib gab, sagte sie: Das ist alles. Und es wurde mein Leib.

6. Jetzt ist sie nirgends mehr, sie verschwand wie die Wolke, wenn es geregnet hat, ich ließ sie, und sie fiel abwärts, denn dies war ihr Weg.

7. Aber nachts, zuweilen, wenn ihr mich trinken seht, sehe ich ihr Gesicht, bleich im Wind, stark und mir zugewandt, und ich verbeuge mich in den Wind.

LIED VON MEINER MUTTER

1. Ich erinnere mich ihres Gesichts nicht mehr, wie es war, als sie noch nicht Schmerzen hatte. Sie strich müd die schwarzen Haare aus der Stirn, die mager war, die Hand dabei sehe ich noch.

2. Zwanzig Winter hatten sie bedroht, ihre Leiden waren Legion, der Tod schämte sich vor ihr. Dann starb sie, und man fand einen Kinderleib.

3. Sie ist im Wald aufgewachsen.

4. Sie starb zwischen Gesichtern, die ihr zu lang beim Sterben zugeschaut hatten, da waren sie hart geworden. Man verzieh ihr, daß sie litt, aber sie irrte hin zwischen diesen Gesichtern, vor sie zusammenfiel.

5. Viele gehen von uns, ohne daß wir sie halten. Wir sagten ihnen alles, es gab nichts mehr zwischen ihnen und uns, unsere Gesichter wurden hart beim Abschied. Aber das Wichtige haben wir nicht gesagt, sondern gespart am Notwendigen.

6. Oh, warum sagen wir das Wichtige nicht, es wäre so leicht und wir werden verdammt darum. Leichte Worte waren es, dicht hinter den Zähnen, waren herausgefallen beim Lachen, und wir ersticken daran in unsrem Halse.

7. Jetzt ist meine Mutter gestorben, gestern, auf den Abend, am 1. Mai! Man kann sie mit den Fingernägeln nicht mehr auskratzen!

VON HE

1

Hört, Freunde, ich singe euch das Lied von He, der Dunkel-
häutigen, meiner Geliebten über sechzehn Monate bis zu ihrer
Auflösung.

2

Sie wurde nicht alt, sie hatte wahllose Hände, sie verkaufte die
Haut für eine Tasse Thee und sich selbst für eine Peitsche! Sie
lief sich müd zwischen den Weiden, He!

3

Sie reichte sich dar wie eine Frucht, aber sie wurde nicht an-
genommen. Viele hatten sie im Maul und spien sie wieder aus,
He, die Gute! He, die Geliebte!

4

Sie wußte, was eine Frau ist im Hirn, aber nicht mit den Knien,
sie wußte den Weg, wo es hell war mit den Augen, aber im
Dunkeln wußte sie ihn nicht.

5

Nachts war sie elend, blind vor Eitelkeit, He, und die Frauen
sind Nachttiere und sie war kein Nachttier.

6

Sie war nicht weise wie Bie, die Liebliche, die Pflanze Bie, sie
lief immerfort herum und ihr Herz war ohne Gedanken.

7

Darum starb sie im fünften Monat des Jahres 20, eines schnellen Todes, heimlich, als niemand hinsah, und ging hin wie eine Wolke, von der es heißt: sie war nie gewesen.

10. PSALM

1

Ganz gewiß: ich bin wahnsinnig. Es dauert nicht mehr lang bei mir. Ich bin nur noch wahnsinnig geworden.

2

In meinen Untergängen stehen immer noch Frauen, weiße, mit erhobenen Armen, die Handflächen zusammengelegt.

3

Ich betäube mich mit Musik, dem bitteren Absinth kleiner Vorstadtmusiken, Orgeln nach der Elektrizität, davon blieb Kaffeesatz in mir, ich weiß es. Aber es ist meine letzte Zerstreuung.

4

Ich lese die letzten Briefe großer Menschen und stehle den braunen Trikotarabern vor den Leinwandbuden ihre wirksamsten Gesten. Das alles tue ich nur einstweilen.

*Fragment*

## GESANG VON DER FRAU

1. Abends am Fluß in dem dunklen Herz der Gesträucher sehe ich manchmal wieder ihr Gesicht, der Frau, die ich liebte: meiner Frau, die nun gestorben ist.

2. Es ist viele Jahre her, und zuzeiten weiß ich nichts mehr von ihr, die einst alles war, aber alles vergeht.

3. Und sie war in mir wie ein kleiner Wacholder in mongolischen Steppen, konkav mit fahlgelbem Himmel und großer Traurigkeit.

4. Wir hausten in einer schwarzen Hütte am Fluß. Die Stechfliegen zerstachen oft ihren weißen Leib, und ich las die Zeitung siebenmal oder ich sagte: dein Haar ist schmutzfarben. Oder: du hast kein Herz.

5. Doch eines Tages, da ich mein Hemd wusch in der Hütte, ging sie an das Tor und sah mich an und wollte hinaus.

6. Und der sie geschlagen hatte, bis er müde war, sagte: mein Engel –

7. Und der gesagt hatte: ich liebe dich, führte sie hinaus und sah lächelnd hin in die Luft und lobte das Wetter und gab ihr die Hand.

8. Da sie nun draußen war in der Luft, und es ward öde in der Hütte, schloß er das Tor zu und setzte sich hinter die Zeitung.

9. Seitdem habe ich sie nicht mehr gesehen, und einzig von ihr blieb der kleine Schrei, den sie machte, als sie zurück an das Tor kam am Morgen, da es schon zu war.

10. Nun ist die Hütte verfault und die Brust ausgestopft mit Zeitungspapier, und ich liege abends am Fluß im dunklen Herz der Gesträucher und erinnere mich.

11. Der Wind hat Grasgeruch im Haar, und das Wasser schreit unaufhörlich um Ruhe zu Gott, und auf meiner Zunge habe ich einen bitteren Geschmack.

VON DEM GRAS UND PFEFFERMINZKRAUT

Ich habe den Geschmack von Pfefferminzkraut
Auf meiner Zunge und Geruch vom Grase
Ich liege in den Brennesseln zum Spaße
Und wälz mich auf den Fetzen meiner rohen Haut.
Ich hab das Schilf vom kleinen Fluß zerkaut
Und mit den dicken Steinen Unzucht getrieben
Als ich keine Haut mehr hatte von dem Lieben
Habe ich den kleinen Himmel angeschaut.
Ich kenne dieses Gras in meinem Hosensack
Von Jugend auf. Und als es noch klein war.
Es kratzt mir den Hals oft im Genack
Und wuchs viel schneller als mein Augenhaar
Ich sah es Unzucht treiben schon im Kindesalter
(Es war ein wunderbarer schwarzer Falter.)
Wir standen gut zusammen jedenfalls
Es liebte bang und lang nur meinen Hals.


DAS WAR DER BÜRGER GALGEI

Das war der Bürger Galgei
Mit schwerem Kopf und dick
Dem sagten Schurken einst, er sei
Der Butterhändler Pick.

Es waren böse Menschen
Die schenkten ihm den Strick
Er wollt es nicht und wurde
Am End der böse Pick.

Er konnt es nicht beweisen
Es stand ihm keiner bei.

Steht nicht im Katechismus
Daß er der Galgei sei.

Der Name stand im Kirchbuch.
Und am Begräbnisstein?
Der Bürger Galgei konnte
Gut auch ein andrer sein.

Der Bürger Joseph Galgei
Geboren im April
Fromm, ordentlich und ehrlich
Wie Gott der Herr es will.

DIE GEBURT IM BAUM

1

Zwischen superfeinen Leichen
Braunem Raubtier sanft gesellt
Schwamm im Frühling ich mit gleichen
Satten Fressern aus der Welt.

2

Zwar war ich allein von allen
Goldgelb mit Musik gefüllt
Und, im Fleisch noch ihre Krallen
Nackt in Himmel eingehüllt.

3

Doch von dieser armen Erde
Nahm ich einzig mit mir als

Zeichen, daß sie mich verehrte
Einen Liebesbiß im Hals.

4

Blaue Salzflut überschwemmte
Mir das Fleisch bis auf das Bein
Wusch mich schnell von Kot und Hemde
Faustschlag (und auch Küssen) rein.

5

Bösen Träumen hingegeben
Mit mir selbst im Tod vereint
Hab ich Algen mich ergeben
Sie beschlafen, wie es scheint.

6

Als der Sommer wiederkehrte
War ich Aas in grüner Bucht
Und in einem Baum der Erde
Schlug ich himmelwärts die Flucht.

7

Grüne Wände wuchsen sommers
Über mich verfaultes Aas
Und im Herbste schwammen Wolken
Weiße, ob verfaultem Gras.

PROMETHEUS

Das ist die Stunde ihres Triumphes:
Die blauen Wälder sind wie Eisenspiegel aufgebaut.
Sie selbst steht wie ein weiß Gespenst verbrannt im Dunst
        des Sumpfes.
Der Felsen wächst durch rohe Fetzen meiner Haut.

Aus dem entfleischten Himmel steigt sie nackt
Bleich mit gebleckten Zähnen, ohne Mühe.
Ich lasse sie aufgehen jede Frühe
Und lege mich zum Fraß dem Katarakt.

Und wenn sie's satt hat, dann erbleicht das Gras
In Rauch verhüllt der Himmel sein Gesicht:
Von obenher kam durch den dunklen Himmel ohne Licht
Von dem es heißt: daß er gern Leber fraß.


MEINES BRUDERS TOD

Im Rausch geschmissen auf die kalten Steine
So bog mein Bruder seinen Hals zurück
Und er verbat sich zitternd alles Weinen
Und sammelte sich selbst in einen Blick.

Er sah uns nicht. Ihn blendete das Helle.
Er sagte nichts. Die Kehle war zu eng.
Er langte an die Brust an jene Stelle
Wo er ein Herz hat, und er sagte streng:

Geht fort und schämt euch! Und es ward sehr stille.
Die Steine sind's, sagt er, die m i r gehören!

Und keiner weint, ihr, denn es ist mein Wille.
Da wagte keiner mehr von uns, ihn noch zu stören.
Wir gingen abseits.
Er lag bis Mittag trunken murmelnd da.
Und starb dann heimlich und verfiel in Eile
Wohl da er meinte, daß ihn keiner sah!


IMMER BERUHIGT DER TOD

Immer beruhigt der Tod
Verdunkelnd das Ziel
Er begräbt unter Schmutz
Und Zufriedenheit
Den nicht zu Wort Gekommenen ganz.
Sein Gericht, das er sucht
Wird vertagt, und vertröstet wird
Kläger und Angeklagter zugleich
Und das Gericht
Tritt niemals zusammen.
Wo er liegen bleibt, der Platz
War das Ziel nicht, und oft
Stand er schon dort.


MEINER MUTTER

Als sie nun aus war, ließ man in Erde sie
Blumen wachsen, Falter gaukeln darüber hin ...
Sie, die Leichte, drückte die Erde kaum
Wieviel Schmerz brauchte es, bis sie so leicht ward!

## AUCH DER HIMMEL

Auch der Himmel bricht manchmal ein
Indem Sterne auf die Erde fallen.
Sie zerschlagen sie mit uns allen.
Das kann morgen sein.


## POLITISCHE BETRACHTUNGEN

Auf dem Stadtweiher fahren sie stundenlang Kahn
Ich sehe das wirklich einfach mit Ekel an.
Kahn fahren, wenn man bis über den Hals verschuldet ist
In so einem Staatswesen, daß das überhaupt geduldet ist!

Ich rauche da nur und sehe auch nur so zu
Und denke mir meinen Teil, ich denke mir: nur so zu
Sie spielen auch Mundharmonika hierzulande
Mundharmonika spielen, und das Land seufzt unter der
       schwarzen Schande!

Ich denke da kalt, spielt nur weiter und fahrt nur weiter
       Kahn.
Ich spucke aus, ja, aber weiter geht's mich nichts an.
Ich sehe nur so zu schon seit einigen Jahren
Ich sehe haarscharf, wohin wir da fahren.

Die Bewohner von Orkney, heißt's in »Von Pol zu Pol«
Lebten davon, daß sie sich ihre Wäsche wuschen,
       jawohl
Nur so zu, nur so weiter gemacht noch einige Jahre
Die Assyrer und Babylonier sind ja auch Kahn
       gefahren.

DER GESANG AUS DER OPIUMHÖHLE

I

Das junge Mädchen:
In den frühen Tagen meiner Kindheit
Die, man sagt es, nun vergangen ist
Liebte ich die Welt und wollte Blindheit
Oder Himmel, der am reinsten ist.
Aber früh, am Morgen, ward mir das Verkünden:
Daß erblinden muß, wer jenen reinen
Glanz des Himmels sehen will, erblinden!
Und ich sah ihn. Und ich sah ihn scheinen.
Wozu bettelhäftig sich vor Türen drücken?
Hilft's, wenn karge Jahre niemals enden?
Sollen wir den roten Mohn nicht pflücken
Weil er abends hinwelkt in den Händen?
    Darum sagt ich: laß es!
    Rauch den schwarzen Rauch
    Der in kältre Himmel geht. Ach, sieh ihm
    Nach: so gehst du auch.

2

Der Mann:
Oftmals denk ich, wenn ich Opium koche
Was mein Feind macht, der verfault im Mohn.
Und der Stier? Ich beugte ihn so gut dem Joche
Und vor roten Fahnen schritt ich schon!
Aber schon im Mittag ward mir die Gewißheit:
Was denn sollen mir Kampf und Beschwerden?
Da ihr alle lange doch gewiß seid
Daß sie keinem von uns helfen werden.
Wozu Feinde schlagen? Ach, es traut leicht
Sich ein Stärkrer heute mich zu schlagen!

Wird doch keiner dicker, als die Haut reicht
Und wozu noch Fett zu Grabe tragen?
  Darum sagt ich: laß es!
  Rauch den schwarzen Rauch
  Der in kältre Himmel geht. Ach, sieh ihm
  Nach: so gehst du auch.


3

Der Greis:
Seit den Tagen meiner Kindheit lief ich
Säte Hirse, ging die Gräser mähen
Bei den Weibern lag ich, zu den Göttern rief ich
Kinder macht ich, die jetzt Hirse säen.
Aber spät am Abend ward mir die Belehrung:
Daß kein Hahn schreit, wenn ich auch verreckte
Und daß auch die innerste Bekehrung
Keinen Gott aus seinem Schlafe weckte.
Wozu ewig Hirse säen in den
Steinigen Boden, der sich niemals bessert
Wenn doch keiner mehr den Tamarinden-
baum, wenn ich gestorben, weiter wässert?
  Darum sagt ich: laß es!
  Rauch den schwarzen Rauch
  Der in kältre Himmel geht. Ach, sieh ihm
  Nach: so gehst du auch.


REFRAIN

Das Leben ist ganz scheen
Schnell und von vorn besehn
Doch liebt ihr es zu lang und heiß
Dann zeigt es euch den Steiß.

DER DICKE CAS

Der dicke Cas ist gestorben.
Es war ein guter Mann.
Er konnte uns alle zeichnen.
Er soff sich herrlich an.
Er hat sich gut gestillet.
Ein dickes Loch gefüllet
Wohl in der freien Luft.

Der dicke Cas ist gegondelt
Hinab den schwarzen Pfuhl:
Er konnte wie zwei Mann liegen
In einem Schaukelstuhl.
Er kann sich nicht mehr wiegen:
Wie zwei Mann tut er liegen
Im tiefsten Höllenpfuhl.

Es ist der Cas verblichen
Als wie das Gras verweht –
Dieweil die Sonne lang noch
Im milden Mittag steht.
Der Wind ging in sein Segel
Er ist mit Kind und Kegel
Als wie das Gras verweht.

Er hat in manchem Graben
Mit manchem Tod gerauft.
Er hat den Tod gezeichnet
Und hat ihn gut verkauft.
Mit Kugeln und Komplotten
Sie konnten ihn nicht ausrotten
Er hat zu gut geschnauft.

Er stieg in die breite Sonne
Und in das Grün hinauf
Da kam ein lauer Wind daher
Der fraß ihn schmeichelnd auf.
So ist der Cas verblichen
Mit einer schauerlichen
Staubschichte oben drauf.

Wir sind zusammengekommen:
Buschiri, Orge und ich
Und haben bekümmert vernommen
Daß unser Cas verblich.
Wir weinten dicke Zähren.
Wir gaben ihm zu Ehren
Dem Leichnam manchen Stich.

Daß ihn kein Wurm nicht frisset
Lebendig in seinem Schacht
Da er ein dickes Loch auch
Der Erde voll nun macht.
Die Trommeln sind gesenket.
Die Hüte sind geschwenket:
Jetzt liegt er in der Nacht.


WENN ICH AUF DEN ZAUBERISCHEN KARUSSELLEN

Wenn ich auf den zauberischen Karussellen
Mit den Kindern um die Wette ritt –
Heftig schaukelnd in den wunderhellen
Schönen Abendhimmel selig ritt –
Standen viele Leute um mich her und lachten
Und sie sagten alle ganz wie meine Mutter:
Er ist ein andrer Mensch, er ist ein andrer Mensch
Er ist ein völlig andrer Mensch als wir.

Wenn ich bei den feinen Leuten sitze
Und erzähle, was noch keiner weiß
Schauen sie mich so an, daß ich schwitze
Und man schwitzt nicht in dem feinen Kreis.
Und sie sitzen um mich her und lachen
Und sie sagen alle ganz wie meine Mutter:
Er ist ein andrer Mensch, er ist ein andrer Mensch
Er ist ein völlig andrer Mensch als wir.

Wenn ich einst in Gottes Himmel komme
Und ich komm hinein, laßt euch nur Zeit
Sagen alle, Heilige und Fromme
Der hat uns gefehlt zur Seligkeit!
Und sie schauen mich so an und lachen
Und sie sagen alle ganz wie meine Mutter:
Er ist ein andrer Mensch, er ist ein andrer Mensch
Er ist ein völlig andrer Mensch als wir.


JAHR FÜR JAHR

1

Jetzt in der Nacht, wo ich dich liebe
Sind weiße Wolken am Himmel, ohne Laut
Und die Wasser brausen über die Steine
Und der Wind erschauert in dem dorren Kraut.


2

Weiße Wasser rinnen
Abwärts Jahr für Jahr.
Und am Himmel gibt es
Wolken immerdar.

3

Später, in den einsamen Jahren
Werden Wolken, weiße, noch geschaut.
Und die Wasser werden brausen über die Steine.
Und der Wind wird erschauern in dem dorren Kraut.


ALS ICH SAH, DASS DIE WELT ABGESTORBEN WAR

Als ich sah, daß die Welt abgestorben war
Die Pflanzen, das Menschengeschlecht und alles übrige
          Getier der Oberfläche und des unteren Meergrunds
Wuchs aber ein Berg
Größer als die anderen Berge und als der Berg Himalaja
Und er benützte die ganze Welt, daß er wuchs
Und die Weisheit gab ihm einen großen Buckel und einen
          größeren machte die Dummheit
Das Licht verstärkte ihn, aber die Dunkelheit machte ihn noch
          größer
Also verwandelte die Welt sich in einen einzigen Berg, damit
          es von ihm heißen könne: dieser sei der größte!


AUS VERBLICHENEN JUGENDBRIEFEN

Aus verblichenen Jugendbriefen
Geht hervor, daß wir nicht schliefen
Eh das Morgenrot verblich.
Frühe auf den braunen Ästen
Hockten grinsend in durchnäßten
Hosen Heigei, Cas und ich.

Orge im Zitronengrase
Rümpfte seine bleiche Nase
Als ein schwarzer Katholik.
Hoffart kommt zu schlimmem Ende
Sprach die Lippe, aber Bände
Sprach der tiefbewegte Blick.

Braunen Sherry in den Bäuchen
Und im Arme noch das Säuchen
Das uns nachts die Eier schliff.
Zwischen Weiden tat ein jeder
In den morgenroten Äther
Einen ungeheuren Schiff.

Ach, das ist zur gleichen Stunde
Wo ihr alle roh und hunde-
häutern den Kaffee ausschlürft
Daß der Wind mit kühlem Wehen
Ein paar weingefüllte Krähen
In die kalten Häuser wirft.


BETRACHTUNG VOR DER FOTOGRAFIE DER THERESE MEIER

Daheim bei mir auf der flohgelblichen Tapete hängt
Unter dem von Motten heimgesuchten Geier
Sei es vom letzten Mieter nur vergessen oder mir geschenkt
Das Bild der ledig abgestorbenen Therese Meier.

Es ist zwar nur eine Fotografie und stark verblaßt
Und ich weiß nicht, ist sie wirklich gut getroffen?
Jedoch ich ehre sie aus Pietät und weil sie zu mir paßt
Verklebt vom Schweiß im schwarzen Lederkanapee besoffen.

Es ist ein plastischer Rahmen, schwarz lackiert mit Glas,
   schon ziemlich alt
Die Jungfrau Meier im Vergleich mit der Tapete
Nicht ganz so schön, doch ist das schwarze Ding mir
   doch ein Halt
Ich würde mich verachten, wenn ich dieses täte . . .

Und es ist eben doch nur eine Frage der Zeit
Das Glas zumindest gäbe ein paar Pfennige für Kirsch-
   wasser
Und die Fotografie hat doch jetzt schon eine Art
   Leberkrankheit
Und das Papier wird jeden Abend etwas blasser.

Vielleicht grinste mir eines Tages doch nur mehr das
   weiße Papier ins Gesicht
Und ich müßte mir sagen: du bist wieder zu spät
   gekommen
Kirschwasser hilft gegen Verachtung. Aber ich tue es
   wirklich nicht
Gerne. Es ist mir schon soviel hinuntergeschwommen.

## SENTIMENTALES LIED NR. 78

Ach, in jener Nacht der Liebe
Schlief ich einmal müde ein:
Und ich sah voll grüner Triebe
Einen Baum im Sonnenschein.

Und ich dachte schon im Traume
Von dem Baum im Sonnenschein:
Unter diesem grünen Baume
Will auch ich begraben sein.

Als ich dann an dir erwachte
In dem Linnen weiß und rein:
Ach, in diesem Linnen, dachte
Ich, will ich begraben sein.

Und der Mond schien nun ganz sachte
Still in die Gardinen ein
Und ich lag ganz still und dachte
Wann wird mein Begräbnis sein?

Als ich dann an deinem warmen
Leiblein lag und deinem Bein
Dachte ich, in diesen Armen
Will ich einst begraben sein.

Und ich sah euch wie ein Erbe
Weinend um mein Bette stehn
Und ich dachte: wenn ich sterbe
Müssen sie mich lassen gehn.

Die ihr viel gabt: euch wird's reuen
Daß ihr mir nicht alles gabt:
Und es wird euch nimmer freuen
Daß ihr mich beleidigt habt.

BERICHT VON EINER MISSLUNGENEN EXPEDITION

Nachdem wir nicht den Mont Cenis überflogen hatten
Überkam uns Traurigkeit, und wir
Mißgönnten uns das Essen.
Da es Winter geworden war
Schliefen wir viel.
Die Frage des hier wohnenden Pöbels
Ob wir nun bei ihnen blieben

Verursachte uns Kummer.
Nur das Geräusch großer Stürme über dem Berg
Heiterte uns etwas auf. Dann sagten wir:
Es wäre unmöglich gewesen.
Vom dritten Monat an spürten wir Furcht
Die niedere Türschwelle zu überschreiten, und
Alle Zeit unserer Niederlage über
Wuchs vor unserer Tür
Der Berg.


DER NACHGEBORENE

Ich gestehe es: ich
Habe keine Hoffnung.
Die Blinden reden von einem Ausweg. Ich
Sehe.

Wenn die Irrtümer verbraucht sind
Sitzt als letzter Gesellschafter
Uns das Nichts gegenüber.


ES MUSS JA BEI UNS NICHT GEWEINT SEIN

Es muß ja bei uns nicht geweint sein.
Uns ist es auch etwas fatal:
Wir könnten ja gar nicht gemeint sein
Es ist uns ja völlig egal!

Und haut man euch den Buckel an
So habt es nicht gleich satt:
Ach, daß man was verlieren kann
Beweist, daß man was hat!

PSALM

1. Wir haben nicht mit den Lidern geblinzelt, wie die weißen Wasser uns bis an den Hals gegangen sind;

2. Wir haben Zigarren geraucht, wenn die dunklen braunen Abende uns angefressen haben;

3. Wir haben uns nicht geweigert, wie wir im Himmel ertrunken sind.

4. Die Wasser haben es niemand gesagt, daß sie an unserem Halse waren;

5. In den Zeitungen stand es nicht zu lesen, daß wir geschwiegen haben;

6. Die Himmel hören die Schreie der Ertrinkenden nicht.

7. Also sind wir auf den großen Steinen gesessen wie die Glücklichen;

8. Also haben wir die Grünlinge erschlagen, die von unseren schweigenden Gesichtern redeten.

9. Wer redet von den Steinen?

10. Und wer will wissen, was uns Wasser, Abende und Himmel sind!

WAS ERWARTET MAN NOCH VON MIR

1. Was erwartet man noch von mir?
Ich habe alle Patiencen gelegt, alles Kirschwasser gespieen
Alle Bücher in den Ofen gestopft
Alle Weiber geliebt, bis sie wie der Leviathan gestunken haben.
Ich bin schon ein großer Heiliger, mein Ohr ist so faul, daß es
nächstens einmal abbricht.
Warum ist also nicht Ruhe? Warum stehen immer noch die
Leute im Hof wie Kehrrichttonnen -- wartend, daß man etwas
hineingibt?
Ich habe zu verstehen gegeben, daß man das Hohelied von
mir nicht mehr erwarten darf.
Auf die Käufer habe ich die Polizei gehetzt.
Wer immer es ist, den ihr sucht: ich bin es nicht.


2. Ich bin der praktischste von allen meinen Brüdern –
Und mit meinem Kopf fängt es an!
Meine Brüder waren grausam, ich bin der grausamste –
Und ich weine nachts!


3. Mit den Gesetzestafeln sind die Laster entzweigegangen.
Man schläft schon bei seiner Schwester ohne rechte Freude.
Der Mord ist vielen zu mühsam
Das Dichten ist zu allgemein.
Bei der Unsicherheit aller Verhältnisse
Ziehen es viele vor, die Wahrheit zu sagen
Aus Unkenntnis der Gefahr.
Die Kurtisanen pökeln Fleisch ein für den Winter
Und der Teufel holt seine besten Leute nicht mehr ab.

VOR JAHREN IN MEINER VERFLOSSENEN ARCHE

1

Vor Jahren in meiner verflossenen Arche
Zur Zeit der Allerseelenstürme ein Weib
Die fuhr mit ins Schwarze. Immer schwankten um uns
        die Bohlen
Doch sie gab einen Halt, gab mir in die Hand ihren
        Leib.

2

In mancher orangenen Frühe zwischen den Hölzern
Knie an Knie noch während der Sturmwind schrie
Nachts sind schwarze Regen aus Sternenhöhen gefallen
Und ihr trunkener Takt war in unserem Knie.

3

Wohl verließen wir uns an einer Küste, im Riffgebiet
Das Schiff war auch leck. Der Abschied leicht. Ich war
        satt:
Wir sahen uns, bleich von der Lieb noch in die Augen.
Viele Wochen noch war das Meer mir glatt.

4

Nach vierzehn Jahren werde ich von Haiti kommen
Vom Fieber geschüttelt und von Salzwind naß
Sie wiedersehen ohne Gesicht, verdummt und ver-
        schwommen
Und darüber lachen: denn ich liebe auch das.

BERICHT DES SCHIFFBRÜCHIGEN

Als das Schiff brüchig war
Ging ich in die Wasser. Des Wassers Gewalt
Warf mich auf einen kahlen Steinbrocken.
Ich war von Sinnen alsbald.
Währenddem ging meine Welt unter. Zwar
Als ich aufwachte, mein Haar
War schon trocken.

Ich aß aus Muscheln einiges
Und schlief in einem Baum
Drei Tage, die beste Zeit
Und weil ich hatte nichts als Raum
Ging ich weit.

Der Anblick war mir ungewohnt.
Ich berührte nichts mit der Hand.
Nach dreien Nächten habe ich den Mond
Wieder erkannt.

Ich hängte ein Tuch in einen Baum
Und stand daneben
Einmal einen Tag und eine Nacht.
Das Wasser war ruhig.
In meinem Tuch war kein Hauch
Es kam kein Schiff
Es gab keine Vögel.

Später sah ich auch Schiffe
Fünfmal sah ich Segel
Dreimal Rauch.

MÄRZ

Mond hing kahl im Lilahimmel
Über der Likörfabrik
Als er, Gottes nackter Lümmel
Eingeseift im Sack den Strick

Durch absinthenen Abend trabte
Er, der nach Gefühlen stank
Kaum erjagten, halb gehabten
Wie aus einer Fleischerbank.
Ach, erbarmt euch! Ach, erbarmt euch!

Hast die Hände nie gerungen
Kahl, Branntweingeschluck im Mund
In den grünen Dämmerungen
Schwankend zwischen Wolf und Hund?

Zwischen Kirschschnaps und Wacholder
Eine Hymne schnell gefühlt?
Angstvoll und vertiert ein Vollder-
gnaden schnell hinabgespült?
Ach, erbarmt euch! Ach, erbarmt euch!

Fischt er ganz in Bitternissen
Sich ein Kinderlied, ach, sei
Es befleckt gleich und zerbissen
Eine Strophe oder zwei

Schwimmt verwest in schwarzer, trüber
Lache der Verworfenheit:
Läuft's ihm kalt hinab, mein Lieber!
Ach, erbarmt euch! Ach, erbarmt euch!

Als ob's auf die Haut ihm schneit!
Mählich ward der Himmel trüber
Und zerfleischt hob ich dies Herz
Zarter, und ich ging vorüber
Wie ein Schnee im frischen März.

TAHITI

1

Der Schnaps ist in die Toiletten geflossen
Die rosa Jalousien herab
Der Tabak geraucht, das Leben genossen
Wir segelten nach Tahiti ab.

2

Wir fuhren auf einem Roßhaarkanapee
Stürmisch die Nacht und hoch ging die See
Das Schiff, es schlingert, die Nacht, sie sank weit
Sechs von uns drei hatten die Seekrankheit.

3

Tabak war da, Schnaps, Papier, Irrigator
Das Bettlakensegel von Topp bedient
Mit: Gedde, zieh dich aus, es wird heiß, der Äquator!
Und: Bidi, setz den Hut fest, der Golfstromwind!

4

Kap Good Horn passierend durch Riechgewässer
Welch ein Kampf mit Piraten und eisgrünem Mond!
Welch ein Taifun bei Java! Drei Menschenfresser
Sangen: Nearer, my God! in den Horizont.

5

Hinter Java mußte schließlich noch Schnaps fließen
Denn Bidi mußte Topp standrechtlich erschießen
Zwei Tage später bekam Gedde von einer Möwe ein Kind
Und sie fuhren weiter zu dritt gegen den Nordpassatwind.


ERSTER BRIEF AN DIE MESTIZEN, DA ERBITTERT
KLAGE GEFÜHRT WURDE GEGEN DIE UNWIRTLICHKEIT

Ich bin vollkommen überzeugt, daß morgen ein heiteres Wetter ist
Daß auf Regen Sonnenschein folgt
Daß mein Nachbar seine Tochter liebt
Mein Feind ein böser Mann ist.
Auch daß es mir besser geht als fast allen andern
Daran zweifle ich nicht.
Auch hat man mich nie sagen hören, es sei
Früher besser gewesen
Die Rasse verkomme
Oder es gäbe keine Frauen, denen ein Mann reicht.
In all dem
Bin ich weitherziger, gläubiger, höflicher als die Unzufriedenen
Denn all dies
Scheint mir wenig zu beweisen.


EPISTEL

Einer kann herkommen aus Ulm und mich abschlachten.
Dann erbleicht in der Luft ein Tag
Das Zittern einiger Grashalme, das ich vor Zeiten bemerkte
Kommt nun endlich zum Stillstand.
Ein toter Mensch, der mit mir befreundet war
Hat keinen mehr, der weiß, wie er aussah.

Mein Tabakrauch
Der inzwischen durch Milliarden Himmel gestiegen ist
Verliert seinen Gottesglauben
Und
Steigt weiter.


EPISTEL ÜBER DEN SELBSTMORD

Sich selbst zu morden
Ist eine seichte Sache.
Man kann darüber mit seiner Waschfrau plaudern.
Mit einem Freund das Für und Wider erörtern.
Ein gewisses Pathos, das lockt
Sollte man vermeiden.
Obwohl das durchaus kein Dogma zu sein braucht.
Aber besser scheint mir doch
Ein kleiner Schwindel wie gewöhnlich:
Man habe es satt, die Wäsche zu wechseln, besser noch:
Die Frau sei einem untreu gewesen
(Das zieht bei denen, die von derlei in Erstaunen gesetzt
             werden
Und ist nicht zu großartig.)
Jedenfalls
Sollte es nicht aussehen
Als habe man
Zuviel von sich gehalten.


SENTIMENTALE ERINNERUNGEN VOR EINER INSCHRIFT

1

Zwischen gelbem Papier, das mir einst was gewesen
Man trinkt und man liest es – betrunken ist's besser –

Eine Fotografie. Und darauf steht zu lesen:
REIN. SACHLICH. BÖSE. Das Aug wird mir nässer.


2

Sie wusch sich immer mit Mandelseife
Und von ihr war auch das Frottierhandtuch
Das Tokaierrezept und die Javapfeife
Gegen den Liebesgeruch.


3

Ihr war es ernst. Sie schwamm nicht. Sie dachte.
Sie verlangte Opfer für die Kunst.
Sie liebte die Liebe, nicht den Geliebten, ihr machte
Keiner einen rosa Dunst.


4

Sie lachte, sie duldete keinen Dulder
Sie hatte keine Wanzen im Hirn
Sie hatte den Griff und die kalte Schulter
Mir steht beim Drandenken der Schweiß auf der Stirn.


5

So war sie. Bei Gott, ich wollte, man läse
Auf meinem Grabstein dereinst: Hier ruht
B. B. REIN. SACHLICH. BÖSE.
Man schläft darunter bestimmt sehr gut.


NICHT, DASS ICH NICHT IMMER

Nicht, daß ich nicht immer die besten Vorsätze gehabt haben
            würde
Ich habe es vielleicht nur mit dem Tabak zu stark getrieben

Oder daß es mich vielleicht, als es zu spät war, nicht berührte
Und der Müllereisert hat mir immer gesagt: Laß doch das
        viele dünne Teesaufen.
Aber mein Grundsatz war: es kann einer Glück haben, nur
        nicht davonlaufen
Und eines Tages hatte ich richtig ein Drama geschrieben.

Ich hatte kaum was gemerkt, es war mir einfach abgegangen
Ich habe immer so viel mit Grundsätzen auszustehen
        gehabt
Alles hat bei mir mit Grundsätzen angefangen
Der Tabak sowohl wie die Schnapsgewässer
Ich wollte zuerst reinen Mund halten und habe mich nur
        verschnappt
Und Orge sagte gleich, so was wird nie mehr besser
Am besten gleich eine Kugel durch den Kopf schießen
Als lange leiden, und wie die Trostsprüche alle hießen.

Und jetzt schreibe ich fast jede Woche eines
Es schmeckt wie Eier im Glase
Ich weiß, eines ist nicht keines
Aber ich glaube, es hängt zusammen mit meiner Adlernase
Und da kann einer nichts machen, das ist längst erwiesen
Und auch ich war einst zu Höhrem geboren.
Orge hat sich einmal verschnappt:
Du hättest das Zeug zu einem Tiger gehabt
Aber die Hoffnung gebe nur ruhig verloren.


KALENDERGEDICHT

Zwar ist meine Haut von Schnee zerfressen
Und von Sonne rot gegerbt ist mein Gesicht
Viele sagten aus, sie kennten mich nicht mehr, indessen
Ändert sich der gegen Winter ficht.

Sitzt er auch gelassen auf den Steinen
Daß der Schwamm ihm auswächst im Genick
Die Gestirne, die ihn kühl bescheinen
Wissen ihn nicht mager und nicht dick.

Sondern die Gestirne wissen wenig
Sahn ihn noch nicht, und er ist schon alt
Und das Licht wird schwärzer, fettig oder sehnig
Sitzt er schauernd in der Sonne, ihm ist kalt.

Ach, die Nägel an den schwarzen Zehen
Schnitt er längst nicht mehr, mein lieber Schwan
Sondern sieh, er ließ sie lieber stehen
Und zog einfach große Stiefel an.

Eine Zeitlang saß er in der Sonne
Einen Satz sprach er gen Mittag zu
Abends spürte er noch etwas Wonne
Und wünscht nachts nichts mehr als etwas Ruh.

Einst floß Wasser durch ihn durch, und Tiere
Sind verschwunden in ihm, und er ward nicht satt
Fraß er Luft, fraß er Stiere
Er ward matt.


BIN GEWISS NICHT MEHR WIE JEDER RUPFENSACK

1

Bin gewiß nicht mehr wie jeder Rupfensack
Voll von Moder und Kälte und Schabernack!
Habe gesagt, was nicht wahr, habe nicht gesagt, was ist
Habe pfeifend ins Tabernakel gepißt.

Aber den Blicken, die vor mir erblichen
Bin ich durchaus nicht ausgewichen.


2

Habe verschlungen, was da war, mit Appetit.
Mancher ging eine Meile weit in das Elend mit
Manchen Getreuen warf ich hinaus am Genick
Manchen verließ ich, im Elend auch, mit einem falschen
        treuen Blick
Aber die Guten, die mir's vergolten
Habe ich nicht für schlecht gescholten.


3

Viele Male bekam ich ins offne Gesicht einen Tritt
Einen Schlag auf die Gabe, nur Hohn auf meine Bitt.
Viele gingen von mir mit meinem Hemd davon
Oder prellten mich um meinen Schurkenlohn.
Aber das, was sie mir immer bezahlten
Habe ich immer für Gnade gehalten.


LIED


1

Wenn der Abend kommt, Bruder, was machst du da?
Steck deine Zähn ein! Ich kann mich betrinken ja.


2

Ich kann mich gut betrinken, weil dann
Daß ich den Abend nicht mehr wahrnehmen kann.

3

Wenn dich einer fragt: was sagst du da?
Ich kann mein Maul halten ja.

4

Wenn sie nichts Besondres an mir sehn
Werden sie vorübergehn.

5

Ist es aber gut, Bruder, ist es gut?
Bruder, was mich angeht, ich ziehe immer meinen Hut.

6

Ich kann nicht wahrnehmen da
Einen großen Unterschied zwischen nein und ja.

7

Ich kann auch gehen mit meinem Bein
In den Abend hinein.


GEDANKEN EINES GRAMMOPHONBESITZERS

Ich habe es 1904 erworben, es war nicht vergebens
Seitdem halte ich es am Tag versteckt
Es ist ein rührendes Stück Holz für die dunklen Stunden
           des Lebens
Darin ist die Stimme der Adeline Patti eingeweckt.

Die Sängerin Adeline Patti ist 1911 gestorben
Die Erde werde ihr leicht, ihre Stimme habe ich
Das ist so im Leben, ich habe es auf dem Papier noch, das
        käuflich erworben
Ihre Stimme ist noch ganz gut, sie genügt noch lange für mich.

Wahrscheinlich wird es auch noch meinen Enkeln vorsingen
        eines Tages
Es hat frühzeitig auf den Namen Adeline gehört
Seit einem Sturz anläßlich eines Branntweingelages
Ist die Stimme meiner lieben Adeline etwas gestört.

Aber es ist doch merkwürdig und hat schon Klügere
        wundergenommen
Was das Leben alles so mit sich bringt
Freilich sind wir auch schon sehr weit in der Technik
        gekommen
Daß sie immer noch aus dem Holz ihre Traviata singt.

So etwas wäre noch zur Zeit unserer Großeltern nicht
        möglich gewesen
Eine ganze Anzahl von Künsten war einfach
        dem Untergange geweiht
Wir sind eben doch etwas weiter im Guten sowie im Bösen
So eine Maschine bedeutet doch auch eine Art
        Unsterblichkeit.

Orge sagt zu mir oft, bring heut abend Tabak und Adeline
Ich bin mit den Nerven jetzt so herunter, und dann kommt sie
        mit Haut und Haaren
Und spielt die Traviata, und er macht seine anständigste Miene –
Sie spielt übrigens immer nur Traviata seit 18 Jahren.

Ich hätte wohl schon öfters andere Platten bekommen
Und meine Frau hätte von jeher gern einige Shimmies gewollt

Aber ich habe davon im letzten Augenblick immer wieder
        Abstand genommen
Ich denke nämlich, multum non multa, und ich habe Adeline
        immer meinen vollen Beifall gezollt.


## VON SEINER STERBLICHKEIT

Mir sagte der Arzt: Rauchen Sie ruhig Ihre Virginien!
Um die Ecke muß schließlich mit oder ohne ein jeder.
In der Schleimhaut meiner Pupille z. B. sind krebsige
        Linien
Daran sterbe ich früher oder später.

Natürlich braucht einer deswegen nicht zu verzagen
So einer kann noch lange leben.
Er kann sich den Leib voll mit Hühnern und Brombeeren
        schlagen
Einmal natürlich reißt es ihn eben.

Dagegen aber richtet keiner was aus, weder mit Schnaps
        noch mit Schlichen
So ein Krebs wächst heimlich, ohne daß man ihn spürt.
Und womöglich bist du schon ausgestrichen
Und hast eben noch deine Braut zum Altare geführt.

Mein Onkel z. B. trug noch gebügelte Hosen
Als er schon lange gezeichnet war.
Er sah aus wie's Leben, aber es waren Kirchhofsrosen
Und an ihm war kein gesundes Haar.

Da gibt es Leute, die haben es in der Familie
Aber sie gestehen es sich nicht ein.
Sie verwechseln nicht Ananas mit Petersilie
Aber ihr Krebs kann ein Leistenbruch sein.

Mein Großvater wiederum wußte genau, was ihm blühte
Und lebte vorsichtig, peinlich nach dem Rezept.
Und brachte es so auf fünfzig Jahre, dann war er es müde
Aber so hätte freilich kein Hund einen Tag gelebt.

Unsereiner weiß: es ist keiner zu beneiden.
Jeder hat sein Kreuz, wie er immer war.
Ich selber habe ein Nierenleiden
Ich darf nichts trinken seit Tag und Jahr.


BALLADE VON DER ALTEN FRAU

Sie hat sich montags noch einmal erhoben
Man hätt es ihr fast nicht mehr zugetraut
Die Grippe war für sie ein Wink von oben
Sie ist seit Herbst schon nur noch Bein und Haut.

Sie hat zwei Tage nur noch Schleim erbrochen
Und war noch, als sie aufstand, weiß wie Schnee
Versehen war sie ja auch schon seit Wochen
Sie trank ja auch schon nichts mehr als Kaffee.

Jetzt stand sie ja noch einmal auf vom Tode
Es war doch noch zu früh, das Sterbesakrament
Sie hätte sich von ihrer Nußkommode
Ja doch recht ungern diesmal schon getrennt.

Wenn auch der Wurm schon drin ist, so ein altes
Stück wächst ans Herz. Sie hätte es direkt
Vermißt, wie man so sagt. Nun, Gott erhalt es.
Sie hat jetzt noch mal Brombeern eingeweckt.

Auch hat sie sich die Zähne richten lassen.
Man ißt ganz anders, wenn man Zähne hat

Man legt sie nachts bequem in Kaffeetassen
Und hat sie morgens immer in die Stadt.

Sie hat auch einen Brief von ihren Kindern
Sie stehn von nun an ganz in Gottes Hand
Sie wird mit Gott noch einmal überwintern
Das schwarze Kleid ist auch noch gut im Stand.

### JENER

Das Hausdach, das ihm seine Aussicht verstellt
Nannte er oftmals »das Dach der Welt«.

Von einem, den es noch nicht gegeben
Sagte er, der kenne das Leben.

Von dem, der einem das Leben genommen
Er sei ihm menschlich nähergekommen.

Er sah sehr klar: bei ihm hieß es viel wagen
Seinen leiblichen Bruder nicht zu erschlagen.

### DAS LIED DER ROSEN VOM SCHIPKAPASS

Ein Sonntag war's in meinen jungen Jahren
Und Vater sang mit seinem schönen Baß
Und sang, als Krug und Glas geleeret waren
Das Lied der Rosen vom Schipkapaß.

Und wieder war's ein Sonntag, wieder
Sang Vater uns mit seinem schönen Baß
Er sang von Lilien nicht und nicht vom Flieder
Er sang von Rosen am Schipkapaß.

Und so noch oft, im Schnurrbart manche Träne
Sang Vater uns in seinem schönen Baß
Nicht von den Rosen sang er in Mykene
Nein, nur von Rosen am Schipkapaß.

Uns sanken oft vor Schlaf die Augenlider
Doch unseres Vaters Auge war noch naß
Vom letzten Male, und er sang schon wieder
Das Lied der Rosen am Schipkapaß.

Man grub sein Grab schon in die Erde
Da sang er noch, schon etwas blaß
Wenn er persönlich auch vergessen werde
So blühn doch Rosen am Schipkapaß.


EIN PESSIMISTISCHER MENSCH

Ein pessimistischer Mensch
Ist duldsam.
Er weiß die feine Courtoisie auf der Zunge zergehen zu
      lassen
Wenn ein Mann eine Frau nicht totprügelt
Und die Aufopferung einer Frau, die ihrem Geliebten
      Kaffee kocht
Mit weißen Beinen unter dem Hemd
Rührt ihn.
Die Gewissensbisse eines Mannes, der seinen Freund
Verkauft hat
Erschüttern ihn, der die Kälte der Welt kennt
Und wie weise es ist
Laut und selbstbewußt zu reden
In der Nacht.

## MAN SOLLTE NICHT ZU KRITISCH SEIN

Man sollte nicht zu kritisch sein.
Zwischen ja und nein
Ist der Unterschied nicht so groß.
Das Schreiben auf weißes Papier
Ist eine gute Sache, auch
Schlafen und abends essen.
Das frische Wasser auf der Haut, der Wind
Die angenehmen Kleider
Das Abc
Der Stuhlgang!
Im Hause des Gehenkten vom Strick zu reden
Ist nicht schicklich.
Und im Dreck
Zwischen Lehm und Schmirgel einen
Scharfen Unterschied finden
Das geziemt sich nicht.
Ach
Wer von einem Sternenhimmel eine
Vorstellung hat
Der
Könnte eigentlich sein Maul halten.


## RUHIG SITZ ICH BEI DEN WASSERN WIEDER

Ruhig sitz ich bei den Wassern wieder
Mit den gleichen Tieren wie dereinst
Und es stiegen auch die gleichen Lieder
In den Himmel, über die du weinst.

ICH WILL NUR GRÖSSERE STIEFEL HAN

Und wächst mir der Nagel am Fuß alsdann
Ich schneide ihn jetzt nimmer.
Ich will nur größere Stiefel han
Sonst komm ich mit Gewimmer.

ICH MÖCHTE VOR 'NEN TALER NICHT

Ich möchte vor 'nen Taler nicht
Daß mir der Kopf ab wär.
Da spräng ich mit dem Rumpf herum
Und wüßt nicht, wer ich wär.
Die Leute schrien all und blieben stehn:
Ei guck einmal den! Ei guck einmal den!

JEDER MENSCH AUF SEINEM EILAND SITZT

Jeder Mensch auf seinem Eiland sitzt
Klappert mit den Zähnen oder schwitzt
Seine Tränen, seinen Schweiß
Sauft der Teufel literweis –
Doch von seinem Zähneklappern
Kann man nichts herunterknappern.

Jeder Mensch in seiner Sprache mault
Und kein Mensch versteht es, was er jault
Ist er noch im Kopfe licht
Dann versteht auch er wohl nicht.
Die Enttäuschten und Vergrämten
Sind die wahrhaft Unverschämten.

## ÜBER DEN RICHTIGEN GENUSS VON SPIRITUOSEN

Andere gießen ihr Glas gewöhnlich nur so hinunter
Und kriegen nichts als ein alkoholisches Herz davon
      weg
Wenn ich trinke, geht die Welt grinsend unter
Und ich bleibe noch eine Minute. Ich sehe darin meinen
      Lebenszweck.

Ich lese dabei gern die Zeitung, bis meine Hände
Etwas zu zittern beginnen, dann sieht es nicht aus
Als besaufte ich mich mit Absicht. Ich tue gern, als
      verstände
Ich mich nicht auf Alkohol, denn zu Haus

Hat es mir meine Mutter sehr abgeraten
Es war sozusagen ihr heimlicher Schmerz.
Aber ich bin Schritt für Schritt in seine Klauen geraten
Es wird mir davon etwas leichter. Ich spüre mein rotes
      Herz.

Ich fühle, daß auch mein niederes Leben nicht umsonst und
      verfehlt ist
Ich achte die großen Geister. Ich verstehe sie.
Ich sehe die Welt, wie sie ist, und wenn das Bild nicht zu
      stark gewählt ist
Überfliege ich manchmal sogar wie betrunkene Tauben den
      Mont Cenis.

Ich höre tatsächlich, Sie werden mir ja nicht glauben wollen
Tabakfelder rauschen in einer Art bitterer Niederung
Ich weiß, sie sind lang seit 4000 Jahren verschollen
Aber sie sind mir wirklich noch eine gewisse Beruhigung.

IHRE WORTE WAREN BITTER

Ihre Worte waren bitter
Ihre Wege waren krumm.
Hin durch sieben lange Jahre
Sieben Jahre gingen um.

# WEIHNACHTSGEDICHTE

## MARIA

Die Nacht ihrer ersten Geburt war
Kalt gewesen. In späteren Jahren aber
Vergaß sie gänzlich
Den Frost in den Kummerbalken und rauchenden
      Ofen
Und das Würgen der Nachgeburt gegen Morgen zu.
Aber vor allem vergaß sie die bittere Scham
Nicht allein zu sein
Die dem Armen eigen ist.
Hauptsächlich deshalb
Ward es in späteren Jahren zum Fest, bei dem
Alles dabei war.
Das rohe Geschwätz der Hirten verstummte.
Später wurden aus ihnen Könige in der Geschichte.
Der Wind, der sehr kalt war
Wurde zum Engelsgesang.
Ja, von dem Loch im Dach, das den Frost einließ, blieb
      nur
Der Stern, der hineinsah.
Alles dies
Kam vom Gesicht ihres Sohnes, der leicht war
Gesang liebte
Arme zu sich lud
Und die Gewohnheit hatte, unter Königen zu leben
Und einen Stern über sich zu sehen zur Nachtzeit.

WEIHNACHTSLEGENDE

1

Am Heiligen Abend heut
Sitzen wir, die armen Leut
In einer kalten Stube drin
Der Wind geht draußen und geht herin.
Komm, lieber Herr Jesus, zu uns, sieh an:
Weil wir dich wahrhaft nötig han.

2

Wir sitzen heute so herum
Als wie das finstere Heidentum
Der Schnee fällt kalt auf unser Gebein
Der Schnee will unbedingt herein.
Komm, Schnee, zu uns herein, kein Wort:
Du hast im Himmel auch kein Ort.

3

Wir brauen einen Branntewein
Dann wird uns leicht und wärmer sein
Einen heißen Branntewein brauen wir
Um unsere Hütt tappt ein dick Tier.
Komm, Tier, zu uns herein nur schnell:
Ihr habt heut auch keine warme Stell.

4

Wir tun ins Feuer die Röck hinein
Dann wird's uns allen wärmer sein
Dann glüht uns das Gebälke schier

Erst in der Früh erfrieren wir.
Komm, lieber Wind, sei unser Gast
Weil du auch keine Heimat hast.


## DIE GUTE NACHT

Der Tag, vor dem der große Christ
Zur Welt geboren worden ist
War hart und wüst und ohne Vernunft.
Seine Eltern, ohne Unterkunft
Fürchteten sich vor seiner Geburt
Die gegen Abend erwartet wurd.
Denn seine Geburt fiel in die kalte Zeit.
Aber sie verlief zur Zufriedenheit.
Der Stall, den sie doch noch gefunden hatten
War warm und mit Moos zwischen seinen Latten
Und mit Kreide war auf die Tür gemalt
Daß der Stall bewohnt war und bezahlt.
So wurde es doch noch eine gute Nacht
Auch das Heu war wärmer, als sie gedacht.
Ochs und Esel waren dabei
Damit alles in der Ordnung sei.
Eine Krippe gab einen kleinen Tisch
Und der Hausknecht brachte ihnen heimlich einen Fisch.
(Denn es mußte bei der Geburt des großen Christ
Alles heimlich gehen und mit List.)
Doch der Fisch war ausgezeichnet und reichte durchaus
Und Maria lachte ihren Mann wegen seiner Besorgnis aus
Denn am Abend legte sich sogar der Wind
Und war nicht mehr so kalt, wie die Winde sonst sind.
Aber bei Nacht war er fast wie ein Föhn.
Und der Stall war warm und das Kind war sehr schön.

Und es fehlte schon fast gar nichts mehr
Da kamen auch noch die Dreikönig daher!
Maria und Joseph waren zufrieden sehr.
Sie legten sich sehr zufrieden zum Ruhn
Mehr konnte die Welt für den Christ nicht tun.

KLEINE EPISTEL, EINIGE UNSTIMMIGKEITEN ENTFERNT BERÜHREND

1

Wenn einer gern schreibt, ist er froh
Wenn er ein Thema hat.
Als der Suezkanal gebaut wurde
Wurde einer berühmt, weil er dagegen war.
Einige schreiben gegen den Regen
Andere bekämpfen den Mondwechsel.
Wenn ihr Feuilleton hübsch ist
Werden sie berühmt.

2

Wenn ein Mann seine Nase
Auf einen Schienenstrang legt
Wird sie ihm weggefahren
Wenn der Eisenbahnzug kommt
Und wäre sie noch so untrüglich.
Aber sie kann so lang liegenbleiben
Bis man sie findet.

3

Die Chinesische Mauer während ihres Baues
Wurde zweihundert Jahre lang bekämpft.
Dann stand sie.

4

Als die Eisenbahnen jung waren
Sagten die Postkutschenbesitzer über sie Abfälliges.
Sie hätten keinen Schwanz und fräßen keinen Hafer
Und in ihnen sähe man die Gegend nicht langsam

Und wo habe man je eine Lokomotive mit Stuhlgang
       gesehen
Und je besser sie redeten
Desto bessere Redner waren sie.


5

Was einige Querulanten betrifft
Die sich gegen die Gesetze auflehnen, so sollte man ihnen
Nicht mit Gründen kommen.
Das merken sie nicht.
Man sollte sie lieber abfotografieren.
Nicht Kluges sollte man mit ihnen reden, nicht Schwieriges.
Einige meiner Freunde aus dem Süden sollten mit ihnen reden:
Keinen Bums ohne Inhalt
Keine Leere mit Tempo
Sondern
Deutlich.


LIED DER DREI SOLDATEN


1

George war darunter und John war dabei
Und Tom ist Sergeant geworden.
Und die Armee, sie zeigt, wer sie sei
Und marschiert hinauf in den Norden.


2

Tommy war der Whisky zu warm
Und George hatte nie genug Decken.
Aber Johnny nimmt Georgie beim Arm
Und sagt: Die Armee kann nicht verrecken.

3

George ist gefallen und Johnny ist tot
Und Tom vermißt und verdorben.
Aber Blut ist immer noch rot
Und für die Armee wird jetzt wieder geworben.

### BIDIS ANSICHT ÜBER DIE GROSSEN STÄDTE

1

Allenthalb sagt man es nackt:
Jetzt wachsen die Städte: zuhauf!
Und dieses Petrefakt
Hört nicht mehr auf.

2

Weil ich bekümmert bin
Daß dieser Menschheit abgeschmackt-
es Gewäsch zu lang in
Den Antennen hackt

3

Sage ich mir: den Städten ist
Sicher ein Ende gesetzt
Nachdem sie der Wind auffrißt
Und zwar: jetzt.

4

Freilich es leuchtet noch her
Wie's dein Papa noch sah
Doch das Gestirn Großer Bär
Selber ist nicht mehr da.


5

Also auch ist
Schon vergangen die Große Stadt
Was auch an ihr frißt
Es wird nicht mehr satt.


6

Sie steht nicht mehr lang da
Der Mond wird älter.
Du, der sie sah
Betrachte sie kälter.


VON DER ZERMALMENDEN WUCHT DER STÄDTE

Aber die Händelosen
Ohne Luft zwischen sich
Hatten Gewalt wie roher Äther.
In ihnen war beständig
Die Macht der Leere, welche die größte ist.
Sie hießen Mangel-an-Atem, Abwesenheit, Ohne-Gestalt
Und sie zermalmten wie Granitberge
Die aus der Luft fallen fortwährend.
Oh, ich sah Gesichter
Wie in schnell hinspülendem Wasser

Der abtrünnige Kies
Sehr einförmig. Viele gesammelt
Gaben ein Loch
Das sehr groß war.

Immer jetzt rede ich nur
Von der stärksten Rasse
Über die Mühen der ersten Zeit.

Plötzlich
Flohen einige in die Luft
Bauend nach oben; andere vom höchsten Hausdach
Warfen ihre Hüte hoch und schrien:
So hoch das nächste!
Aber die Nachfolgenden
Nach gewohnten Daches Verkauf fliehend vor
        Nachtfrost
Drangen nach und sehen mit Augen des Schellfischs
Die langen Gehäuse
Die nachfolgenden.
Denn zu jener Zeit in selbiger Wändefalt
Aßen in Hast
Vier Geschlechter zugleich
Hatten in ihrem Kindheitsjahr
Auf flacher Hand den Nagel im Wandstein
Niemals gesehn.
Ihnen wuchs ineinander
Das Erz und der Stein.
So kurz war die Zeit
Daß zwischen Morgen und Abend
Kein Mittag war
Und schon standen auf altem, gewöhnetem Boden
Gebirge Beton.

*Fragment*

VON DEN RESTEN ÄLTERER ZEITEN

Immer noch steht zum Beispiel der Mond
Über den Neubauten die Nächte her
Unter den Dingen aus Kupfer
Ist er
Der Unbrauchbarste. Schon
Erzählen die Mütter von Tieren
Die Wägen zogen, Pferde geheißen.
Freilich in den Gesprächen der Kontinente
Kommen sie nicht mehr vor mit ihrem Namen:
An den großen neuen Antennen
Ist von alter Zeit
Nichts mehr bekannt.


IMMER NOCH, WENN SCHON DER ACHTE AUTOTYP

Immer noch
Wenn schon der achte Autotyp
Auf dem alten Eisen des Fabrikfriedhofs liegt
        (R. I. P.)
Stehen die Bauernkarren aus der Lutherzeit
Fahrbereit unter dem Moosdach.
Ohne Makel.
Immer noch, wo doch schon Ninive dahin ist
Sind seine äthiopischen Brüder sicherlich startbereit.
Immer neu blieb das Rad und das Fahrgestell
Ewig gedacht war die hölzerne Gabel.

Immer noch
Steht der äthiopische Bruder unter dem Moosdach
Aber wer
Fährt auf ihm?

Schon
Liegt der achte Autotyp
Oben auf dem alten Eisen
Aber
Den neunten fahren wir
Also haben wir uns entschieden
Auf immer neuen Wagen voll Makeln
Jederzeit zerstörbaren
Leichten, zerbrechlichen
Zahllosen
Ewig zu fahren.

*Fragment*


ICH HÖRE


Ich höre
Auf den Märkten sagt man von mir, mein Schlaf sei
       schlecht
Meine Feinde, sagt man, gründen schon einen Hausstand
Meine Frauen ziehen ihre guten Kleider an
Bei mir im Vorraum warten die Leute
Von denen man weiß, sie sind freundlich zu den
       Unglücklichen.
Bald
Wird man hören, ich esse nichts mehr
Trüge aber neue Anzüge
Das schlimmste aber ist: ich selber
Merke, ich bin zu den Leuten
Härter geworden.

AUF DEN TOD EINES VERBRECHERS

1

Dieser, hör ich, wurde abberufen
Und sie trugen ihn nach dem Erkalten
In den »kleinen Keller ohne Stufen«
Aber dann blieb alles doch beim alten:
Einer nämlich ist jetzt abberufen
Aber viele bleiben uns erhalten.


2

Diesen, hör ich, sind wir losgeworden
Und er wird es nicht mehr weiter treiben
Er hat aufgehört, uns zu ermorden
Leider gibt es sonst nichts zu beschreiben.
Diesen nämlich sind wir losgeworden
Aber viele weiß ich, die uns bleiben.


SONG ZUR BERUHIGUNG MEHRERER MÄNNER

1

Kameraden! Verzaget nicht!
Hängt doch eure Hüte dort an die Tür
Und nehmt euch einen Stuhl
Der breiter ist als ein Mann
Und denkt an euer Haus, das ihr bald baut:
    Ihr werdet es bald bekommen
    Ihr werdet es sicher bald bekommen (gegebenen Falles)
    Es ist schon in Aussicht genommen
    Da braucht man euch nur anzuschaun – da sieht man alles.

Doch so große Leute
Erkennt man nicht gleich heute
Denn sie sitzen gleich wie hinter einem Rauch
Aber ihre Taten
Machen großen Schaden
Hurrikane über Florida sind nicht
Was von euch ein Hauch!


2

Kameraden! Habt nur Geduld!
Legt nur eure Füße auf das Klavier
Und seht nicht nach der Uhr
Die schneller ist als ein Mann
Und denkt an Jenny Brown, welche nicht hier:
   Ihr werdet sie auch bald kriegen
   Ihr werdet sie sicher sehr bald kriegen (gegebenen Falles)
   Ihr wollt doch bei ihr liegen?
   Da braucht man euch nur anzuschaun – da weiß man alles.
      Ja, so große Leute
      Erkennt man nicht gleich heute
      Denn sie sitzen gleich wie hinter einem Rauch
      Aber ihre Taten
      Machen großen Schaden
      Hurrikane über Florida sind nicht
      Was von euch ein Hauch!


3

Kameraden! Habt keine Furcht!
Schneidet eure Zigarren ordentlich ab
Und mischt euch ein Getränk
Das stärker ist als ein Mann
Und denkt an eure Feinde in der Stadt:
   Ihr werdet es ihnen besorgen

Ihr werdet es ihnen bestimmt besorgen (gegebenen Falles)
Man wird schon sehen morgen
Da braucht man euch nur anzuschaun – da weiß man alles!
    Denn so große Leute
    Erkennt man nicht gleich heute
    Denn sie sitzen gleich wie hinter einem Rauch!
    Aber ihre Taten
    Machen großen Schaden
    Hurrikane über Florida sind nicht
    Was von euch ein Hauch!

## KOMM MIT MIR NACH GEORGIA

1

Sieh diese Stadt und sieh: sie ist alt
Erinnere dich, wie lieblich sie war!
Jetzt betrachte sie nicht mit dem Herzen, sondern kalt
Und sage: sie ist alt.
    Komm mit mir nach Georgia
    Dort bauen wir halt eine neue Stadt
    Und wenn diese Stadt zu viele Steine hat
    Dann bleiben wir nicht mehr da.

2

Sieh diese Frau und sieh: sie ist kalt
Erinnere dich, wie schön sie einst aussah!
Jetzt betrachte sie nicht mit dem Herzen, sondern kalt
Und sage: sie ist alt.
    Komm mit mir nach Georgia
    Dort laß uns schaun nach neuen Fraun

Und wenn diese Fraun wieder alt ausschaun
Dann bleiben wir nicht mehr da.

3

Sieh deine Ansichten und sieh: sie sind alt
Erinnere dich, wie gut sie einst waren!
Jetzt betrachte sie nicht mit deinem Herzen, sondern
                kalt
Und sage: sie sind alt.
  Komm mit mir nach Georgia
  Dort, wirst du sehn, gibt es neue Ideen
  Und wenn die Ideen wieder alt aussehn
  Dann bleiben wir nicht mehr da.

## MAHAGONNYGESANG NR. 4

1

Ach, Johnny, hab nicht so
Viele Angst um deinen Kopf
Dann zerschlägst du Jack Dempsey
Wie einen alten Topf!
Sei ein Mann
Geh nur ran
Mein Sohn!
Und wenn du über die Runden kommst
Dann komm nach Mahagon!
  Und sitzt du einmal bei den
  Mahagonnyleuten
  Nun, dann rauchst du auch

Und aus euren gelben Häuten
Steigt Rauch.
Himmel wie Pergament
Goldener Tabak
Wenn San Francisco brennt
Was ihr dran Gutes nennt
Sehet, das geht am End
In einen Sack.


2

Ach, Johnny, wenn du mal
Deinen Wolkenkratzer hast
Dann ist es höchste Eisenbahn
Daß du ihn fahren läßt!
Sei ein Mann
Kleb nicht dran
Mein Sohn!
Schau, daß du wieder runter kommst
Und komm nach Mahagon!
   Und sitzt du einmal bei den
   Mahagonnyleuten
   Nun, dann rauchst du auch
   Und aus euren gelben Häuten
   Steigt Rauch.
   Himmel wie Pergament
   Goldener Tabak
   Wenn San Francisco brennt
   Was ihr dran Gutes nennt
   Sehet, das geht am End
   In einen Sack.

DER MANN-IST-MANN-SONG

1

Ach, Tom, bist du auch beir Armee, beir Armee?
Denn ich bin auch beir Armee, beir Armee!
Wenn ich so 'n altes Huhn wieder seh
Dann bin ich wieder gern beir Armee.
Hast du mich auch noch nicht gesehn?
Denn ich hab dich auch noch nicht gesehn.
    Drauf kommt's nicht an
    Denn ein Mann ist ein Mann.
    Wie? Warum? Wann?
    Aber Tom, schau, darauf kommt's ja gar nicht an!
    Denn Mann ist Mann!
    Und darauf kommt's an!
    Die Sonne von Kilkoa scheint
    Auf siebentausend Männer hin
    Die sterben alle unbeweint
    Und 's ist bei keinem schad um ihn;
    Drum sagen wir: 's ist gleich, auf wen
    Die rote Sonne von Kilkoa schien!

2

Ach, Tom, hast du auch heut Reis gegessen?
Denn ich hab auch heut Reis gegessen!
Wenn ich kein Huhn im Topfe seh
Dann bin ich gar nicht gern beir Armee.
Ach, Tom, hast du auch heut schon gekotzt?
Denn ich hab auch heut schon gekotzt!
    Drauf kommt's nicht an
    Denn ein Mann ist ein Mann.
    Wie? Warum? Wann?

Aber Tom, schau, darauf kommt's ja gar nicht an!
Denn Mann ist Mann!
Und darauf kommt's an!
Die Sonne von Kilkoa scheint
Auf siebentausend Männer hin
Die sterben alle unbeweint
Und 's ist bei keinem schad um ihn;
Drum sagen wir: 's ist gleich, auf wen
Die rote Sonne von Kilkoa schien!


3

Ach, Tom, hast du auch Jenny Smith gesehn?
Denn ich hab auch Jenny Smith gesehn!
Wenn ich so 'n altes Huhn beseh
Dann bin ich wieder gern beir Armee.
Ach, Tom, hast du auch bei Jenny geschlafen?
Denn ich habe auch bei Jenny geschlafen!
    Drauf kommt's nicht an
    Denn ein Mann ist ein Mann.
    Wie? Warum? Wann?
    Aber Tom, schau, darauf kommt's ja gar nicht an!
    Denn Mann ist Mann!
    Und darauf kommt's an!
    Die Sonne von Kilkoa scheint
    Auf siebentausend Männer hin
    Die sterben alle unbeweint
    Und 's ist bei keinem schad um ihn;
    Drum sagen wir: 's ist gleich, auf wen
    Die rote Sonne von Kilkoa schien!


4

Ach, Tom, hast du auch deinen Koffer gepackt?
Denn ich hab auch meinen Koffer gepackt!

Wenn ich so 'n Huhn mit 'm Koffer seh
Dann bin ich wieder gern beir Armee.
Tom, hast du auch nichts zum Hineintun gehabt?
Denn ich hab auch nichts zum Hineintun gehabt!
    Drauf kommt's nicht an
    Denn ein Mann ist ein Mann.
    Wie? Warum? Wann?
    Aber Tom, schau, darauf kommt's ja gar nicht an!
    Denn Mann ist Mann!
    Und darauf kommt's an!
    Die Sonne von Kilkoa scheint
    Auf siebentausend Männer hin
    Die sterben alle unbeweint
    Und 's ist bei keinem schad um ihn;
    Drum sagen wir: 's ist gleich, auf wen
    Die rote Sonne von Kilkoa schien!


5

Ach, Tom, gehst du auch von hier fort, von hier fort?
Denn ich geh auch von hier fort, von hier fort.
Solang ich ein Huhn marschieren seh
Marschier ich mit der Armee!
Ach, Tom, weißt du auch nicht, wohin du gehst?
Denn ich weiß auch nicht, wohin ich geh.
    Drauf kommt's nicht an
    Denn ein Mann ist ein Mann.
    Wie? Warum? Wann?
    Aber Tom, schau, darauf kommt's ja gar nicht an!
    Denn Mann ist Mann!
    Und darauf kommt's an!
    Die Sonne von Kilkoa scheint
    Auf siebentausend Männer hin
    Die sterben alle unbeweint
    Und 's ist bei keinem schad um ihn;

Drum sagen wir: 's ist gleich, auf wen
Die rote Sonne von Kilkoa schien!


ICH SAGE JA NICHTS GEGEN ALEXANDER

Timur, höre ich, nahm sich die Mühe, die Erde zu erobern.
Ich verstehe ihn nicht:
Mit etwas Schnaps vergißt man die Erde.
Ich sage ja nichts gegen Alexander.
Nur
Habe ich Leute gesehen, bei denen
War es sehr merkwürdig
Eurer Bewunderung höchst würdig
Daß sie
Überhaupt lebten.
Die großen Männer sondern zu viel Schweiß ab.
Ich sehe in allem nur den Beweis
Daß sie nicht allein sein konnten
Und rauchen
Und trinken
Und so.
Und sie müssen zu armselig sein
Als daß es ihnen genügen könnte
Bei einer Frau zu sitzen.


DER GORDISCHE KNOTEN

I

Als der Mann aus Makedämon
Mit dem Schwert den Knoten

Durchhauen hatte, nannten sie ihn
Abends in Gordium »Sklave
Seines Ruhms«.

Denn ihr Knoten war
Eines der spärlichen Wunder der Welt
Kunstwerk eines Mannes, dessen Gehirn
(Das verwickeltste der Welt!) kein anderes
Zeugnis hatte zurücklassen können als
Zwanzig Schnüre, verwickelt zu dem Behuf
Endlich gelöst zu werden durch die leichteste
Hand der Welt! Leichteste außer der
Die ihn geknüpft. Ach, der Mann
Dessen Hand ihn knüpfte, war
Nicht ohne Plan, ihn zu lösen, jedoch
Reichte die Zeit seines Lebens
Leider nur aus für das eine, das Knüpfen.

Eine Sekunde genügte
Ihn zu durchhauen.

Von jenem, der ihn durchhieb
Sagten viele, dies sei
Noch sein glücklichster Hieb gewesen
Der billigste, am wenigsten schädliche.

Jener Unbekannte brauchte mit Recht
Einzustehen nicht mit seinem Namen
Für sein Werk, das halb war
Wie alles Göttliche
Aber der Depp, der es zerstörte
Mußte wie auf höhren Befehl
Nennen seinen Namen und sich zeigen dem Erdteil.

2

Sagten so jene in Gordium, sage ich:
Nicht alles, was schwerfällt, ist nützlich, und
Seltener genügt eine Antwort
Um eine Frage aus der Welt zu schaffen
Als eine Tat.

## ÜBER DEN EINZUG DER MENSCHHEIT IN DIE GROSSEN STÄDTE ZU BEGINN DES DRITTEN JAHRTAUSENDS

Viele sagen, die Zeit sei alt
Aber ich habe immer gewußt, es sei eine neue Zeit
Ich sage euch: nicht von selber
Wachsen seit zwanzig Jahren Häuser wie Gebirge aus Erz
Viele ziehen mit jedem Jahr in die Städte, als erwarteten
        sie etwas
Und auf den lachenden Kontinenten
Spricht es sich herum, das große gefürchtete Meer
Sei ein kleines Wasser.

Ich sterbe heut, aber ich habe die Überzeugung
Die großen Städte erwarten jetzt das dritte Jahrtausend
Es fängt an, es ist nicht aufzuhalten, heute schon
Braucht es nur einen Bürger, und ein einziger Mann
Oder Frau reicht aus.

Freilich sterben viele bei den Umwälzungen
Aber was ist es, wenn einer von einem Tisch erdrückt wird
Wenn die Städte sich zusammenschließen:
Diese neue Zeit dauert vielleicht nur vier Jahre
Sie ist die höchste, die der Menschheit geschenkt wird
Auf allen Kontinenten sieht man Menschen, die fremd sind
Die Unglücklichen sind nicht mehr geduldet, denn

Menschsein ist eine große Sache.
Das Leben wird für zu kurz gelten.


## LIED EINER FAMILIE AUS DER SAVANNAH


1

Wir hatten eine Farm in der Savannah
Pferde, ein Auto und Weizenfelder
Hier ist es schlecht, sagte Billy
Aber in Frisco wird es besser sein.
    Und wir hatten unser Brot auf der Savannah
    Frischen Wind und den Mond am Samstag abend
    Und in der Savannah war es uns zu schlecht.


2

Wir hatten ein Haus in San Francisco
Ein Motorgeschäft und neue Kleider
Und: hier ist es schlecht, sagte Billy
Aber in Massachusetts wird es besser sein.
    Und wir hatten unser Essen in San Francisco
    Hübsche Kleider und auch Jazz am Samstag abend
    Und in San Francisco war es uns zu schlecht.


3

Wir hatten ein Zelt in Massachusetts
Ein Ölfeld und eine Bohrmaschine
Doch: hier ist es schlecht, sagte Billy
Aber in Chicago wird es besser sein.
    Und wir hatten unser Dach in Massachusetts
    Einen Ofen und die Bibel am Samstag abend
    Und in Massachusetts war es uns zu schlecht.

4

Wir haben kein Zimmer in Chicago
Keinen Dollar und keine Aussicht, mein Gott
Und: hier ist es schlecht, sagt jetzt Billy
Aber nirgendwo wird es besser sein.
    Und wir hatten einst Geld und Aussichten
    Arbeit die Woche und frei am Samstag abend
    Und an allen Orten war es uns zu schlecht.


LIEBESGEDICHT

Ohn Anruf wartend in dem rohen Hause
Auf etwas, was, er fühlt's, sich aufgemacht hat
Und sich bewegt nach diesem rohen Hause
Und heut im Freien seine erste Nacht hat.

Prüft er die Hütte, ob sie wirklich leer ist
Sie sei morgen nicht mehr als heut bewohnt
Sie sei nur Platz, und daß nichts andres mehr ist
Als er, entfernt er jetzt sogar den Mond.

Wenn es doch keine Richtung wüßte
In dieser Nacht, der Lernende verlernt sich
Er glaubt, daß auch er heute schlafen müßte
Sonst scheut es an der Tür noch und entfernt sich.


DER GAST

Sie fragt ihn viel, wiewohl es draußen nachtet
An sieben Jahre gibt er eilends aus

Und hört: im Hofe wird ein Huhn geschlachtet
Und weiß: es ist kein zweites mehr im Haus.

Er wird vom Fleische wenig essen morgen.
Sie sagt: Greif zu; er sagt: Ich bin noch satt.
Wo warst du gestern, vor du kamst? – Geborgen!
Und woher kommst du? – Aus der nächsten Stadt!

Nun steht er eilends auf, die Zeit entflieht!
Er sagt ihr lächelnd: Lebe wohl! – Und du?
Zögernd entfällt ihr seine Hand: sie sieht
Ihr unbekannten Staub auf seinem Schuh.

## VON DEN GROSSEN MÄNNERN

### 1

Die großen Männer sagen viele dumme Sachen
Sie halten alle Leute für dumm
Und die Leute sagen nichts und lassen sie machen
Dabei geht die Zeit herum.

### 2

Die großen Männer essen aber und trinken
und füllen sich den Bauch
Und die andern Leute hören von ihren Taten
Und essen und trinken auch.

### 3

Der große Alexander, um zu leben
Brauchte die Großstadt Babylon

Und es hat andere Leute gegeben
Die brauchten sie nicht. Du bist einer davon.


4

Der große Kopernikus ging nicht schlafen
Er hatte ein Fernrohr in der Hand
Und rechnete aus: die Erde drehe sich um die Sonne
Und glaubte nun, daß er den Himmel verstand.


5

Der große Bert Brecht verstand nicht die einfachsten
            Dinge
Und dachte nach über die schwierigsten, wie zum Beispiel
            das Gras
Und lobte den großen Napoleon
Weil er auch aß.


6

Die großen Männer tun, als ob sie weise wären
Und reden sehr laut – wie die Tauben.
Die großen Männer sollte man ehren
Aber man sollte ihnen nicht glauben.



SINTFLUT

Siebenmal
Siehst du nicht her
Aber beim achten Mal
Verdammst du sofort.

## ACHTTAUSEND ARME LEUTE KOMMEN VOR DIE STADT

>Auf der Strecke Salgotarjan, vor Budapest, liegen jetzt über 8000 arbeitslose Bergarbeiter mit Frauen und Kindern auf offenem Felde. Die ersten zwei Tage ihres Kampfes verbrachten sie ohne Nahrung. Fetzen dienten ihnen notdürftig zur Bekleidung. Sie sehen wie Skelette aus. Sie haben sich gelobt, wenn sie kein Brot und keine Arbeit bekommen sollten, nach Budapest zu ziehen, auch wenn es Blut kosten sollte, sie haben nichts mehr zu verlieren. In der Umgebung von Budapest wurde Militär zusammengezogen. Es ergingen strenge Befehle, im Falle der geringsten Ruhestörung von den Waffen Gebrauch zu machen.<

Gingen wir hinab in die größte Stadt
1000 von uns hatten nicht gegessen
1000 von uns waren nicht satt
Und 1000 von uns wollten essen.

Sah der General zum Fenster hinaus
Und sagte: Ihr könnt hier nicht bleiben
Seid mir nicht störrisch, geht ruhig nach Haus
Was euch fehlt, könnt ihr mir schreiben.

Blieben wir auf der Landstraße stehn
Glaubten wir, sie kämen heraus, uns zu speisen
Aber kam keiner, uns anzusehn
Sahn wir nur den Rauch von ihren Häusern.

Aber kam der General einher
Dachten wir: Er würd uns speisen
Saß der General auf einem Maschinengewehr
Und kochte für uns Eisen.

Sagte der General: Ihr dürft nicht so viele bei-
      sammenstehn
Und fing an uns zu messen.
Sagten wir: Genau so viele, wie Sie sehn
Haben heute nichts gegessen.

Bauten wir uns keine Hütten her
Wuschen wir nicht mehr ein Hemd
Sagten wir: Wir können nicht lange warten mehr.
Sagte der General: Das stimmt!

Sagten wir: Wir können doch nicht alle sterb'n.
Sagte der General: Ihr könnt es!
Hörten die Leute in der Stadt einen Schuß
Sagten: Dort drüben brennt es.


DIESE BABYLONISCHE VERWIRRUNG

Diese babylonische Verwirrung der Wörter
Kommt daher, weil sie die Sprache
Von Untergehenden sind.
Daß wir sie nicht mehr verstehen
Das kommt daher, daß es
Nichts mehr nützt, sie zu verstehen.
Was nützt es den Toten
Zu erzählen, wie man besser
Gelebt hätte. Bewege doch nicht
Den Erkalteten dazu
Die Welt zu erkennen.
Streite nicht
Mit dem, hinter dem
Schon die Gärtner warten
Gedulde dich lieber.

Neulich wollte ich euch
Erzählen mit Arglist
Die Geschichte eines Weizenhändlers in der Stadt
Chikago. Mitten im Vortrag
Verließ mich meine Stimme in Eile
Denn ich hatte
Plötzlich erkannt: welche Mühe
Es mich kosten würde, diese Geschichte
Jenen zu erzählen, die noch nicht geboren sind
Die aber geboren werden und in
Ganz anderen Zeitläuften leben werden
Und, die Glücklichen! gar nicht mehr
Verstehen können, was ein Weizenhändler ist
Von der Art, wie sie bei uns sind.

Da fing ich an, es ihnen zu erklären. Und im Geist
Hörte ich mich sprechen sieben Jahre
Aber ich begegnete
Nur stummem Kopfschütteln bei allen
Meinen ungeborenen Zuhörern.
Da erkannte ich, daß ich
Etwas erzählte, was
Ein Mensch nicht verstehen kann.

Sagten sie zu mir: Ihr hättet müssen
Eure Häuser ändern oder euer Essen
oder euch. Sage du uns, gab es
Keine Vorlage für euch, und war es
Nur in Büchern vielleicht älterer Zeiten
Vorlage von Menschen, gezeichneten oder
Beschriebenen, denn uns scheint
Es war ganz niedrig, was euch bewegte
Ganz leicht änderbar, beinah von jedem
Zu durchschauen als falsch, unmenschlich und einmalig.
Gab es nicht solch einen alten

Einfachen Plan, daß ihr euch
Danach gerichtet hättet in Verwirrung?

Sagte ich: Die Pläne gab es
Aber seht, sie waren beschrieben
Mit neuen Zeichen fünfmal darüber, unlesbar
Fünfmal umgeändert die Vorlage nach unserm
Verkommenen Bildnis, so daß selbst
Unsere Väter auf diesen Berichten
Nur mehr uns glichen.
Da waren sie mutlos und taten mich ab
Mit dem lässigen Bedauern
Glücklicher Leute.


LETZTE HOFFNUNG


1

Auch am Abend hat sich nichts gebessert
Morgen ist und Mittag jetzt verbraucht
Ach, wir haben unser Meer verwässert?
Und das Meer war einst, so sagt man jetzt, erlaucht!


2

Ja, wir haben jetzt bald kein Gesicht mehr
Sind verstummt, nicht mangels Arschs noch Munds
Dieses Land legt auf uns kein Gewicht mehr
Und die Städte sind noch nicht für uns.


3

Doch wer freut sich nachts nicht eines Daches?
Und uns ziemt zu leben ungehemmt

Früh im Rausch das Elend treffend, sprach es:
Ach, wir sind einander völlig fremd.

## ÜBER DEN OHM

Immer noch in unseren Städten
Trotz aller Mühe und aller Erfindung
Gibt es haufenweis Unrat.
Trotz Schwemmkanalisation und Baupolizei
Halten sich die Ecken, die den Unrat schützen.
(Sein Geruch ist schon schwach
Daß er ihn nicht mehr verrät.)
Trotz der Bemühungen der Millionen
Geht der Schmutz nicht weg
Der aus alter Zeit stammt.
Das ist das eine.

Und das andere ist:
Der rätselhafte Ohm.
(Nicht zu verwechseln mit Olm
Einem farblosen Tier
In den unterirdischen Gewässern des Karstes.)
Nämlich: es wird in unseren Städten
Zwischen guter und schlechter Rasse
Keiner von beiden zugehörig
Immer noch gesichtet der Ohm.
Viele, die den Ohm noch sahn
Haben den Mond nicht mehr gesehn.

In den Listen wird der Ohm allerdings
Nicht mehr geführt.
Seine Existenz ist rätselhaft
Aber es findet sich niemand

Der das Rätsel lösen will
Obwohl er mit Gütern versehen ist
Und unsere Zeit sehr gierig ist
Findet sich keiner
Der ihn beerben will.

Der Ohm ist vielleicht das einzige Tier
Von dem man nicht weiß, was es frißt
Es ist sogar möglich, daß es nichts frißt
Dann müßte es ein Organ entwickelt haben, das
Ihm ermöglicht
Speise 40 Jahre bei sich zu behalten.
Darauf ließe auch seine Fähigkeit schließen
Über Dinge noch auszusagen
Die nicht mehr bekannt sind, von denen man aber weiß
Daß sie in einem früheren Zeitalter gegessen wurden.

Da das menschenähnliche Tier blind zu sein scheint,
                    verrichtet es
Auf öffentlichen Plätzen seine Notdurft
Vor dem grinsenden Pöbel.
Darunter leidet
Die Ehrfurcht, die das einfache Volk
Sonst fremden Erscheinungen erweist.

Es ist wohl ein Mangel
Unserer schnellebigen Zeit
Daß über ein Tier nicht mehr geforscht wird
Nur weil es ausstirbt.
So ist über die Lebensweise des Ohm
Tatsächlich nichts zu erfahren
Und über seine Wünsche innerhalb des Gemeinwesens
(Soweit es noch Wünsche haben sollte)
Ist höheren Ortes
Nichts mehr bekannt.

DER THEATERKOMMUNIST

Eine Hyazinthe im Knopfloch
Am Kurfürstendamm
Empfindet der Jüngling
Die Leere der Welt.
Auf dem Klosett
Scheint es ihm deutlich: er
Scheißt ins Leere.

Müde der Arbeit
Seines Vaters
Befleckt er die Cafés
Hinter den Zeitungen
Lächelt er gefährlich.
Er ist es, der
Diese Welt zertreten wird wie
Ein Kuhflädchen.

   Für 3000 Mark im Monat
   Ist er bereit
   Das Elend der Massen zu inszenieren
   Für 100 Mark im Tag
   Zeigt er
   Die Ungerechtigkeit der Welt.

JETZT IST ALLES GRAS AUFGEFRESSEN

Ja, meine Lieben, jetzt ist alles Gras aufgefressen
Und auf den Kontinenten spricht es sich herum, daß das
        Leben nicht mehr
Wert ist, gelebt zu werden.
Die Rassen sind alt, man darf nichts mehr von ihnen
      erwarten

Der kleine Planet ist flink und abgenagt
Es ist alles schon herum, es blieb nur ein Gerede davon eine
        Zeitlang.
Wir sind nur ein spätes Geschlechtlein von Augenzeugen
Und die Zeit wird heißen:
Die Gummizeit.


ANNA HÄLT BEI PAULE LEICHENWACHE


1

Paule war gestorben
Und Anna saß dabei
Und das ganze Leben war ihr verdorben
Durch diese verfluchte Schweinerei.


2

Natürlich wurde es auch noch dazu Nacht
Der Mond war auch nicht zu vermeiden
Anna hätte das nicht von Paule gedacht
Sie war immer die vertrauensselige von beiden.


3

Es hatte sich natürlich gerächt
Wie alles im Leben
Und Paule hatte es ihr gegeben
Das war wieder von Paule echt!


4

Natürlich konnte er jetzt wieder nichts dafür!
Aber für was hatte Paule je etwas gekonnt?

So einer lebt ja für sich hin wie ein Tier!
Was morgen war, das ging schon über seinen Horizont!


5

Jetzt verzog er sich hinter seiner Leichenstarre
Beim Sichdrücken, da hatte er immer Talent!
Arme Anna! Gegen Morgen, bei einer billigen Zigarre
Gab sie für ihr Leben nicht mehr einen Cent!


MUTTER BEIMLEN

Mutter Beimlen hat ein Holzbein
Damit kann sie ganz gut gehn
Und mit 'nem Schuh, und wenn wir brav sind
Dürfen wir das Holzbein sehn.

In dem Bein, da ist ein Nagel
Und da hängt sie den Hausschlüssel dran
Daß sie ihn, wenn sie vom Wirtshaus heimkommt
Auch im Dunkeln finden kann.

Wenn Mutter Beimlen auf den Strich geht
Und sie bringt 'nen Freier nach Haus
Dreht sie das Elektrische, bevor sie aufschließt
Auf dem Treppenabsatz aus.


DAS ENTSETZEN, ARM ZU SEIN

Ich streiche aus
(Mit einem dünnen Strich ohne Erbitterung)
Alle, die ich kenne, mich eingeschlossen.
Über alle diese wird man mich in Zukunft

Nicht mehr
Erbittert sehen.


Das Entsetzen, arm zu sein!
Viele gaben an, sie würden es ertragen, aber man sah
Ihre Gesichter nach einigen Jahren!
Abortgerüche und faulige Tapeten
Warfen die breitbrüstigen Männer nieder wie Stiere.
Die wäßrigen Gemüse
Zerstören Pläne, die ein Volk stark machen.
Ohne Badewasser, Einsamkeit und Tabak
Ist nichts zu verlangen.
Die Mißachtung des Publikums
Ruiniert das Rückgrat.
Der Arme
Ist nicht allein. Immer schauen
Alle in seine Kammer. Sie bohren
An seinem Teller. Er weiß nicht, wohin.
Der Himmel ist sein Dach, es regnet hinein in ihn.
Die Erde schüttelt ihn ab. Der Wind
Kennt ihn nicht. Die Nacht macht ihn zum Krüppel. Der
          Tag
Entblößt ihn. Nichts ist Geld, das einer hat. Es rettet ihn
          nicht
Aber nichts hilft ihm
Der kein Geld hat.


WIR FORDERN, DASS AUCH ER DEN NACKTEN KÖRPER ZEIGE


Wir fordern, daß auch er den nackten Körper zeige
Dann fühle er das Schweigen, lasse ab
Von Fechthandschuh, Seil, Schwamm und Eimer, steige
Im vollen Mittag stumm vom Ring herab.

Geh hin, wo dir's beliebt, nur gehe schneller
Der Austritt ist umsonst. Dies oder das:
Iß deine Lust von unserm Teller
Oder trink deinen Kummer aus unserm Glas.


MATINEE IN DRESDEN


1

Sie luden aber ein drei Götter
Zu Alibi am Flusse Alibe
Und machten eine große Versprechung
Von 150 Hekatomben für einen jeden von ihnen
Und Ehrung so vieler sie bedürften.


2

Als sie aber ankamen, war nur der Regen da
Sie zu empfangen.
Und als sie kamen zu dem Festhause der Stadt Alibi
Hörten sie mächtig Getöse aus seinem Innern
Denn sie feierten ein Fest zu Ehren des großen Alea.
Und kamen hinein und sahen ihre Stühle stehen
Wo die Mäntel hingen und die faulen Eier gekocht
            wurden.
Da weinten die Gottheiten zwischen den Mänteln
Die der Regen empfangen hatte.


3

Es trat aber zu ihnen Sibillus, ein Mann aus der Stadt
Der kannte sie von früher her und tröstete sie:

Und ging umher, Leute zu sammeln, die guten Willens
        wären
Die guten Götter zu verehren zu Alibi, der Stadt an dem
        Flusse Alibe.


4

Sprach Sibillus, Mann aus der Stadt Alibi:
Laßt uns hingehn zum Tische des dicken Alea
Welcher ein Weltfreund ist, daß wir aufsammeln die
        Brosamen
Die von seinem reichen Tische fallen.
Und sie gingen und kamen an vor den Tischen
Es fiel aber da kein Brosamen.


5

Da verzagte Sibillus und sagte zu den drei Gottheiten:
Wollet nicht verzweifeln und euch nicht stürzen
In den Fluß Alibe wegen mangelnder Ehrung
Daß nicht überschwelle der Fluß und
Wegschwemme unsere Stadt Alibi!


UND WENN WIR'S ÜBERLEGEN

Und wenn wir's überlegen
Wir können nicht lang groß sein
Der Wind kommt und der Regen
Und machen uns eilig klein
Elendiglich und klein
Muß der Mensch dürfen sein.

# SONETTE

## SONETT

Was ich von früher her noch kannte, war
Sausen von Wasser oder: von einem Wald
Jenseits des Fensters, doch entschlief ich bald
Und lag abwesend lang in ihrem Haar.

Drum weiß ich nichts von ihr als, ganz von Nacht
       zerstört
Etwas von ihrem Knie, nicht viel von ihrem Hals
In schwarzem Haar Geruch von Badesalz
Und was ich vordem über sie gehört.

Man sagt mir, ihr Gesicht vergäß sich schnell
Weil es vielleicht auf etwas Durchsicht hat
Das leer ist wie ein unbeschriebenes Blatt.

Doch sagte man, ihr Antlitz sei nicht hell
Sie selber wisse, daß man sie vergißt
Wenn sie dies läs, sie wüßt nicht, wer es ist.

## ENTDECKUNG AN EINER JUNGEN FRAU

Des Morgens nüchterner Abschied, eine Frau
Kühl zwischen Tür und Angel, kühl besehn.
Da sah ich: eine Strähn in ihrem Haar war grau
Ich konnt mich nicht entschließen mehr zu gehn.

Stumm nahm ich ihre Brust, und als sie fragte
Warum ich Nachtgast nach Verlauf der Nacht
Nicht gehen wolle, denn so war's gedacht
Sah ich sie unumwunden an und sagte:

Ist's nur noch eine Nacht, will ich noch bleiben
Doch nütze deine Zeit; das ist das Schlimme
Daß du so zwischen Tür und Angel stehst.

Und laß uns die Gespräche rascher treiben
Denn wir vergaßen ganz, daß du vergehst.
Und es verschlug Begierde mir die Stimme.


DIE OPIUMRAUCHERIN

Von einer, die vom schwarzen Rauche raucht
Weiß man: sie ist jetzt auf das Nichts vereidigt.
Sie wird nun nicht erhöht mehr noch beleidigt
Und: daß sie nur den dritten Teil vom Leben braucht.

Sie braucht jetzt keinen Mut mehr: sie wird häßlich
(Sie ist nicht mehr verwandt mit ihrem Haar)
Würd sie sich sehn nach einem Vierteljahr
Sie kennte sich nicht: sie ist sehr vergeßlich.

Seit ihr im Rauch des Bluts Verdikte schwanden
Schläft sie allein: sie ist der Erde billig.
Sie fährt auf ihres Lebens dünnster Woge!

Nur andere wissen, daß sie noch vorhanden
(Sie ist zu allem Unbemerkten willig)
Die jedem hilft, hilft ihr: die gute Droge.

SONETT FÜR TRINKER

So wie man Fleisch, um es zu essen, klopft
Soll man, um sich am eignen Leib zu weiden
Sich selbst für den Genuß erst zubereiten
(Man nehme Schnaps, der durch den Gaumen tropft).

Der Kopf des Menschen ist zumeist verstopft
Und stets bedroht von seinen Eingeweiden
Doch ist's »des Mannes Wollust, nicht zu leiden«
Und dies gelingt ihm, wenn er sich entkopft.

Dem Trinker scheint es würdig eines Manns
Seinen Kopf zu behandeln wie seinen Schwanz
Die bittere Milch ist's, die ihm dies verheißt.

Dem Esser ist Enttäuschung fast gewohnt
Die Sicherheit beginnt erst, wenn er scheißt
Denn nichts zu wollen, ist das, was sich lohnt.


KUH BEIM FRESSEN

Sie wiegt die breite Brust an holziger Krippe
Und frißt. Seht, sie zermalmt ein Hälmchen jetzt!
Es schaut noch eine Zeitlang spitz aus ihrer Lippe
Sie malmt es sorgsam, daß sie's nicht zerfetzt.

Ihr Leib ist dick, ihr trauriges Aug bejahrt
Gewöhnt des Bösen, zaudert sie beim Kauen
Seit Jahren mit emporgezogenen Brauen
Die wundert's nicht mehr, wenn ihr dazwischen-
            fahrt.

Und während sie sich noch mit Heu versieht
Entnimmt ihr einer Milch, sie duldet's stumm
Daß seine Hand an ihrem Euter reißt.

Sie kennt die Hand, sie schaut nicht einmal um
Sie will nicht wissen, was mit ihr geschieht
Und nützt die Abendstimmung aus und scheißt.


SONETT ÜBER DAS BÖSE

Von Kindheit an sann ich zumeist auf Böses
Doch ist dies schwer, ich habe nichts erfunden
Ich zahlte meine Gier, zu sehen Wunden
An eitle Opfer harmlosen Getöses!

Die gute Tat lag bläßlich im Vermächtnis
Sehr toter Leute, nunmehr ohne Neid
Wenn sie nicht kam aus Unvorsichtigkeit
Der Ruhm floß nur aus löchrigem Gedächtnis.

Die Menschheit hat umsonst nach dem geschielet
Der ihr den Kopf gänzlich vom Rumpfe trennte
Wo blieb er? Ach, die wenigen Monumente
Der Erde: ausgeheilte Narben!
Die paar Erwählten haben sie erzielet
So mühsam, daß sie vor der Zeit dran starben.


SONETT ÜBER SCHLECHTES LEBEN

Seit sieben Jahren sitz ich jetzt am Tische
Mit Niedrigkeit und Bosheit Bein an Bein
Und daß er nicht mit Schmutz das karge Wasser mische
Sag ich zum Neid: Ich trink nicht, laß es sein!

Ich esse meine Lust von eurem Teller
Und trinke meine Scham aus eurem Glas
Ich weiß, ihr wünschtet mehr: noch dies und das!
Ich sage: Morgen, Freund, es geht nicht schneller.

Gespräche solcher Art sind nicht erbaulich.
Ich haucht in meine Hand schon hinterm Spind
Und roch an meinem Atem: da roch er faulig.

Da sag ich zu mir selbst: ich sterbe bald.
Seitdem bemerk ich ohne Lust und kalt
Wie langsam mir die kurze Zeit verrinnt.


DAS ZEHNTE SONETT

Es ist mir gleich, ob diese Welt mich liebt
Seit ich hier wohn, drang manches an mein Ohr
Und ich behalt mir jede Feigheit vor
Jedoch verdrießt es mich, daß es nicht Größe gibt.

Und wär ein Tisch und säßen Große dort
Ich säße gern als Mindester am Tisch
Und wär ein Fisch, ich äß den Schwanz vom Fisch
Und kriegt ich nichts, ich ginge doch nicht fort.

Ein Buch, das mir von solchem Tisch erzählte!

Ach, gäb's Gerechtigkeit! – und wenn sie mir gleich fehlte –
So wär ich froh, und träfe sie selbst mich.

Gibt's alles dies, und bin ich selbst nur blind?
Was ich nicht gern gesteh: gerade ich
Verachte solche, die im Unglück sind.

SONETT VOM SIEGER

Wo nicht der Platz für eines Ölbaums Schatten war
Entstand ein Kampf von Männern, nicht zu zähmen
Und um ein Feldchen, allen Lebens bar
Zu klein, um ihre Leichen aufzunehmen.

Doch einer kämpfte mit ganz ohne Zweck
Unkenntlich durch Gewalt! Dem alle fluchten!
Als sich die Schlächter nachts zu retten suchten
Stand er noch kämpfend und ging lang nicht weg.

Die meisten schliefen längst und waren's satt
Als er noch stand und mähte in der Runde
Und als er wegging, war wohl nichts mehr da.

Ich sah ihn weggehn (selbst vom Schauen matt)
Er ging in schlechtem Licht weg, doch ich sah:
Er hatte auf dem Rücken eine Wunde!

Bertolt Brechts Hauspostille

ANLEITUNG ZUM GEBRAUCH
DER EINZELNEN LEKTIONEN

*Diese Hauspostille ist für den Gebrauch der Leser bestimmt.
Sie soll nicht sinnlos hineingefressen werden.*

*Die erste Lektion (Bittgänge) wendet sich direkt an das Gefühl des Lesers. Es empfiehlt sich, nicht zuviel davon auf einmal zu lesen. Auch sollten nur ganz gesunde Leute von dieser für die Gefühle bestimmten Lektion Gebrauch machen. Der in Kapitel 2 erwähnte Apfelböck, geboren zu München 1906, wurde 1919 durch einen von ihm an seinen Eltern begangenen Mord bekannt. Die in Kapitel 3 gezeichnete Marie Farrar, ein Jahr vorher wie der in Kapitel 2 erwähnte Apfelböck zu Augsburg am Lech geboren, kam vor Gericht wegen Kindesmord in dem zarten Alter von 16 Jahren. Diese Farrar erregte das Gemüt des Gerichtshofes durch ihre Unschuld und menschliche Unempfindlichkeit.*

*Die zweite Lektion (Exerzitien = geistige Übungen) wendet sich mehr an den Verstand. Es ist vorteilhaft, ihre Lektüre langsam und wiederholt, niemals ohne Einfalt, vorzunehmen. Aus den darin verborgenen Sprüchen sowie unmittelbaren Hinweisen mag mancher Aufschluß über das Leben zu gewinnen sein. So betrachtet Kapitel 12 (Orges Antwort) gewisse Anfechtungen, die wenigen erspart bleiben, während Kapitel 6 (Historie vom verliebten Schwein Malchus) eine Warnung darstellt, durch Gefühlsüberschwang Ärgernis zu erregen. Bei leisem oder lautem Lesen ist in »Orges Wunschliste« nach jedem der Zweizeiler ein Zungenschnalzer hinzuzufügen.*

*Die dritte Lektion (Chroniken) durchblättere man in den Zeiten der rohen Naturgewalten. In den Zeiten der rohen Naturgewalten (Regengüsse, Schneefälle, Bankrotte usw.)*

*halte man sich an die Abenteuer kühner Männer und Frauen*
*in fremden Erdteilen; solche eben bieten die Chroniken, welche*
*so einfach gehalten sind, daß sie auch für Volksschullesebücher*
*in Betracht kommen. Bei einem Vortrag der Chroniken emp-*
*fiehlt sich das Rauchen; zur Unterstützung der Stimme kann*
*er mit einem Saiteninstrument akkordiert werden. Das Kapi-*
*tel 2 (Ballade auf vielen Schiffen) ist zu lesen in Stunden der*
*Gefahr: in ihm kommt der Gummimensch in Sicht. Kapitel 5*
*(Ballade von den Seeräubern) ist hauptsächlich für die hellen*
*Nächte im Juni bestimmt; der zweite Teil dieser Ballade, so-*
*weit er den Untergang behandelt, kann jedoch auch noch im*
*Oktober gesungen werden. Die Melodie ist die von »L'Etendard*
*de la Pitié«. Kapitel 6 (Von der Hanna Cash) gilt für die Zeit*
*einer beispiellosen Verfolgung. (In der Zeit der beispiellosen*
*Verfolgung wird die Anhänglichkeit eines Weibes offenbar*
*werden.)*
*Die vierte Lektion (Psalmen und Mahagonnygesänge) ist das*
*Richtige für die Stunden des Reichtums, das Bewußtsein des*
*Fleisches und die Anmaßung. (Sie kommt also nur für sehr*
*wenige Leser in Betracht. Diese können die Gesänge ruhig mit*
*der Höchstleistung an Stimme und Gefühl, jedoch ohne*
*Mimik, anstimmen.)*
*Es wird geben Tagzeiten des Angedenkens und der frühen Ge-*
*schehnisse. Die nachfolgenden fünf Kapitel der fünften Lek-*
*tion (Die kleinen Tagzeiten der Abgestorbenen) sind für das*
*Angedenken und die frühen Geschehnisse. Das erste Kapitel*
*dient der Erinnerung an den Lyriker Joseph Baal aus Pfersee,*
*eine durchaus asoziale Erscheinung. Das zweite Kapitel (Von*
*den verführten Mädchen) ist zu singen unter Anschlag harter*
*Mißlaute auf einem Saiteninstrument. Es hat als Motto: Zum*
*Dank dafür, daß die Sonne sie bescheint, werfen die Dinge*
*Schatten. Das dritte Kapitel (Vom ertrunkenen Mädchen) ist*
*mit geflüsterten Lippenlauten zu lesen. Das vierte Kapitel*
*(Vom Liebestod) ist gewidmet dem Angedenken an das Liebes-*
*paar Franz Diekmann und Frieda Lang aus Augsburg. Das*

*fünfte Kapitel (Vom toten Soldaten) ist zum Gedächtnis des
Infanteristen Christian Grumbeis, geboren den 11. April 1897
in Aichach, gestorben in der Karwoche 1918 in Karasin (Süd-
rußland).*

*Nach der etwas düsteren Lektion von den kleinen Tagzeiten
der Abgestorbenen sollte man das Schlußkapitel immer dazu-
lesen. Überhaupt empfiehlt es sich, jede Lektüre in der Hauspostille mit dem Schlußkapitel zu beschließen.*

*Der Anhang (Vom armen B. B.) ist gewidmet George Pfanzelt,
Caspar Neher und Otto Müllereisert, sämtliche aus Augsburg.*

# ERSTE LEKTION: BITTGÄNGE

## VOM BROT UND DEN KINDLEIN

### 1

Sie haben nicht gegessen
Das Brot im hölzernen Schrein
Sie riefen, sie wollten essen
Lieber die kalten Stein.

### 2

Es ist das Brot verschimmelt
Weil's keiner essen will.
Es blickte mild zum Himmel
Da sagte der Schrank ihm still:

### 3

»Die werden sich noch stürzen
Auf ein Stückelein Brot
Mit wenigen Gewürzen
Nur für des Leibes Not.«

### 4

Es sind die Kindlein gangen
Viele Straßen weit.
Da mußten sie ja gelangen
Außer die Christenheit.

5

Und bei den Heiden da hungern
Kindlein dürr und blaß.
Es geben ihnen die Heiden
Keinem irgendwas.

6

Sie würden sich gerne stürzen
Auf ein Stückelein Brot
Mit wenigen Gewürzen
Nur für des Leibes Not.

7

Das Brot aber ist verschimmelt
Gefressen von dem Vieh.
Woll's Gott, es hat einst der Himmel
Ein kleines Gewürzlein für sie.


APFELBÖCK
ODER
DIE LILIE AUF DEM FELDE

1

In mildem Lichte Jakob Apfelböck
Erschlug den Vater und die Mutter sein
Und schloß sie beide in den Wäscheschrank
Und blieb im Hause übrig, er allein.

2

Es schwammen Wolken unterm Himmel hin
Und um sein Haus ging mild der Sommerwind
Und in dem Hause saß er selber drin
Vor sieben Tagen war es noch ein Kind.


3

Die Tage gingen und die Nacht ging auch
Und nichts war anders außer mancherlei
Bei seinen Eltern Jakob Apfelböck
Wartete einfach, komme was es sei.


4

Es bringt die Milchfrau noch die Milch ins Haus
Gerahmte Buttermilch, süß, fett und kühl.
Was er nicht trinkt, das schüttet Jakob aus
Denn Jakob Apfelböck trinkt nicht mehr viel.


5

Es bringt der Zeitungsmann die Zeitung noch
Mit schwerem Tritt ins Haus beim Abendlicht
Und wirft sie scheppernd in das Kastenloch
Doch Jakob Apfelböck, der liest sie nicht.


6

Und als die Leichen rochen durch das Haus
Da weinte Jakob und ward krank davon.

Und Jakob Apfelböck zog weinend aus
Und schlief von nun an nur auf dem Balkon.


7

Es sprach der Zeitungsmann, der täglich kam:
Was riecht hier so? Ich rieche doch Gestank.
In mildem Licht sprach Jakob Apfelböck:
Es ist die Wäsche in dem Wäscheschrank.


8

Es sprach die Milchfrau einst, die täglich kam:
Was riecht hier so? Es riecht, als wenn man stirbt!
In mildem Licht sprach Jakob Apfelböck:
Es ist das Kalbfleisch, das im Schrank verdirbt.


9

Und als sie einstens in den Schrank ihm sahn
Stand Jakob Apfelböck in mildem Licht
Und als sie fragten, warum er's getan
Sprach Jakob Apfelböck: Ich weiß es nicht.


10

Die Milchfrau aber sprach am Tag danach:
Ob wohl das Kind einmal, früh oder spät
Ob Jakob Apfelböck wohl einmal noch
Zum Grabe seiner armen Eltern geht?

VON DER KINDESMÖRDERIN MARIE FARRAR

1

Marie Farrar, geboren im April
Unmündig, merkmallos, rachitisch, Waise
Bislang angeblich unbescholten, will
Ein Kind ermordet haben in der Weise:
Sie sagt, sie habe schon im zweiten Monat
Bei einer Frau in einem Kellerhaus
Versucht, es abzutreiben mit zwei Spritzen
Angeblich schmerzhaft, doch ging's nicht heraus.
    Doch ihr, ich bitte euch, wollt nicht in Zorn verfallen
    Denn alle Kreatur braucht Hilf von allen.

2

Sie habe dennoch, sagt sie, gleich bezahlt
Was ausgemacht war, sich fortan geschnürt
Auch Sprit getrunken, Pfeffer drin vermahlt
Doch habe sie das nur stark abgeführt.
Ihr Leib sei zusehends geschwollen, habe
Auch stark geschmerzt, beim Tellerwaschen oft.
Sie selbst sei, sagt sie, damals noch gewachsen.
Sie habe zu Marie gebetet, viel erhofft.
    Auch ihr, ich bitte euch, wollt nicht in Zorn verfallen
    Denn alle Kreatur braucht Hilf von allen.

3

Doch die Gebete hätten, scheinbar, nichts genützt.
Es war auch viel verlangt. Als sie dann dicker war
Hab ihr in Frühmetten geschwindelt. Oft hab sie
        geschwitzt

Auch Angstschweiß, häufig unter dem Altar.
Doch hab den Zustand sie geheimgehalten
Bis die Geburt sie nachher überfiel.
Es sei gegangen, da wohl niemand glaubte
Daß sie, sehr reizlos, in Versuchung fiel.
    Und ihr, ich bitte euch, wollt nicht in Zorn verfallen
    Denn alle Kreatur braucht Hilf von allen.


4

An diesem Tag, sagt sie, in aller Früh
Ist ihr beim Stiegenwischen so, als krallten
Ihr Nägel in den Bauch. Es schüttelt sie.
Jedoch gelingt es ihr, den Schmerz geheimzuhalten.
Den ganzen Tag, es ist beim Wäschehängen
Zerbricht sie sich den Kopf; dann kommt sie drauf
Daß sie gebären sollte, und es wird ihr
Gleich schwer ums Herz. Erst spät geht sie hinauf.
    Doch ihr, ich bitte euch, wollt nicht in Zorn verfallen
    Denn alle Kreatur braucht Hilf von allen.


5

Man holte sie noch einmal, als sie lag:
Schnee war gefallen, und sie mußte kehren.
Das ging bis elf. Es war ein langer Tag.
Erst in der Nacht konnt sie in Ruhe gebären.
Und sie gebar, so sagt sie, einen Sohn.
Der Sohn war ebenso wie andere Söhne.
Doch sie war nicht, wie andre Mütter sind, obschon –
Es liegt kein Grund vor, daß ich sie verhöhne.
    Auch ihr, ich bitte euch, wollt nicht in Zorn verfallen
    Denn alle Kreatur braucht Hilf von allen.

6

So laßt sie also weiter denn erzählen
Wie es mit diesem Sohn geworden ist
(Sie wolle davon, sagt sie, nichts verhehlen)
Damit man sieht, wie ich bin und du bist.
Sie sagt, sie sei, nur kurz im Bett, von Übel-
keit stark befallen worden, und allein
Hab sie, nicht wissend, was geschehen sollte
Mit Mühe sich bezwungen, nicht zu schrein.
    Und ihr, ich bitte euch, wollt nicht in Zorn verfallen
    Denn alle Kreatur braucht Hilf von allen.


7

Mit letzter Kraft hab sie, so sagt sie, dann
Da ihre Kammer auch eiskalt gewesen
Sich zum Abort geschleppt und dort auch (wann
Weiß sie nicht mehr) geborn ohn Federlesen
So gegen Morgen zu. Sie sei, sagt sie
Jetzt ganz verwirrt gewesen, habe dann
Halb schon erstarrt, das Kind kaum halten können
Weil es in den Gesindabort hereinschnein kann.
    Und ihr, ich bitte euch, wollt nicht in Zorn verfallen
    Denn alle Kreatur braucht Hilf von allen.


8

Dann zwischen Kammer und Abort – vorher, sagt sie
Sei noch gar nichts gewesen – fing das Kind
Zu schreien an, das hab sie so verdrossen, sagt sie
Daß sie's mit beiden Fäusten, ohne Aufhörn, blind
So lang geschlagen habe, bis es still war, sagt sie.
Hierauf hab sie das Tote noch durchaus

Zu sich ins Bett genommen für den Rest der Nacht
Und es versteckt am Morgen in dem Wäschehaus.
  Doch ihr, ich bitte euch, wollt nicht in Zorn verfallen
  Denn alle Kreatur braucht Hilf vor allem.


9

Marie Farrar, geboren im April
Gestorben im Gefängnishaus zu Meißen
Ledige Kindesmutter, abgeurteilt, will
Euch die Gebrechen aller Kreatur erweisen.
Ihr, die ihr gut gebärt in saubern Wochenbetten
Und nennt »gesegnet« euren schwangeren Schoß
Wollt nicht verdammen die verworfnen Schwachen
Denn ihre Sünd war schwer, doch ihr Leid groß.
  Darum, ich bitte euch, wollt nicht in Zorn verfallen
  Denn alle Kreatur braucht Hilf von allen.


DAS SCHIFF


1

Durch die klaren Wasser schwimmend vieler Meere
Löst ich schaukelnd mich von Ziel und Schwere
Mit den Haien ziehend unter rotem Mond.
Seit mein Holz fault und die Segel schlissen
Seit die Seile modern, die am Strand mich rissen
Ist entfernter mir und bleicher auch mein Horizont.


2

Und seit jener hinblich und mich diesen
Wassern die entfernten Himmel ließen
Fühl ich tief, daß ich vergehen soll.

Seit ich wußte, ohne mich zu wehren
Daß ich untergehen soll in diesen Meeren
Ließ ich mich den Wassern ohne Groll.


3

Und die Wasser kamen, und sie schwemmten
Viele Tiere in mich, und in fremden
Wänden freundeten sich Tier und Tier.
Einst fiel Himmel durch die morsche Decke
Und sie kannten sich in jeder Ecke
Und die Haie blieben gut in mir.


4

Und im vierten Monde schwammen Algen
In mein Holz und grünten in den Balken:
Mein Gesicht ward anders noch einmal.
Grün und wehend in den Eingeweiden
Fuhr ich langsam, ohne viel zu leiden
Schwer mit Mond und Pflanze, Hai und Wal.


5

Möw' und Algen war ich Ruhestätte
Schuldlos immer, daß ich sie nicht rette.
Wenn ich sinke, bin ich schwer und voll.
Jetzt, im achten Monde, rinnen Wasser
Häufiger in mich. Mein Gesicht wird blasser.
Und ich bitte, daß es enden soll.


6

*Fremde Fischer sagten aus: sie sahen*
*Etwas nahen, das verschwamm beim Nahen.*

*Eine Insel? Ein verkommnes Floß?*
*Etwas fuhr, schimmernd von Möwenkoten*
*Voll von Alge, Wasser, Mond und Totem*
*Stumm und dick auf den erbleichten Himmel los.*


LITURGIE VOM HAUCH


1

Einst kam ein altes Weib einher


2

Die hatte kein Brot zum Essen mehr


3

Das Brot, das fraß das Militär


4

Da fiel sie in die Goss', die war kalte


5

Da hatte sie keinen Hunger mehr.


6

Darauf schwiegen die Vöglein im Walde
Über allen Wipfeln ist Ruh
In allen Gipfeln spürest du
Kaum einen Hauch.

7

Da kam einmal ein Totenarzt einher

8

Der sagte: Die Alte besteht auf ihrem Schein

9

Da grub man die hungrige Alte ein

10

So sagte das alte Weib nichts mehr

11

Nur der Arzt lachte noch über die Alte.

12

Auch die Vöglein schwiegen im Walde
Über allen Wipfeln ist Ruh
In allen Gipfeln spürest du
Kaum einen Hauch.

13

Da kam einmal ein einziger Mann einher

14

Der hatte für die Ordnung keinen Sinn

15

Der fand in der Sache einen Haken drin

16

Der war eine Art Freund für die Alte

17

Der sagte, ein Mensch müsse essen können, bitte sehr –

18

Darauf schwiegen die Vöglein im Walde
Über allen Wipfeln ist Ruh
In allen Gipfeln spürest du
Kaum einen Hauch.

19

Da kam mit einemmal ein Kommissar einher

20

Der hatte einen Gummiknüppel dabei

21

Und zerklopfte dem Mann seinen Hinterkopf zu Brei

22

Und da sagte auch dieser Mann nichts mehr

23

Doch der Kommissar sagte, daß es schallte:

24

Und jetzt schweigen die Vöglein im Walde
Über allen Wipfeln ist Ruh
In allen Gipfeln spürest du
Kaum einen Hauch.

25

Da kamen einmal drei bärtige Männer einher

26

Die sagten, das sei nicht eines einzigen Mannes Sache allein.

27

Und sie sagten es so lang, bis es knallte

28

Aber dann krochen Maden durch ihr Fleisch in ihr Bein

29

Da sagten die bärtigen Männer nichts mehr.

30

Darauf schwiegen die Vöglein im Walde
Über allen Wipfeln ist Ruh

In allen Gipfeln spürest du
Kaum einen Hauch.

31

Da kamen mit einemmal viele Männer einher

32

Die wollten einmal reden mit dem Militär

33

Doch das Militär redete mit dem Maschinengewehr

34

Und da sagten alle die Männer nichts mehr.

35

Doch sie hatten auf der Stirn noch eine Falte.

36

Darauf schwiegen die Vöglein im Walde
Über allen Wipfeln ist Ruh
In allen Gipfeln spürest du
Kaum einen Hauch.

37

Da kam einmal ein großer roter Bär einher

38

Der wußte nichts von den Bräuchen hier, das brauchte er
      nicht als Bär.

39

Doch er war nicht von gestern und ging nicht auf jeden Teer

40

Und der fraß die Vöglein im Walde.

41

Da schwiegen die Vöglein nicht mehr
Über allen Wipfeln ist Unruh
In allen Gipfeln spürest du
Jetzt einen Hauch.

MORGENDLICHE REDE AN DEN BAUM GRIEHN

1

Griehn, ich muß Sie um Entschuldigung bitten.
Ich konnte heute nacht nicht einschlafen, weil der Sturm
      so laut war.
Als ich hinaus sah, bemerkte ich, daß Sie schwankten
Wie ein besoffener Affe. Ich äußerte das.

2

Heute glänzt die gelbe Sonne in Ihren nackten Ästen.
Sie schütteln immer noch einige Zähren ab, Griehn.

Aber Sie wissen jetzt, was Sie wert sind.
Sie haben den bittersten Kampf Ihres Lebens gekämpft.
Es interessierten sich Geier für Sie.
Und ich weiß jetzt: einzig durch Ihre unerbittliche
Nachgiebigkeit stehen Sie heute morgen noch gerade.


3

Angesichts Ihres Erfolgs meine ich heute:
Es war wohl keine Kleinigkeit, so hoch heraufzukommen
Zwischen den Mietskasernen, so hoch herauf, Griehn, daß
Der Sturm so zu Ihnen kann wie heute nacht.


BERICHT VOM ZECK

> Er hat ein Buch geschrieben
> Des ich satt bin.
> Es stehen sieben mal sieben
> Gebote darin.

1

Durch unsere Kinderträume
In dem milchweißen Bett
Spukte um Apfelbäume
Der Mann in Violett.


2

Liegend vor ihm im Staube
Sah man: da saß er. Träg.
Und streichelte seine Taube
Und sonnte sich am Weg.

3

Er schätzt die kleinste Gabe
Sauft Blut als wie ein Zeck.
Und daß man nur ihn habe
Nimmt er sonst alles weg.


4

Und gabst du für ihn deine
Und andrer Freude her
Und liegst dann arm am Steine
Dann kennt er dich nicht mehr.


5

Er spuckt dir gern zum Spaße
Ins Antlitz rein und guckt
Daß er dich ja gleich fasse
Wenn deine Wimper zuckt.


6

Am Abend steht er spähend
An deinem Fenster dort
Und merkt sich jedes Lächeln
Und geht beleidigt fort.


7

Und hast du eine Freude
Und lachst du noch so leis –
Er hat eine kleine Orgel
Drauf spielt er Trauerweis'.

8

Er taucht in Himmelsbläue
Wenn einer ihn verlacht
Und hat doch auch die Säue
Nach seinem Bild gemacht.

9

An keinem sitzt er lieber
Als einst am Totenbett.
Er spukt durchs letzte Fieber
Der Kerl in Violett.

# ZWEITE LEKTION: EXERZITIEN

## VOM MITMENSCH

### 1

Schon als ein Mann, die Monde zählend
Ihn auszog wie an einem Stiel
Schrie er laut auf, als er rot, elend
Und klein aus einem Weibe fiel.
Sie warteten. Mit Schwamm und Leinen!
Sie grüßten mit Trompetenschall.
Sie wuschen mit gerührtem Weinen
Den Kot ihm ab. (Auf jeden Fall.)

### 2

Von nun an sind sie ihm gewogen.
Er ist ihr Kind, er ist ihr Mann.
Sie rühren, wenn er ausgezogen
Den Tünchnerkalk mit Tränen an.
Und wenn er frißt, so sind sie heiter
Sie sehen strahlend seinen Mist.
Er sieht: sie tragen schwarze Kleider
Wenn ihm sein Hund verendet ist.

### 3

Sie tun ihr Wort in seine Zähne.
Er sagt's. Sie haben's schon gesagt.
Es nagt das Bein an die Hyäne
Und die Hyän' ist angenagt.

Und nennt er seine Wolken Schwäne
So schimpfen sie ihn hungrig blind
Und zeigen ihm, daß seine Zähne
Genau wie ihre Zähne sind.


4

Sie setzen sich in seine Träume
(Da, wo er wohnt, sind ihre Räume).
Sie schlachten ihm ihre letzte Kuh
(Und schauen ihm beim Essen zu).
Versalzen's mit gerührten Tränen
Und gehen, wenn er's ißt, nicht fort.
Sie zählen grinsend seine Zähne
Und warten gläubig vorm Abort.


5

Und um ihm menschlich nah zu kommen
Drehen sie ihm ihre Schwester an
Und netzen sie mit Bibelsprüchen
So daß er sie besteigen kann.
Und ihm lächelnd das Glied anfeuchtend
Wünschen sie angenehme Ruh.
Und ihn mit Scheinwerfern beleuchtend
Hören sie ihm durch Drähte zu.


6

Denn sie sind keine Ungeheuer
Und er ist nicht der gute Hirt
Sie legen die Hand für ihn ins Feuer
Und weinen, wenn er schwächer wird.
Dann zeigen sie ihm rote Bälge
Und sagen, wenn er sie vertrieb:

Das Ding, das die Geliebte melke
Das sei die Frucht, die von ihm blieb.


7

Er lebt in Furcht vor ihrem Grauen
Wenn sein Gefühl ihn überschwemmt.
Denn nahmen ihm die Haut die Schlauen
So ließen sie ihm doch das Hemd.
Er trug den Leib in manchem Hemde
Verstohlen durch das Tageslicht.
Er starb. Und die Geliebte kämmte
Ihm schnell die Haare ins Gesicht.


8

Sie hat an seinem Leib gelegen
Sie hat ihn satt der Welt gemacht
Sie sah sich seine Lider regen
Sie hat sein Schlafen überwacht.
Sie hat ihm ihre Sklavenkette
Tief in sein mildes Fleisch gewetzt
Er hat ihr auf dem Totenbette
Sein letztes Wort noch übersetzt.


DER HERR DER FISCHE


1

Ach, er kam nicht zu bestimmten Zeiten
Wie der Mond, doch ging er so wie der.
Ihm sein billiges Essen zu bereiten
War nicht schwer.

2

Wenn er da war, war für einen Abend
Einer unter ihnen da
Wenig fordernd, manches für sie habend
Allen unbekannt und allen nah.

3

Ging er, war es das Gewohnte
Kam er, waren sie erstaunt
Und doch kommt er stets, dem Monde
Gleichend, wieder – gut gelaunt.

4

Sitzt und spricht wie sie: von ihren Dingen
Was die Weiber tun, wenn man auf Fahrt
Was die Netze kosten und die Fische bringen
Und vor allem: wie man Steuern spart.

5

Ihre Namen sich zu merken
Zeigte er sich nicht imstand
Doch zu ihren Tagewerken
Wußte er stets allerhand.

6

Sprach er so von ihren Angelegenheiten
Fragten sie ihn auch: wie stehn denn deine?
Und er blickte lächelnd um nach allen Seiten
Sagte zögernd: habe keine.

7

So, auf Hin- und Widerreden
Hat mit ihnen er verkehrt
Immer kam er ungebeten
Doch sein Essen war er wert.


8

Eines Tages wird ihn einer fragen:
Sag, was ist es, was dich zu uns führt?
Eilig wird er aufstehn; denn er spürt:
Jetzt ist ihre Stimmung umgeschlagen.


9

Höflich wird, der nichts zu bieten hatte
Aus der Tür gehn: ein entlaßner Knecht.
Und es bleibt von ihm kein kleinster Schatte
Keine Höhlung in des Stuhls Geflecht.


10

Sondern er gestattet, daß auf seinem
Platz ein anderer sich reicher zeigt.
Wirklich, er verwehrt es keinem
Dort zu reden, wo er schweigt.


VON DER WILLFÄHRIGKEIT DER NATUR

Ach, es kommt ja der Krug mit der schäumenden Milch auch
Noch zu des Alten zahnlos geiferndem Mund.
Ach, es reibt sich dem flüchtenden Schlächter
Noch am Bein der Liebe heischende Hund.

Ach, dem Mann, der das Kind mißbraucht hinterm Dorfe
Neigen sich Ulmen noch mit schönem und schattigem Laub.
Und es empfiehlt eure blutigen Spuren, ihr Mörder
Unserm Vergessen der blinde, freundliche Staub.

So auch vermischt der Wind die Schreie von sinkenden Booten
Vorbedacht mit dem Säuseln des Blattwerks im Innern
      des Lands
Und er hebt höflich der Magd vor dem syphilitischen
      Fremden
Daß er die lustigen Beine sähe, den Zipfel des armen Gewands.

Und es deckt das tiefe, wollüstige Du eines Weibes
Nachts das Geflenn des erschreckten Vierjährigen zu in
      der Ecke des Raums.
Und in die Hand, die das Kind schlug, drängt sich der Apfel
Schmeichlerisch aus der Ernte des jährlich üppiger
      wachsenden Baums.

Ach, wie glänzt das klare Auge des Kindes
Wenn der Vater den Kopf des Ochsen zu Boden zwingt
      und das Messer aufschnellt!
Und wie wogen die Busen der Weiber, an denen einst
      Kinder gehangen
Wenn durchs Dorf der kriegrische Marsch der
      Manöverkapelle gellt.

Ach, unsre Mütter sind käuflich, es werfen sich weg
      unsre Söhne
Denn nach jedwedigem Eiland späht die Mannschaft des
      brüchigen Kahns!
Und ihm ist genug auf der Welt, daß der Sterbende
      kämpft, doch die Frühe
Noch zu erleben und noch das dritte Krähen des Hahns.

LIED DER VERDERBTEN UNSCHULD BEIM WÄSCHEFALTEN

1

Was meine Mutter mir sagte
Das kann wohl wahr nicht sein.
Sie sagte: Wenn du einmal befleckt bist
Wirst niemals du mehr rein.
    Das gilt nicht für das Linnen
    Das gilt auch nicht für mich.
    Den Fluß laß drüber rinnen
    Und schnell ist's säuberlich.

2

Mit elfen war ich sündig
Wie ein Dreihellerweib.
Und wirklich erst mit vierzehn
Kasteit ich meinen Leib.
    Das Linnen war schon gräulich
    Ich hab's in Fluß getaucht.
    Im Korbe liegt's jungfräulich
    Wie niemals angehaucht.

3

Bevor ich noch einen kannte
War ich gefallen schon.
Ich stank zum Himmel, wahrlich ein
Scharlachen Babylon.
    Das Linnen in dem Flusse
    Geschwenkt in sanftem Kreis
    Fühlet im Wellenkusse:
    Jetzt werd ich sachte weiß.

4

Denn als mich mein erster umarmte
Und ich umarmte ihn
Da fühlt ich aus Schoß und Busen
Die schlechten Triebe fliehn.
    So geht es mit dem Linnen
    So ging es auch mit mir.
    Die schnellen Wasser rinnen
    Und aller Schmutz ruft: Hier!


5

Doch als die andern kamen
Ein trübes Jahr anfing.
Sie gaben mir schlechte Namen
Da wurd ich ein schlechtes Ding.
    Mit Sparen und mit Fasten
    Erholt sich keine Frau.
    Liegt Linnen lang im Kasten
    Wird's auch im Kasten grau.


6

Und wieder kam ein andrer
In einem andren Jahr.
Ich sah, als alles anders war
Daß ich eine andre war.
    Tunk's in den Fluß und schwenk es!
    's gibt Sonne, Wind und Chlor!
    Gebrauch es und verschenk es:
    's wird frisch als wie zuvor!

7

Ich weiß: noch viel kann kommen
Bis nichts mehr kommt am End.
Nur wenn es nie getragen war
Dann war das Linnen verschwend't.
  Und ist es brüchig geworden
  Dann wäscht's kein Fluß mehr rein.
  Er spült's in Fetzen forten.
  So wird es einmal sein.

## VORBILDLICHE BEKEHRUNG EINES BRANNTWEINHÄNDLERS

1

Hinter Gläsern, an dem Schanktisch mit den
Schweren Lidern, Lippen violett
Trüben Augen in dem schweißigen Antlitz
Sitzt ein Branntweinhändler bleich und fett.
Seine schmierigen Finger zählen
Geld in einen Sack hinein
In des Branntweins ölige Lache
Sinkt sein Kopf, und er schläft ein.

2

Und sein schwerer Leib, er wälzt sich ächzend
Kalter Schweiß klebt auf der Stirn wie Schleim
Und in seinem schwammigen Gehirne
Sucht ein schrecklich böser Traum ihn heim.
Und er träumt: er ist im Himmel
Und er muß vor Gottes Thron
Und trinkt Schnaps vor Angst und ist nun
Bis zum Halse voll davon.

3

Sieben Englein halten ihn umringet
Und er schwankt in seinen beiden Knien
Doch sie führen ihn, den Branntweinhändler
Stumm vor Gottes weißen Thron nun hin.
Seine schweren Lider heben
Kann er nicht in Gottes Licht
Und er fühlt die Zunge kleben
Blau, mit scheußlichem Gewicht.


4

Und er sieht sich um nach einer Hilfe
Und er sieht in grünem Algenlicht:
Vierzehn Waisenkindlein schwimmen weinend
Flußab mit vergehendem Gesicht.
Und er sagt: es sind nur sieben
Weil ich so besoffen bin.
Doch er sagt es nicht: die Zunge
Will nicht an die Zähne hin.


5

Und er sieht sich um nach einer Hilfe
Bei den Männern, die er karten sieht
Und er schreit: ich bin der Branntweinhändler!
Doch sie schreien ihr besoffen Lied.
Und sie schreien sich um ihre
Seligkeit voll Schnaps und blind.
Und er sieht an grünen Flecken
Daß sie fast verfault schon sind.

6

Und er sieht sich um nach einer Hilfe
Und er sieht: er steht im Hemd am Thron!
Steht im Hemd im Himmel, hört sie fragen:
Hast du all dein Kleid versoffen schon?
Und er sagt: Ich hatte Kleider
Und sie sagen: Keine Scham?
Und er weiß: Hier standen viele
Denen ich die ihren nahm.


7

Und er sieht sich nicht mehr um nach Hilfe
Und er fällt aufs Knie hin, daß es klatscht
Und er fühlt das Schwert im Fleisch am Nacken
Und das Hemd, das naß von Schweiß dran patscht:
Und er schämt sich vor dem Himmel
Und er fühlt im Innern drin:
Gott hat mich verstoßen jetzt, weil
Ich ein Branntweinhändler bin.


8

Und erwacht: mit schweren Lidern, stieren
Augen und den Lippen violett.
Doch er sagt zu sich: nie wieder je bin
Ich ein Branntweinhändler, bleich und fett.
Sondern nur für Waisenkinder
Säufer, Greis und Dulderin
Gebe ich in Zukunft dieses
Segenlose Schmutzgeld hin.

HISTORIE VOM VERLIEBTEN SCHWEIN MALCHUS

1

Hört die Mär vom guten Schwein
Und von seiner Liebe!
Ach, es wollt geliebet sein
Und bekam nur Hiebe.

2

Weil's dem Schwein noch nie so war
(Erste, grüne Liebe!)
Liebte es mit Haut und Haar.
Und bekam nur Hiebe.

3

Denn die Sonne selber war
Diese große Liebe.
Wie, wenn sie's mit Haut und Haar
Zur Verzweiflung triebe?

4

Einmal nun im Sonnenschein
Kriegt' es keine Hiebe
Und es schrie das gute Schwein:
Ist das nun nicht Liebe?!

5

Und das sehr beglückte Schwein
Es beschloß zu handeln

Um im ewigen Sonnenschein
Nun hinfort zu wandeln.


6

Und indem es Schweine fing
Daß sie sich verbeugten
Wenn das Schwein vorüberging
Ehrfurcht ihm bezeugten


7

Hoffte das begabte Schwein
Ihr zu imponieren
Und im guten Sonnenschein
Ständig zu spazieren.


8

Doch die Sonne sieht wohl nicht
Jedes Schwein auf Erden
Und sie wandt ihr Augenlicht
Ließ es dunkel werden.


9

Dunkel um das arme Schwein
Außen und auch innen.
Doch da fiel ihm etwas ein
Um sie zu gewinnen.


10

Und mit einem anderen Schwein
Übte es zusammen

Mit dem Rüssel Gift zu spein
Mit den Augen Flammen.

11

Und ein altes schwarzes Schwein
Zwang es (nur durch Reden)
Ihm und seinen Schweinerein
Algier abzutreten.

12

Und als nun die Sonne kam
Tat es voll Erregung
Halberstickt von edler Scham
Eine Fußbewegung

13

In der alles lag, was je-
mals ein Schwein empfunden
(Liebe läßt vergessen Weh
Und gesalzene Wunden!)

14

Und so legt nun diese Sau
Auf 'ner kleinen Wiesen
Tieferschüttert seiner Frau
Afrika zu Füßen.

15

Und diktiert zur selben Stund
Daß es einfach alle

Die ihm diesen Seelenbund
Störten, niederknalle.


16

Und an dunklen Tagen, wenn
Sie ihm brach die Treue
Lief es finster weg vom Trog
Watschelte ins Freie.


17

Und man sah dort, wie das Vieh
Das erschreckend blaß war
Wütend in die Wolken spie
Bis es selber naß war.


18

Ja, in einer trüben Früh
In der Brunnenkresse
Drohte es ihr, daß es sie
Einstmals doch noch fresse.


19

Da sie alles fressen, mein-
te es dies wohl ehrlich;
Aber wo die Sonne scheint
Fressen Schweine schwerlich.


20

Aber jedes Schwein ist schlau
Weiß, die Sonn im Himmelsblau

Ist stets nur die liebe Frau
Von der jeweils größten Sau.


## VON DER FREUNDLICHKEIT DER WELT

1

Auf die Erde voller kaltem Wind
Kamt ihr alle als ein nacktes Kind.
Frierend lagt ihr ohne alle Hab
Als ein Weib euch eine Windel gab.


2

Keiner schrie euch, ihr wart nicht begehrt
Und man holte euch nicht im Gefährt.
Hier auf Erden wart ihr unbekannt
Als ein Mann euch einst nahm an der Hand.


3

Von der Erde voller kaltem Wind
Geht ihr all bedeckt mit Schorf und Grind.
Fast ein jeder hat die Welt geliebt
Wenn man ihm zwei Hände Erde gibt.


## BALLADE VON DEN SELBSTHELFERN

1

Noch sitzen sie rauchend da
Im grünen Strandgesträuch
Da wird schon ihr Himmel
Verkümmert und bleich.

2

Sie haben mit Branntwein wohl
Ihr Herze kühn gemacht?
Da sehen sie staunend
Die Schwärze der Nacht.


3

Sie trinken? Sie lachen noch?
Gelächter steigt wie Rauch
Und plötzlich, verrückt, hängt
Der Mond rot im Strauch.


4

Ihr Himmel verbleicht wohl schon?
Wie schnell es doch geschah!
Ihr Tag ist schon nicht mehr
Und sie sind noch da?


5

Sie wiehern wohl immer noch?
»Selbst hilft sich der Mann?«
Da weht sie ein Hauch an
Vom morschenden Tann:


6

Die trostlosen Winde wehn
Die Welt hat sie satt!
Und schweigend verläßt sie
Der Abend im Watt.

ÜBER DIE ANSTRENGUNG

1

Man raucht. Man befleckt sich. Man trinkt sich hinüber.
Man schläft. Man grinst in ein nacktes Gesicht.
Der Zahn der Zeit nagt zu langsam, mein Lieber!
Man raucht. Man geht k . . . . . . Man macht ein Gedicht.


2

Unkeuschheit und Armut sind unsere Gelübde
Unkeuschheit hat oft unsere Unschuld versüßt.
Was einer in Gottes Sonne verübte
Das ist's, was in Gottes Erde er büßt.


3

Der Geist hat verhurt die Fleischeswonne
Seit er die haarigen Hände entklaut
Es durchdringen die Sensationen der Sonne
Nicht mehr die pergamentene Haut.


4

Ihr grünen Eilande der tropischen Zonen
Wie seht ihr aus morgens und abgeschminkt!
Die weiße Hölle der Visionen
Ist ein Bretterverschlag, worin Regen eindringt.


5

Wie sollen wir uns, die Bräute, betören?
Mit Zobelfleischen? Ah, besser mit Gin!
Einem Lilagemisch von scharfen Likören
Mit bittren ersoffenen Fliegen darin.

6

Man säuft sich hinauf bis zum Riechgewässer.
Die Schnäpse verteilt man mit schwarzem Kaffee.
Dies alles verfängt nicht, Maria, 's ist besser
Wir gerben die köstlichen Häute mit Schnee!

7

Mit zynischer Anmut leichter Gedichte
Einer Bitternis mit Orangegeschmack
In Eis gekühlt! malaiisch gepichte
Haare im Auge! o Opiumtabak

8

In windtollen Hütten aus Nankingpapier
O du Bitternisfrohsinn der Welt
Wenn der Mond, dieses sanfte, weiße Getier
Aus den kälteren Himmeln fällt!

9

O himmlische Frucht der befleckten Empfängnis!
Was sahest du, Bruder, Vollkommnes allhier?
Man feiert mit Kirsch sich sein Leichenbegängnis
Und kleinen Laternen aus leichtem Papier.

10

Frühmorgens erwacht, auf haarigen Zähnen
Ein Grinsen sich find't zwischen faulem Tabak.
Auch finden wir oft auf der Zunge beim Gähnen
Einen bitterlichen Orangegeschmack.

VOM KLETTERN IN BÄUMEN                    *1919*

1

Wenn ihr aus eurem Wasser steigt am Abend –
Denn ihr müßt nackt sein, und die Haut muß weich sein –
Dann steigt auch noch auf eure großen Bäume
Bei leichtem Wind. Auch soll der Himmel bleich sein.
Sucht große Bäume, die am Abend schwarz
Und langsam ihre Wipfel wiegen, aus!
Und wartet auf die Nacht in ihrem Laub
Und um die Stirne Mahr und Fledermaus!

2

Die kleinen harten Blätter im Gesträuche
Zerkerben euch den Rücken, den ihr fest
Durchs Astwerk stemmen müßt; so klettert ihr
Ein wenig ächzend höher ins Geäst.
Es ist ganz schön, sich wiegen auf dem Baum!
Doch sollt ihr euch nicht wiegen mit den Knien
Ihr sollt dem Baum so wie sein Wipfel sein:
Seit hundert Jahren abends: er wiegt ihn.

VOM SCHWIMMEN IN SEEN UND FLÜSSEN

1

Im bleichen Sommer, wenn die Winde oben
Nur in dem Laub der großen Bäume sausen
Muß man in Flüssen liegen oder Teichen
Wie die Gewächse, worin Hechte hausen.
Der Leib wird leicht im Wasser. Wenn der Arm
Leicht aus dem Wasser in den Himmel fällt

Wiegt ihn der kleine Wind vergessen
Weil er ihn wohl für braunes Astwerk hält.


2

Der Himmel bietet mittags große Stille.
Man macht die Augen zu, wenn Schwalben kommen.
Der Schlamm ist warm. Wenn kühle Blasen quellen
Weiß man: ein Fisch ist jetzt durch uns geschwommen.
Mein Leib, die Schenkel und der stille Arm
Wir liegen still im Wasser, ganz geeint
Nur wenn die kühlen Fische durch uns schwimmen
Fühl ich, daß Sonne überm Tümpel scheint.


3

Wenn man am Abend von dem langen Liegen
Sehr faul wird, so, daß alle Glieder beißen
Muß man das alles, ohne Rücksicht, klatschend
In blaue Flüsse schmeißen, die sehr reißen.
Am besten ist's, man hält's bis Abend aus.
Weil dann der bleiche Haifischhimmel kommt
Bös und gefräßig über Fluß und Sträuchern
Und alle Dinge sind, wie's ihnen frommt.


4

Natürlich muß man auf dem Rücken liegen
So wie gewöhnlich. Und sich treiben lassen.
Man muß nicht schwimmen, nein, nur so tun, als
Gehöre man einfach zu Schottermassen.
Man soll den Himmel anschaun und so tun
Als ob einen ein Weib trägt, und es stimmt.
Ganz ohne großen Umtrieb, wie der liebe Gott tut
Wenn er am Abend noch in seinen Flüssen schwimmt.

ORGES ANTWORT, ALS IHM EIN GESEIFTER
STRICK GESCHICKT WURDE

1

Oft sang er, es wäre ihm sehr recht
Wenn sein Leben besser wär:
Sein Leben sei tatsächlich sehr schlecht –
Jedoch sei es besser als er.

2

Strick und Seife nähme er gerne:
Es sei eine Schweinerei
Wie er auf diesem Sterne
Schmutzig geworden sei.

3

Doch gäbe es Höhen und Täler
Die man noch gar nie gesehn:
Es sei desto rentabler, je wähler-
ischer man sei im – Vorübergehn.

4

Solange die Sonne noch nah sei
Sei es noch nicht zu spät:
Und er warte, solang sie noch da sei
Und – solang sie noch untergeht.

5

Es blieben noch Bäume in Mengen
Schattig und durchaus kommun

Um oben sich aufzuhängen
Oder unten sich auszuruhn.


6

Jedoch seine letzte Realie
Gibt ein Mann nur ungern auf.
Ja, auf seine letzte Fäkalie
Legt er seine Hand darauf.


7

Erst wenn er von Ekel und Hasse
Voll bis zur Gurgel sei:
Schneide er sie, ohne Grimasse
Wahrscheinlich lässig, entzwei.


ORGES WUNSCHLISTE


Von den Freuden, die nicht abgewogenen.
Von den Häuten, die nicht abgezogenen.

Von den Geschichten, die unverständlichen.
Von den Ratschlägen, die unverwendlichen.

Von den Mädchen, die neuen.
Von den Weibern, die ungetreuen.

Von den Orgasmen, die ungleichzeitigen.
Von den Feindschaften, die beiderseitigen.

Von den Aufenthalten, die vergänglichen.
Von den Abschieden, die unterschwänglichen.

Von den Künsten, die unverwertlichen.
Von den Lehrern, die beerdlichen.

Von den Genüssen, die aussprechlichen.
Von den Zielen, die nebensächlichen.

Von den Feinden, die empfindlichen.
Von den Freunden, die kindlichen.

Von den Farben, die rote.
Von den Botschaften, der Bote.

Von den Elementen, das Feuer.
Von den Göttern, das Ungeheuer.

Von den Untergehenden, die Lober.
Von den Jahreszeiten, der Oktober.

Von den Leben, die hellen.
Von den Toden, die schnellen.


LIED AM SCHWARZEN SAMSTAG IN DER
ELFTEN STUNDE DER NACHT VOR OSTERN


1

Im Frühjahr unter grünen Himmeln, wilden
Verliebten Winden schon etwas vertiert
Fuhr ich hinunter in die schwarzen Städte
Mit kalten Sprüchen innen tapeziert.

2

Ich füllte mich mit schwarzen Asphalttieren
Ich füllte mich mit Wasser und Geschrei
Mich aber ließ dies alles kalt, mein Lieber
Ich blieb ganz ungefüllt und leicht dabei.


3

Sie schlugen Löcher wohl in meine Wände
Und krochen fluchend wieder aus von mir:
Es war nichts drinnen als viel Platz und Stille
Sie schrieen fluchend: ich sei nur Papier.


4

Ich rollte feixend abwärts zwischen Häusern
Hinaus ins Freie. Leis und feierlich
Lief jetzt der Wind schneller durch meine Wände
Es schneite noch. Es regnete in mich.


5

Zynischer Burschen arme Rüssel haben
Gefunden, daß in mir nichts ist.
Wildsäue haben sich in mir begattet. Raben
Des milchigen Himmels oft in mich gepißt.


6

Schwächer als Wolken! Leichter als die Winde!
Nicht sichtbar! Leicht, vertiert und feierlich
Wie ein Gedicht von mir, flog ich durch Himmel
Mit einem Storch, der etwas schneller strich!

ÜBER DIE STÄDTE

Unter ihnen sind Gossen
In ihnen ist nichts, und über ihnen ist Rauch.
Wir waren drinnen. Wir haben nichts genossen.
Wir vergingen rasch. Und langsam vergehen sie auch.

GROSSER DANKCHORAL

1

Lobet die Nacht und die Finsternis, die euch umfangen!
Kommet zuhauf
Schaut in den Himmel hinauf:
Schon ist der Tag euch vergangen.

2

Lobet das Gras und die Tiere, die neben euch leben und
          sterben!
Sehet, wie ihr
Lebet das Gras und das Tier
Und es muß auch mit euch sterben.

3

Lobet den Baum, der aus Aas aufwächst jauchzend zum
          Himmel!
Lobet das Aas
Lobet den Baum, der es fraß
Aber auch lobet den Himmel.

4

Lobet von Herzen das schlechte Gedächtnis des Himmels!
Und daß er nicht
Weiß euren Nam' noch Gesicht
Niemand weiß, daß ihr noch da seid.


5

Lobet die Kälte, die Finsternis und das Verderben!
Schauet hinan:
Es kommet nicht auf euch an
Und ihr könnt unbesorgt sterben.

## BALLADE VON DEN ABENTEURERN

### 1

Von Sonne krank und ganz von Regen zerfressen
Geraubten Lorbeer im zerrauften Haar
Hat er seine ganze Jugend, nur nicht ihre Träume
       vergessen
Lange das Dach, nie den Himmel, der drüber war.

### 2

O ihr, die ihr aus Himmel und Hölle vertrieben
Ihr Mörder, denen viel Leides geschah
Warum seid ihr nicht im Schoß eurer Mütter geblieben
Wo es stille war und man schlief und war da?

### 3

Er aber sucht noch in absinthenen Meeren
Wenn ihn schon seine Mutter vergißt
Grinsend und fluchend und zuweilen nicht ohne Zähren
Immer das Land, wo es besser zu leben ist.

### 4

Schlendernd durch Höllen und gepeitscht durch Paradiese
Still und grinsend, vergehenden Gesichts
Träumt er gelegentlich von einer kleinen Wiese
Mit blauem Himmel drüber und sonst nichts.

BALLADE VON DEN GEHEIMNISSEN JEDWEDEN MANNES

1

Jeder weiß, was ein Mann ist. Er hat einen Namen.
Er geht auf der Straße. Er sitzt in der Bar.
Sein Gesicht könnt ihr sehn, seine Stimm könnt ihr hören
Und ein Weib wusch sein Hemd und ein Weib kämmt
       sein Haar.
  Aber schlagt ihn tot, es ist nicht schad
  Wenn er niemals mehr mit Haut und Haar
  Als der Täter seiner Schandtat war
  Und der Täter seiner guten Tat.


2

Und der Fleck ohne Haut auf der Brust, oh, den kennen
Sie auch und die Bisse an seinem Hals:
Die weiß, die sie biß, und sie wird es dir sagen
Und dem Mann, der die Haut hat: für den Fleck hat sie
      Salz!
  Aber salzt ihn ein, es ist nicht schad
  Wenn er weint, oh, werft ihn auf den Mist
  Vor er euch schnell noch sagt, wer er ist.
  Macht ihn stumm, wenn er um Schweigen bat!


3

Und doch hat er was auf dem Grund seines Herzens
Und das weiß kein Freund und nicht einmal sein Feind
Und sein Engel nicht und er selbst nicht, und einstmals
Wenn ihr weint, wenn er stirbt: das ist's nicht, daß ihr
      weint.
  Und vergeßt ihr ihn, es ist nicht schad
  Denn ihr seid betrogen ganz und gar

Weil er niemals, den ihr kanntet, war
Und der Täter nicht nur seiner Tat.


4

Oh, der kindlich sein Brot mit den erdigen Händen
In die Zähne schiebt und es lachend zerkaut:
Die Tiere erbleichten vorm Haifischblicke
Dieser eigentümlichen Augapfelhaut!
    Aber lacht mit ihm und seid ihm gut!
    Laßt ihn leben, helft ihm etwas auf!
    Ach, er ist nicht gut, verlaßt euch drauf
    Doch ihr wißt nicht, was man euch noch tut!


5

Ihr, die ihr ihn werft in die schmutzgelben Meere
Ihr, die ihr in schwarze Erde ihn grabt:
In dem Sack schwimmt mehr, als ihr wißt, zu den
                    Fischen
Und im Boden fault mehr, als ihr eingescharrt habt.
    Aber grabt nur ein, es ist nicht schad!
    Denn das Gras, das er nicht einmal sah
    Als er es zertrat, war für den Stier nicht da.
    Und der Täter lebt nicht für die Tat!


BALLADE AUF VIELEN SCHIFFEN


1

Brackwasser ist braun, und die alten Schaluppen
Liegen dick und krebsig darin herum.
Mit Laken, einst weiß, jetzt wie kotige Hemden

Am verkommenen Mast, der verfault ist und krumm.
Die Wassersucht treibt die verschwammten Leiber
Sie wissen nicht mehr, wie das Segeln tut.
Bei Mondlicht und Wind, Aborte der Möwen
Schaukeln sie faul auf der Salzwasserflut.


2

Wer alles verließ sie? Es ziemt nicht zu zählen
Jedenfalls sind sie fort und ihr Kaufbrief verjährt
Doch kommt es noch vor, daß einer sich findet
Der nach nichts mehr fragt und auf ihnen fährt.
Er hat keinen Hut, er kommt nackt geschwommen
Er hat kein Gesicht mehr, er hat zuviel Haut!
Selbst dies Schiff erschauert noch vor seinem Grinsen
Wenn er von oben seiner Spur im Kielwasser nachschaut.


3

Denn er ist nicht alleine gekommen
Aus dem Himmel nicht, Haie hat er dabei!
Haie sind mit ihm den Weg hergeschwommen
Und sie wohnen bei ihm, wo immer er sei.
So stellt er sich ein, der letzte Verführer
So finden sie sich im Vormittagslicht
Und von andern Schiffen löst schwankend sich ein
            Schiff
Das vor Angst Wasser läßt und vor Reu Salz erbricht.


4

Er schneidet sein letztes Segel zur Jacke
Er schöpft seinen Mittagsfisch aus der See
Er liegt in der Sonne und badet am Abend
In des Schiffsrumpfs Wasser reinlich seinen Zeh.

Mitunter aufschauend zum milchigen Himmel
Gewahrt er Möwen. Die fängt er mit Schlingen aus
      Tang.
Mit denen füttert er abends die Haie
Und vertröstet sie so manche Woche lang.


5

Oh, während er kreuzt in den Ostpassatwinden!
Er liegt in den Tauen: verfaulend, ein Aal
Und die Haie hören ihn oft einen Song singen
Und sie sagen: er singt einen Song am Marterpfahl.
Doch an einem Abend im Monat Oktober
Nach einem Tage ohne Gesang
Erscheint er am Heck, und sie hören ihn reden
Und was sagt er? »Morgen ist Untergang.«


6

Und in folgender Nacht, er liegt in den Tauen
Er liegt und er schläft; denn er ist es gewohnt
Da fühlt er: ein neues Schiff ist gekommen
Und er schaut hinab, und da liegt es im Mond.
Und er nimmt sich ein Herz und steigt grinsend hinüber
Er schaut sich nicht um, er kämmt sich sein Haar
Daß er schön ist. Was macht es, daß diese Geliebte
Schlechter als jene Geliebte war?


7

Nichts. Er steht noch einige Zeit an der Bordwand
Und schaut, und es ist ihm vergönnt zu schaun
Wie das Schiff jetzt sinkt, das ihm Heimat und Bett war
Und er sieht ein paar Haie zwischen den Tau'n . . .

8

So lebt er weiter, den Wind in den Augen
Auf immer schlechteren Schiffen fort
Auf vielen Schiffen, schon halb im Wasser
Und mondweis wechselt er seinen Abort.
Ohne Hut und nackt und mit eigenen Haien.
Er kennt seine Welt. Er hat sie gesehn.
Er hat eine Lust in sich: zu versaufen
Und er hat eine Lust: nicht unterzugehn.


VON DES CORTEZ LEUTEN 1919

Am siebten Tage unter leichten Winden
Wurden die Wiesen heller. Da die Sonne gut war
Gedachten sie zu rasten. Rollten Branntwein
Von ihren Wägen, machten Ochsen los.
Die schlachteten sie gegen Abend. Da es kühl wurd
Schlug man vom Holz des nachbarlichen Sumpfes
Armdicke Äste, knorrig, gut zu brennen.
Dann schlangen sie gewürztes Fleisch hinunter
Und fingen singend um die neunte Stunde
Mit Trinken an. Die Nacht war kühl und grün.
Mit heisrer Kehle, tüchtig vollgesogen
Mit einem letzten, kühlen Blick nach großen Sternen
Entschliefen sie gen Mitternacht am Feuer.
Sie schlafen schwer, doch mancher wußte morgens
Daß er die Ochsen einmal brüllen hörte.
Erwacht gen Mittag, sind sie schon im Wald.
Mit glasigen Augen, schweren Gliedern, heben
Sie ächzend sich aufs Knie und sehen staunend
Armdicke Äste, knorrig, um sie stehen

Höher als mannshoch, sehr verwirrt, mit Blattwerk
Und kleinen Blüten süßlichen Geruchs.
Es ist sehr schwül schon unter ihrem Dach
Das sich zu dichten scheint. Die heiße Sonne
Ist nicht zu sehen, auch der Himmel nicht.
Der Hauptmann brüllt als wie ein Stier nach Äxten.
Die liegen drüben, wo die Ochsen brüllten.
Man sieht sie nicht. Mit rauhen Flüchen stolpern
Die Leute im Geviert, ans Astwerk stoßend
Das zwischen ihnen durchgekrochen war.
Mit schlaffen Armen werfen sie sich wild
In die Gewächse, die leicht zittern, so
Als ginge leichter Wind von außen durch sie.
Nach Stunden Arbeit pressen sie die Stirnen
Schweißglänzend finster an die fremden Äste.
Die Äste wuchsen und vermehrten langsam
Das schreckliche Gewirr. Später, am Abend
Der dunkler war, weil oben Blattwerk wuchs
Sitzen sie schweigend, angstvoll und wie Affen
In ihren Käfigen, von Hunger matt.
Nachts wuchs das Astwerk. Doch es mußte Mond
            sein
Es war noch ziemlich hell, sie sahn sich noch.
Erst gegen Morgen war das Zeug so dick
Daß sie sich nimmer sahen, bis sie starben.
Den nächsten Tag stieg Singen aus dem Wald.
Dumpf und verhallt. Sie sangen sich wohl zu.
Nachts ward es stiller. Auch die Ochsen schwiegen.
Gen Morgen war es, als ob Tiere brüllten
Doch ziemlich weit weg. Später kamen Stunden
Wo es ganz still war. Langsam fraß der Wald
In leichtem Wind, bei guter Sonne, still
Die Wiesen in den nächsten Wochen auf.

BALLADE VON DEN SEERÄUBERN

1

Von Branntwein toll und Finsternissen!
Von unerhörten Güssen naß!
Vom Frost eisweißer Nacht zerrissen!
Im Mastkorb, von Gesichten blaß!
Von Sonne nackt gebrannt und krank!
(Die hatten sie im Winter lieb)
Aus Hunger, Fieber und Gestank
Sang alles, was noch übrigblieb:
    O Himmel, strahlender Azur!
    Enormer Wind, die Segel bläh!
    Laßt Wind und Himmel fahren! Nur
    Laßt uns um Sankt Marie die See!

2

Kein Weizenfeld mit milden Winden
Selbst keine Schenke mit Musik
Kein Tanz mit Weibern und Absinthen
Kein Kartenspiel hielt sie zurück.
Sie hatten vor dem Knall das Zanken
Vor Mitternacht die Weiber satt:
Sie lieben nur verfaulte Planken
Ihr Schiff, das keine Heimat hat.
    O Himmel, strahlender Azur!
    Enormer Wind, die Segel bläh!
    Laßt Wind und Himmel fahren! Nur
    Laßt uns um Sankt Marie die See!

3

Mit seinen Ratten, seinen Löchern
Mit seiner Pest, mit Haut und Haar
Sie fluchten wüst darauf beim Bechern
Und liebten es, so wie es war.
Sie knoten sich mit ihren Haaren
Im Sturm in seinem Mastwerk fest:
Sie würden nur zum Himmel fahren
Wenn man dort Schiffe fahren läßt.
  O Himmel, strahlender Azur!
  Enormer Wind, die Segel bläh!
  Laßt Wind und Himmel fahren! Nur
  Laßt uns um Sankt Marie die See!


4

Sie häufen Seide, schöne Steine
Und Gold in ihr verfaultes Holz
Sie sind auf die geraubten Weine
In ihren wüsten Mägen stolz.
Um dürren Leib riecht toter Dschunken
Seide glühbunt nach Prozession
Doch sie zerstechen sich betrunken
Im Zank um einen Lampion.
  O Himmel, strahlender Azur!
  Enormer Wind, die Segel bläh!
  Laßt Wind und Himmel fahren! Nur
  Laßt uns um Sankt Marie die See!


5

Sie morden kalt und ohne Hassen
Was ihnen in die Zähne springt
Sie würgen Gurgeln so gelassen

Wie man ein Tau ins Mastwerk schlingt.
Sie trinken Sprit bei Leichenwachen
Nachts torkeln trunken sie in See
Und die, die übrigbleiben, lachen
Und winken mit der kleinen Zeh:
   O Himmel, strahlender Azur!
   Enormer Wind, die Segel bläh!
   Laßt Wind und Himmel fahren! Nur
   Laßt uns um Sankt Marie die See!

6

Vor violetten Horizonten
Still unter bleichem Mond im Eis
Bei schwarzer Nacht in Frühjahrsmonden
Wo keiner von dem andern weiß
Sie lauern wolfgleich in den Sparren
Und treiben funkeläugig Mord
Und singen, um nicht zu erstarren
Wie Kinder, trommelnd im Abort:
   O Himmel, strahlender Azur!
   Enormer Wind, die Segel bläh!
   Laßt Wind und Himmel fahren! Nur
   Laßt uns um Sankt Marie die See!

7

Sie tragen ihren Bauch zum Fressen
Auf fremde Schiffe wie nach Haus
Und strecken selig im Vergessen
Ihn auf die fremden Frauen aus.
Sie leben schön wie noble Tiere
Im weichen Wind, im trunknen Blau!
Und oft besteigen sieben Stiere
Eine geraubte fremde Frau.

O Himmel, strahlender Azur!
Enormer Wind, die Segel bläh!
Laßt Wind und Himmel fahren! Nur
Laßt uns um Sankt Marie die See!


8

Wenn man viel Tanz in müden Beinen
Und Sprit in satten Bäuchen hat
Mag Mond und zugleich Sonne scheinen:
Man hat Gesang und Messer satt.
Die hellen Sternennächte schaukeln
Sie mit Musik in süße Ruh
Und mit geblähten Segeln gaukeln
Sie unbekannten Meeren zu.
O Himmel, strahlender Azur!
Enormer Wind, die Segel bläh!
Laßt Wind und Himmel fahren! Nur
Laßt uns um Sankt Marie die See!


9

Doch eines Abends im Aprile
Der keine Sterne für sie hat
Hat sie das Meer in aller Stille
Auf einmal plötzlich selber satt.
Der große Himmel, den sie lieben
Hüllt still in Rauch die Sternensicht
Und die geliebten Winde schieben
Die Wolken in das milde Licht.
O Himmel, strahlender Azur!
Enormer Wind, die Segel bläh!
Laßt Wind und Himmel fahren! Nur
Laßt uns um Sankt Marie die See!

10

Der leichte Wind des Mittags fächelt
Sie anfangs spielend in die Nacht
Und der Azur des Abends lächelt
Noch einmal über schwarzem Schacht.
Sie fühlen noch, wie voll Erbarmen
Das Meer mit ihnen heute wacht
Dann nimmt der Wind sie in die Arme
Und tötet sie vor Mitternacht.
   O Himmel, strahlender Azur!
   Enormer Wind, die Segel bläh!
   Laßt Wind und Himmel fahren! Nur
   Laßt uns um Sankt Marie die See!


11

Noch einmal schmeißt die letzte Welle
Zum Himmel das verfluchte Schiff
Und da, in ihrer letzten Helle
Erkennen sie das große Riff.
Und ganz zuletzt in höchsten Masten
War es, weil Sturm so gar laut schrie
Als ob sie, die zur Hölle rasten
Noch einmal sangen, laut wie nie:
   O Himmel, strahlender Azur!
   Enormer Wind, die Segel bläh!
   Laßt Wind und Himmel fahren! Nur
   Laßt uns um Sankt Marie die See!

BALLADE VON DER HANNA CASH

## 1

Mit dem Rock von Kattun und dem gelben Tuch
Und den Augen der schwarzen Seen
Ohne Geld und Talent und doch mit genug
Vom Schwarzhaar, das sie offen trug
Bis zu den schwärzeren Zeh'n:
    Das war die Hanna Cash, mein Kind
    Die die »Gentlemen« eingeseift
    Die kam mit dem Wind und ging mit dem Wind
    Der in die Savannen läuft.

## 2

Die hatte keine Schuhe und die hatte auch kein Hemd
Und die konnte auch keine Choräle!
Und sie war wie eine Katze in die große Stadt
                geschwemmt
Eine kleine graue Katze zwischen Hölzer eingeklemmt
Zwischen Leichen in die schwarzen Kanäle.
    Sie wusch die Gläser vom Absinth
    Doch nie sich selber rein
    Und doch muß die Hanna Cash, mein Kind
    Auch rein gewesen sein.

## 3

Und sie kam eines Nachts in die Seemannsbar
Mit den Augen der schwarzen Seen
Und traf J. Kent mit dem Maulwurfshaar
Den Messerjack aus der Seemannsbar
Und der ließ sie mit sich gehn!

Und wenn der wüste Kent den Grind
Sich kratzte und blinzelte
Dann spürt die Hanna Cash, mein Kind
Den Blick bis in die Zeh.


4

Sie »kamen sich näher« zwischen Wild und Fisch
Und »gingen vereint durchs Leben«
Sie hatten kein Bett und sie hatten keinen Tisch
Und sie hatten selber nicht Wild noch Fisch
Und keinen Namen für die Kinder.
    Doch ob Schneewind pfeift, ob Regen rinnt
    Ersöff auch die Savann
    Es bleibt die Hanna Cash, mein Kind
    Bei ihrem lieben Mann.


5

Der Sheriff sagt, daß er ein Schurke sei
Und die Milchfrau sagt: er geht krumm.
Sie aber sagt: Was ist dabei?
Es ist mein Mann. Und sie war so frei
Und blieb bei ihm. Darum.
    Und wenn er hinkt und wenn er spinnt
    Und wenn er ihr Schläge gibt:
    Es fragt die Hanna Cash, mein Kind
    Doch nur: ob sie ihn liebt.


6

Kein Dach war da, wo die Wiege war
Und die Schläge schlugen die Eltern.
Die gingen zusammen Jahr für Jahr

Aus der Asphaltstadt in die Wälder gar
Und in die Savann aus den Wäldern.
  Solang man geht in Schnee und Wind
  Bis daß man nicht mehr kann
  So lang ging die Hanna Cash, mein Kind
  Nun mal mit ihrem Mann.

7

Kein Kleid war arm, wie das ihre war
Und es gab keinen Sonntag für sie
Keinen Ausflug zu dritt in die Kirschtortenbar
Und keinen Weizenfladen im Kar
Und keine Mundharmonie.
  Und war jeder Tag, wie alle sind
  Und gab's kein Sonnenlicht:
  Es hatte die Hanna Cash, mein Kind
  Die Sonn stets im Gesicht.

8

Er stahl wohl die Fische, und Salz stahl sie.
So war's. »Das Leben ist schwer.«
Und wenn sie die Fische kochte, sieh:
So sagten die Kinder auf seinem Knie
Den Katechismus her.
  Durch fünfzig Jahr in Nacht und Wind
  Sie schliefen in einem Bett.
  Das war die Hanna Cash, mein Kind
  Gott mach's ihr einmal wett.

ERINNERUNG AN DIE MARIE A.

1

An jenem Tag im blauen Mond September
Still unter einem jungen Pflaumenbaum
Da hielt ich sie, die stille bleiche Liebe
In meinem Arm wie einen holden Traum.
Und über uns im schönen Sommerhimmel
War eine Wolke, die ich lange sah
Sie war sehr weiß und ungeheuer oben
Und als ich aufsah, war sie nimmer da.

2

Seit jenem Tag sind viele, viele Monde
Geschwommen still hinunter und vorbei.
Die Pflaumenbäume sind wohl abgehauen
Und fragst du mich, was mit der Liebe sei?
So sag ich dir: ich kann mich nicht erinnern
Und doch, gewiß, ich weiß schon, was du meinst.
Doch ihr Gesicht, das weiß ich wirklich nimmer
Ich weiß nur mehr: ich küßte es dereinst.

3

Und auch den Kuß, ich hätt ihn längst vergessen
Wenn nicht die Wolke dagewesen wär
Die weiß ich noch und werd ich immer wissen
Sie war sehr weiß und kam von oben her.
Die Pflaumenbäume blühn vielleicht noch immer
Und jene Frau hat jetzt vielleicht das siebte Kind
Doch jene Wolke blühte nur Minuten
Und als ich aufsah, schwand sie schon im Wind.

BALLADE VOM MAZEPPA

1

Mit eigenem Strick verstrickt dem eigenen Pferde
Sie schnürten ihn Rücken an Rücken dem Roß
Das wild aufwiehernd über heimatliche Erde
Gehetzt in den dunkelnden Abend hinschoß.

2

Sie schnürten ihn so, daß den Gaul der Verstrickte
Im Schmerz noch aufpeitschte durch sinnloses Zerrn
Und so, daß er nichts, nur den Himmel erblickte
Der dunkler ward, weiter ward, ferner als fern.

3

Wohl trug ihn der Gaul vor der hetzenden Meute
Blind und verzweifelt und treu wie ein Weib
Ihm riß er, je mehr seine Feinde er scheute
Tiefer den Strick im blutwäßrigen Leib.

4

Auch füllte sich abends dann seltsam der Himmel
Mit fremdem Gevögel: Kräh und Geier, die mit
Lautlosem Flug in dunklem Gewimmel
Im Äther verfolgten den keuchenden Ritt.

5

Drei Tage trug ihn der fleischerne Teller
Wiehernd hinab an den ewigen Start

Wo der Himmel bald dunkler und wo er bald heller
Doch immer unermeßlicher ward.


6

Drei Tage immer gehetzter und schneller
Drei Ewigkeiten lang war die Fahrt
Wo der Himmel bald dunkler und wo er bald heller
Doch immer unermeßlicher ward.


7

Drei Tage will er zum Sterben sich strecken
Er kann's nicht im Flug zwischen Himmel und Gras
Und die Geier lauern schon auf sein Verrecken
Und sehnen sich wild auf das lebende Aas.


8

Drei Tage, bis seine Stricke sich sträubten –
Grün war der Himmel, und braun war das Gras!
Ach! es rauften wohl immer zu seinen Häupten
Kräh und Geier sich schon um das lebende Aas!


9

Und ritt er schneller, sie folgten ihm gerne.
Und schrie er lauter, sie schrien mit.
Beschattend die Sonn und beschattend die Sterne
Verfolgten sie seinen keuchenden Ritt.


10

Drei Tage, dann mußte alles sich zeigen:
Erde gibt Schweigen und Himmel gibt Ruh.

Einer ritt aus mit dem, was ihm zu eigen:
Mit Erde und Pferd, mit Langmut und Schweigen
Dann kamen noch Himmel und Geier dazu.

11

Drei Tage lang ritt er durch Abend und Morgen
Bis er alt genug war, daß er nicht mehr litt
Als er gerettet ins große Geborgen
Todmüd in die ewige Ruhe einritt.

## BALLADE VON DER FREUNDSCHAFT

1

Wie zwei Kürbisse abwärts schwimmen
Verfault, doch an einem Stiel
In gelben Flüssen: sie trieben
Mit Karten und Worten ihr Spiel.
Und sie schossen nach den gelben Monden
Und sie liebten sich und sahn nicht hin:
    Blieben sie vereint in vielen Nächten
    Und auch: wenn die Sonne schien.

2

In den grünen harten Gesträuchern
Wenn der Himmel bewölkt war, der Hund
Sie hingen wie ranzige Datteln
Einander sanft in den Mund.
Und auch später, wenn die Zähne ihnen
Aus den Kiefern fielen, sie sahen nicht hin:
    Blieben doch vereint in vielen Nächten
    Und auch: wenn die Sonne schien.

3

In den kleinen räudigen Häusern
Befriedigten sie ihren Leib
Und im Dschungel, wenn daran Not war
Hinterm Strauch bei dem gleichen Weib.
Doch am Morgen wuschen sie die Hemden
Gingen Arm in Arm fort, Knie an Knien
    Vereint sie in vielen Nächten
    Und auch: wenn die Sonne schien.


4

Als es kälter auf Erden wurde
Dach fehlte und Zeitvertreib
Unter anderen Schlingpflanzen lagen
Umschlungen sie da, Leib an Leib.
Wenn sie reden in den Sternennächten
Hören sie mitunter nicht mehr hin:
    Vereint sie in vielen Nächten
    Und auch: wenn die Sonne schien.


5

Aber einmal kam jene Insel
Manchen Mond wohnten beide sie dort
Und als sie fort wollten beide
Konnte einer nimmer mit fort.
Und sie sahn nach Wind und Flut und Schiffen
Aber niemals nach dem andern hin
    Vereint sie in vielen Nächten
    Und auch: wenn die Sonne schien.

6

»Fahr du, Kamerad, denn ich kann nicht.
Mich frißt die Salzflut entzwei
Hier kann ich noch etwas liegen
Eine Woche noch oder zwei.«
Und ein Mann liegt krank am Wasser
Und blickt stumm zu einem Manne hin
   Der ihm einst vereint in vielen Nächten
   Und auch: wenn die Sonne schien.


7

»Ich liege hier gut! Fahr zu, Kamerad!«
»Laß es sein, Kamerad, es hat Zeit!«
»Wenn der Regen kommt und du bist nicht fort
Faulen wir nur zu zweit!«
Und ein Hemd weht, und im Salzwind steht ein
Mann und blickt aufs Wasser hin und ihn
   Der ihm einst vereint in vielen Nächten
   Und auch: wenn die Sonne schien.


8

Und jetzt kam der Tag, wo sie schieden.
Die Dattel spuck aus, die verdorrt!
Oft sahen sie nachts nach dem Winde
Und am Morgen ging einer fort.
Gingen noch zu zweit in frischen Hemden
Arm in Arm und rauchend, Knie an Knien
   Vereint sie in vielen Nächten
   Und auch: wenn die Sonne schien.

9

»Kamerad, der Wind geht ins Segel!«
»Der Wind geht bis morgen früh!«
»Kamerad, ich bitte dich, binde
Mir dort an den Baum meine Knie!«
Und der andre Mann band rauchend fest ihn
Mit dem Strick am Baume ihn
  Der ihm einst vereint in vielen Nächten
  Und auch: wenn die Sonne schien.


10

»Kamerad, vor dem Mond sind schon Wolken!«
»Der Wind treibt sie weg, es hat Zeit.«
»Kamerad, ich sehe dir nach noch:
Von dem Baum aus sieht man weit.«
Und nach Tagen, als der Strick durchbissen
Schaut er immer noch aufs Wasser hin
  In den wenigen und letzten Nächten
  Und auch: wenn die Sonne schien.


11

Aber jener, in vielen Wochen
Auf dem Meer, bei der Frau, im Gesträuch:
Es verblassen viele Himmel
Doch der Mann am Baum wird nicht bleich:
Die Gespräche in den Sternennächten
Arm in Arm und rauchend, Knie an Knien
  Die sie stets vereint, in vielen Nächten
  Und auch: wenn die Sonne schien.

## BALLADE VOM WEIB UND DEM SOLDATEN

Das Schießgewehr schießt, und das Spießmesser spießt
Und das Wasser frißt auf, die drin waten.
Was könnt ihr gegen Eis? Bleibt weg, 's ist nicht weis'!
Sagte das Weib zum Soldaten.

Doch der Soldat mit der Kugel im Lauf
Hörte die Trommel und lachte darauf:
Marschieren kann nimmermehr schaden!
Hinab nach dem Süden, nach dem Norden hinauf
Und das Messer fängt er mit Händen auf!
Sagten zum Weib die Soldaten.

Ach, bitter bereut, wer des Weisen Rat scheut
Und vom Alter sich nicht läßt beraten.
Ach, zu hoch nicht hinaus, es geht übel aus!
Sagte das Weib zum Soldaten.

Doch der Soldat mit dem Messer im Gurt
Lacht' ihr kalt ins Gesicht und ging über die Furt
Was konnte das Wasser ihm schaden?
Wenn weiß der Mond überm Schindeldach steht
Kommen wir wieder; nimm's auf ins Gebet!
Sagten zum Weib die Soldaten.

Ihr vergeht wie der Rauch, und die Wärme geht auch
Und uns wärmen nicht eure Taten!
Ach, wie schnell geht der Rauch! Gott behüte ihn auch!
Sagte das Weib vom Soldaten.

Und der Soldat mit dem Messer im Gurt
Sank hin mit dem Spieß, und mit riß ihn die Furt
Und das Wasser fraß auf, die drin waten.

Kühl stand der Mond überm Schindeldach weiß
Doch der Soldat trieb hinab mit dem Eis
Und was sagten dem Weib die Soldaten?

Er verging wie der Rauch, und die Wärme ging auch
Und es wärmten sie nicht seine Taten.
Ach, bitter bereut, wer des Weisen Rat scheut!
Sagte das Weib den Soldaten.

# VIERTE LEKTION:
## PSALMEN UND MAHAGONNYGESÄNGE

### ERSTER PSALM

1. Wie erschreckend in der Nacht ist das konvexe Gesicht des schwarzen Landes!

2. Über der Welt sind die Wolken, sie gehören zur Welt. Über den Wolken ist nichts.

3. Der einsame Baum im Steinfeld muß das Gefühl haben, daß alles umsonst ist. Er hat noch nie einen Baum gesehen. Es gibt keine Bäume.

4. Immer denke ich: wir werden nicht beobachtet. Der Aussatz des einzigen Sternes in der Nacht, vor er untergeht!

5. Der warme Wind bemüht sich noch um Zusammenhänge, der Katholik.

6. Ich komme sehr vereinzelt vor. Ich habe keine Geduld. Unser armer Bruder Vergeltsgott sagte von der Welt: sie macht nichts.

7. Wir fahren mit großer Geschwindigkeit auf ein Gestirn in der Milchstraße zu. Es ist eine große Ruhe in dem Gesicht der Erde. Mein Herz geht zu schnell. Sonst ist alles in Ordnung.

ZWEITER PSALM

1. Unter einer fleischfarbenen Sonne, die vier Atemzüge nach Mitternacht den östlichen Himmel hell macht, unter einem Haufen Wind, der sie in Stößen wie mit Leilich bedeckt, entfalten die Wiesen von Füssen bis Passau ihre Propaganda für Lebenslust.

2. Von Zeit zu Zeit teilen die Eisenbahnzüge, voll von Milch und Passagieren, die Weizenfeldermeere; aber die Luft steht still um die Donnernden, das Licht zwischen den großen Versteinerungen, der Mittag über den unbewegten Feldern.

3. Die Gestalten in den Äckern, braunbrüstige Unholde, lasterhafte Visagen, arbeiten in langsamen Bewegungen für die Bleichgesichter in den Versteinerungen, wie es auf dem Papier vorgesehen ist.

4. Denn Gott hat die Erde geschaffen, daß sie Brot bringe, und uns die Braunbrüstigen gegeben, daß es in die Mägen komme, vermischt mit der Milch der Kühe, die er geschaffen hat. Aber für was ist der Wind da, herrlich in den Baumwipfeln?

5. Der Wind macht die Wolken, daß da Regen ist auf die Äcker, daß da Brot entstehe. Laßt uns jetzt Kinder machen aus Lüsten für das Brot, daß es gefressen werde.

6. Das ist der Sommer. Scharlachene Winde erregen die Ebenen, die Gerüche werden Ende Juni maßlos. Ungeheure Gesichte zähnefletschender nackter Männer wandern in großen Höhen südwärts.

7. In den Hütten ist das Licht der Nächte wie Lachs. Man feiert die Auferstehung des Fleisches.

DRITTER PSALM

1. Im Juli fischt ihr aus den Weihern meine Stimme. In meinen Adern ist Kognak. Meine Hand ist aus Fleisch.

2. Das Weiherwasser gerbt meine Haut, ich bin hart wie eine Haselrute, ich wäre gut fürs Bett, meine Freundinnen!

3. In der roten Sonne auf den Steinen liebe ich die Gitarren: es sind Därme von Vieh, die Klampfe singt viehisch, sie frißt kleine Lieder.

4. Im Juli habe ich ein Verhältnis mit dem Himmel, ich nenne ihn Azurl, herrlich, violett, er liebt mich. Es ist Männerliebe.

5. Er wird bleich, wenn ich mein Darmvieh quäle und die rote Unzucht der Äcker imitiere sowie das Seufzen der Kühe beim Beischlaf.


MAHAGONNYGESANG NR. I


I

Auf nach Mahagonny
Die Luft ist kühl und frisch
Dort gibt es Pferd- und Weiberfleisch
Whisky und Pokertisch.
   Schöner grüner Mond von Mahagonny, leuchte
      uns!
   Denn wir haben heute hier
   Unterm Hemde Geldpapier
   Für ein großes Lachen deines großen dummen
      Munds.

2

Auf nach Mahagonny
Der Ostwind, der geht schon
Dort gibt es frischen Fleischsalat
Und keine Direktion.
Schöner grüner Mond von Mahagonny, leuchte
uns!
Denn wir haben heute hier
Unterm Hemde Geldpapier
Für ein großes Lachen deines großen dummen
Munds.

3

Auf nach Mahagonny
Das Schiff wird losgeseilt
Die Zi-zi-zi-zi-zivilis
Die wird uns dort geheilt.
Schöner grüner Mond von Mahagonny, leuchte
uns!
Denn wir haben heute hier
Unterm Hemde Geldpapier
Für ein großes Lachen deines großen dummen
Munds.

MAHAGONNYGESANG NR. 3

An einem grauen Vormittag
Mitten im Whisky
Kam Gott nach Mahagonny
Kam Gott nach Mahagonny.
Mitten im Whisky
Bemerkten wir Gott in Mahagonny.

1

Sauft ihr wie die Schwämme
Meinen guten Weizen Jahr für Jahr?
Keiner hat erwartet, daß ich käme;
Wenn ich komme jetzt, ist alles gar?
Ansahen sich die Männer von Mahagonny.
Ja, sagten die Männer von Mahagonny.
  An einem grauen Vormittag
  Mitten im Whisky
  Kam Gott nach Mahagonny
  Kam Gott nach Mahagonny.
  Mitten im Whisky
  Bemerkten wir Gott in Mahagonny.


2

Lachtet ihr am Freitag abend?
Mary Weeman sah ich ganz von fern
Wie 'nen Stockfisch stumm im Salzsee schwimmen
Sie wird nicht mehr trocken, meine Herrn.
Ansahen sich die Männer von Mahagonny.
Ja, sagten die Männer von Mahagonny.
  An einem grauen Vormittag
  Mitten im Whisky
  Kam Gott nach Mahagonny
  Kam Gott nach Mahagonny.
  Mitten im Whisky
  Bemerkten wir Gott in Mahagonny.


3

Kennt ihr diese Patronen?
Schießt ihr meinen guten Missionar?
Soll ich wohl mit euch im Himmel wohnen

Sehen euer graues Säuferhaar?
Ansahen sich die Männer von Mahagonny.
Ja, sagten die Männer von Mahagonny.
    An einem grauen Vormittag
    Mitten im Whisky
    Kam Gott nach Mahagonny
    Kam Gott nach Mahagonny.
    Mitten im Whisky
    Bemerkten wir Gott in Mahagonny.


4

Gehet alle zur Hölle!
Steckt jetzt die Virginien in den Sack!
Marsch mit euch in meine Hölle, Burschen!
In die schwarze Hölle mit euch Pack!
Ansahen sich die Männer von Mahagonny.
Nein, sagten die Männer von Mahagonny.
    An einem grauen Vormittag
    Mitten im Whisky
    Kommst du nach Mahagonny
    Kommst du nach Mahagonny.
    Mitten im Whisky
    Fängst du an in Mahagonny!


5

Rühre keiner den Fuß jetzt!
Jedermann streikt! An den Haaren
Kannst du uns nicht in die Hölle ziehen:
Weil wir immer in der Hölle waren.
Ansahen Gott die Männer von Mahagonny.
Nein, sagten die Männer von Mahagonny.

BENARES SONG

1

There is no whisky in this town
There is no bar to sit us down
Oh!
Where is the telephone?
Is there no telephone?
Oh, Sir, God damn it:
No!
    Let's go to Benares
    Where the bars are plenty
    Let's go to Benares!
    Jenny, let us go.

2

There is no money in this town
The whole economy has broken down
Oh!
Where is the telephone?
Is there no telephone?
Oh, Sir, God damn it:
No!
    Let's go to Benares
    Where there's money plenty
    Let's go to Benares!
    Jenny, let us go.

3

There is no fun on this old star
There is no door for us ajar
Oh!

Where is the telephone?
Is there no telephone?
Oh, Sir, God damn it:
No!
   Worst of all, Benares
   Is said to have perished in an earthquake!
   Oh! our good Benares!
   Oh, where shall we go!
   Worst of all, Benares
   Is said to have been punished in an earthquake!
   Oh! our good Benares!
   Oh! where shall we go!

## FÜNFTE LEKTION:
## DIE KLEINEN TAGZEITEN DER ABGESTORBENEN

### DER CHORAL VOM MANNE BAAL

1

Als im weißen Mutterschoße aufwuchs Baal
War der Himmel schon so groß und still und fahl
Jung und nackt und ungeheuer wundersam
Wie ihn Baal dann liebte, als Baal kam.

2

Und der Himmel blieb in Lust und Kummer da
Auch wenn Baal schlief, selig war und ihn nicht sah:
Nachts er violett und trunken Baal
Baal früh fromm, er aprikosenfahl.

3

In der Sünder schamvollem Gewimmel
Lag Baal nackt und wälzte sich voll Ruh:
Nur der Himmel, aber immer Himmel
Deckte mächtig seine Blöße zu.

4

Alle Laster sind zu etwas gut
Nur der Mann auch, sagt Baal, der sie tut.
Laster sind was, weiß man, was man will.
Sucht euch zwei aus: eines ist zuviel!

5

Seid nur nicht so faul und so verweicht
Denn Genießen ist bei Gott nicht leicht!
Starke Glieder braucht man und Erfahrung auch:
Und mitunter stört ein dicker Bauch.


6

Zu den feisten Geiern blinzelt Baal hinauf
Die im Sternenhimmel warten auf den Leichnam Baal.
Manchmal stellt sich Baal tot. Stürzt ein Geier drauf
Speist Baal einen Geier, stumm, zum Abendmahl.


7

Unter düstern Sternen in dem Jammertal
Grast Baal weite Felder schmatzend ab.
Sind sie leer, dann trottet singend Baal
In den ewigen Wald zum Schlaf hinab.


8

Und wenn Baal der dunkle Schoß hinunterzieht:
Was ist Welt für Baal noch? Baal ist satt.
Soviel Himmel hat Baal unterm Lid
Daß er tot noch grad g'nug Himmel hat.


9

Als im dunklen Erdenschoße faulte Baal
War der Himmel noch so groß und still und fahl
Jung und nackt und ungeheuer wunderbar
Wie ihn Baal einst liebte, als Baal war.

VON DEN VERFÜHRTEN MÄDCHEN

1

Zu den seichten, braun versumpften Teichen
Wenn ich alt bin, führt mich der Teufel hinab.
Und er zeigt mir die Reste der Wasserleichen
Die ich auf meinem Gewissen hab.

2

Unter sehr getrübten Himmeln schwammen
Lässig und müde sie in die Hölle hinein
Wie ein Geflechte von Algen, alle zusammen
Wollen dort auf meine Kosten sein.

3

Ihre faulen entzündeten Leiber gaben
Einst mir Glut, die ich selber mir angefacht
Die den orangenen Tag mit mir genossen haben
Sie entzogen sich der düsteren Nacht.

4

Satt und bequem, als die schöne Speisung vorüber
Stießen aus Faulheit sie mich in Gewissensqual
Versauten die Erde mir, machten den Himmel mir trüber
Ließen mir einen entzündeten Leib und kein Bacchanal.

VOM ERTRUNKENEN MÄDCHEN

1

Als sie ertrunken war und hinunterschwamm
Von den Bächen in die größeren Flüsse
Schien der Opal des Himmels sehr wundersam
Als ob er die Leiche begütigen müsse.

2

Tang und Algen hielten sich an ihr ein
So daß sie langsam viel schwerer ward.
Kühl die Fische schwammen an ihrem Bein
Pflanzen und Tiere beschwerten noch ihre letzte Fahrt.

3

Und der Himmel ward abends dunkel wie Rauch
Und hielt nachts mit den Sternen das Licht in Schwebe.
Aber früh ward er hell, daß es auch
Noch für sie Morgen und Abend gebe.

4

Als ihr bleicher Leib im Wasser verfaulet war
Geschah es (sehr langsam), daß Gott sie allmählich vergaß
Erst ihr Gesicht, dann die Hände und ganz zuletzt erst ihr Haar.
Dann ward sie Aas in Flüssen mit vielem Aas.

DIE BALLADE VOM LIEBESTOD

1

Von schwarzem Regen siebenfach zerfressen
Ein schmieriger Gaumen, der die Liebe frißt
Mit Mullstores, die wie Totenlaken nässen:
Das ist die Kammer, die die letzte ist.

2

Aussätzig die Tapeten, weiß vom Schimmel!
In Hölzer sie gepfercht, verschweißt und hart:
Wie lieblich scheinet der verschlißne Himmel
Dem weißen Paare, das sich himmlisch paart.

3

Im Anfang sitzt er oft in nassen Tüchern
Und raucht Virginias, schwarz, die sie ihm gibt
Und nützt die Zeit, ihr nickend zu versichern
Mit halbgeschlossenem Lid, daß er sie liebt.

4

Sie fühlt, wie er behaart ist und so weise!
Er sieht im Schlitz des Lids den Tag verschwemmt
Und grün wie Seife wölkt sich das Gehäuse
Des Himmels und ihm schwant: jetzt fault mein Hemd.

5

Sie gießen Kognak in die trocknen Leichen
Er füttert sie mit grünem Abendlicht

Und es entzünden sich schon ihre Weichen
Und es verblaßt schon mählich ihr Gesicht.


6

Sie ist wie eine halbersoffne Wiese
(Sie sind verwaist und taub, im Fleische matt!)
Er will gern schlafen, wenn sie ihn nur ließe!
Ein grüner Himmel, der geregnet hat!


7

Am zweiten Tage hüllen sie die Leichen
In steife Tücher, den verschweißten Store
Und nehmen schmierige Laken in die Weichen
Weil sie jetzt wissen, daß es sie oft fror.


8

Und ach, die Liebe ging durch sie so schneidend
Wie wenn Gott Hageleis durch Wasser schmiß!
Und tief in ihnen quoll, sie ganz ausweidend
Und dick wie Hefe grüne Bitternis.


9

Von Schweiß, Urin Geruch in ihren Haaren
Sie wittern ferner nicht mehr Morgenluft.
Es kommt der Morgen wahrlich noch nach Jahren
Vertiert und grau in die Tapetengruft.


10

Ach, ihr zarter Kinderleib perlmuttern!
Holz und Liebe schlugen ihn so rauh

Schmilzt wie Holz salzflutzerschlagner Kutter
Unter Sturmflut! Gras in zuviel Tau!


11

Ach, die Hand an ihrer Brust wie gräsern!
In den Beinen schwarzer Pestgestank!
Milde Luft floß ab an Fenstergläsern
Und sie staken im verfaulten Schrank!


12

Wie Spülicht floß der Abend an die Scheiben
Und die Gardinen räudig von Tabak.
In grünen Wassern zwei Geliebte treiben
Von Liebe ganz durchregnet, wie ein Wrack


13

Am Meergrund, das geborsten, in den Tropen
Zwischen Algen und weißlichen Fischen hängt
Und von einem Salzwind über der Fläche oben
Tief in den Wassern unten zu schaukeln anfängt.


14

Am vierten Tage, in der Früh, mit Streichen
Knirschender Äxte brachen Nachbarn ein
Und hörten Stille dort und sahen Leichen
(Und munkelten von einem grünen Schein


15

Der von Gesichtern ausgehn kann), auch roch noch
Verliebt das Bett, das Fenster borst vor Frost:

Ein Leichnam ist was Kaltes! Ach, es kroch noch
Ein schwarzer Faden Kälte aus der Brust.


LEGENDE VOM TOTEN SOLDATEN


1

Und als der Krieg im vierten Lenz
Keinen Ausblick auf Frieden bot
Da zog der Soldat seine Konsequenz
Und starb den Heldentod.


2

Der Krieg war aber noch nicht gar
Drum tat es dem Kaiser leid
Daß sein Soldat gestorben war:
Es schien ihm noch vor der Zeit.


3

Der Sommer zog über die Gräber her
Und der Soldat schlief schon
Da kam eines Nachts eine militär-
ische ärztliche Kommission.


4

Es zog die ärztliche Kommission
Zum Gottesacker hinaus
Und grub mit geweihtem Spaten den
Gefallnen Soldaten aus.

5

Der Doktor besah den Soldaten genau
Oder was von ihm noch da war
Und der Doktor fand, der Soldat war k.v.
Und er drückte sich vor der Gefahr.


6

Und sie nahmen sogleich den Soldaten mit
Die Nacht war blau und schön.
Man konnte, wenn man keinen Helm aufhatte
Die Sterne der Heimat sehn.


7

Sie schütteten ihm einen feurigen Schnaps
In den verwesten Leib
Und hängten zwei Schwestern in seinen Arm
Und ein halb entblößtes Weib.


8

Und weil der Soldat nach Verwesung stinkt
Drum hinkt ein Pfaffe voran
Der über ihn ein Weihrauchfaß schwingt
Daß er nicht stinken kann.


9

Voran die Musik mit Tschindrara
Spielt einen flotten Marsch.
Und der Soldat, so wie er's gelernt
Schmeißt seine Beine vom Arsch.

10

Und brüderlich den Arm um ihn
Zwei Sanitäter gehn
Sonst flög er noch in den Dreck ihnen hin
Und das darf nicht geschehn.


11

Sie malten auf sein Leichenhemd
Die Farben Schwarz - Weiß - Rot
Und trugen's vor ihm her; man sah
Vor Farben nicht mehr den Kot.


12

Ein Herr im Frack schritt auch voran
Mit einer gestärkten Brust
Der war sich als ein deutscher Mann
Seiner Pflicht genau bewußt.


13

So zogen sie mit Tschindrara
Hinab die dunkle Chaussee
Und der Soldat zog taumelnd mit
Wie im Sturm die Flocke Schnee.


14

Die Katzen und die Hunde schrein
Die Ratzen im Feld pfeifen wüst:
Sie wollen nicht französisch sein
Weil das eine Schande ist.

15

Und wenn sie durch die Dörfer ziehn
Waren alle Weiber da
Die Bäume verneigten sich, Vollmond schien
Und alles schrie hurra.

16

Mit Tschindrara und Wiedersehn!
Und Weib und Hund und Pfaff!
Und mitten drin der tote Soldat
Wie ein besoffner Aff.

17

Und wenn sie durch die Dörfer ziehn
Kommt's, daß ihn keiner sah
So viele waren herum um ihn
Mit Tschindra und Hurra.

18

So viele tanzten und johlten um ihn
Daß ihn keiner sah.
Man konnte ihn einzig von oben noch sehn
Und da sind nur Sterne da.

19

Die Sterne sind nicht immer da
Es kommt ein Morgenrot.
Doch der Soldat, so wie er's gelernt
Zieht in den Heldentod.

# SCHLUSSKAPITEL

## GEGEN VERFÜHRUNG

### 1

Laßt euch nicht verführen!
Es gibt keine Wiederkehr.
Der Tag steht in den Türen;
Ihr könnt schon Nachtwind spüren:
Es kommt kein Morgen mehr.

### 2

Laßt euch nicht betrügen!
Das Leben wenig ist.
Schlürft es in schnellen Zügen!
Es wird euch nicht genügen
Wenn ihr es lassen müßt!

### 3

Laßt euch nicht vertrösten!
Ihr habt nicht zu viel Zeit!
Laßt Moder den Erlösten!
Das Leben ist am größten:
Es steht nicht mehr bereit.

### 4

Laßt euch nicht verführen
Zu Fron und Ausgezehr!
Was kann euch Angst noch rühren?
Ihr sterbt mit allen Tieren
Und es kommt nichts nachher.

## VOM ARMEN B. B.

### 1

Ich, Bertolt Brecht, bin aus den schwarzen Wäldern.
Meine Mutter trug mich in die Städte hinein
Als ich in ihrem Leibe lag. Und die Kälte der Wälder
Wird in mir bis zu meinem Absterben sein.

### 2

In der Asphaltstadt bin ich daheim. Von allem Anfang
Versehen mit jedem Sterbsakrament:
Mit Zeitungen. Und Tabak. Und Branntwein.
Mißtrauisch und faul und zufrieden am End.

### 3

Ich bin zu den Leuten freundlich. Ich setze
Einen steifen Hut auf nach ihrem Brauch.
Ich sage: Es sind ganz besonders riechende Tiere
Und ich sage: Es macht nichts, ich bin es auch.

### 4

In meine leeren Schaukelstühle vormittags
Setze ich mir mitunter ein paar Frauen
Und ich betrachte sie sorglos und sage ihnen:
In mir habt ihr einen, auf den könnt ihr nicht bauen.

5

Gegen Abend versammle ich um mich Männer
Wir reden uns da mit »Gentlemen« an.
Sie haben ihre Füße auf meinen Tischen
Und sagen: Es wird besser mit uns. Und ich
           frage nicht: Wann?


6

Gegen Morgen in der grauen Frühe pissen die Tannen
Und ihr Ungeziefer, die Vögel, fängt an zu schrein.
Um die Stunde trink ich mein Glas in der Stadt aus
           und schmeiße
Den Tabakstummel weg und schlafe beunruhigt ein.


7

Wir sind gesessen, ein leichtes Geschlechte
In Häusern, die für unzerstörbare galten
(So haben wir gebaut die langen Gehäuse des
           Eilands Manhattan
Und die dünnen Antennen, die das Atlantische Meer
           unterhalten).


8

Von diesen Städten wird bleiben: der durch sie
           hindurchging, der Wind!
Fröhlich machet das Haus den Esser: er leert es.
Wir wissen, daß wir Vorläufige sind
Und nach uns wird kommen: nichts Nennenswertes.

9

Bei den Erdbeben, die kommen werden, werde ich
        hoffentlich
Meine Virginia nicht ausgehen lassen durch Bitterkeit
Ich, Bertolt Brecht, in die Asphaltstädte verschlagen
Aus den schwarzen Wäldern in meiner Mutter in
        früher Zeit.

Gedichte 1926 – 1933

I

VERWISCH DIE SPUREN

Trenne dich von deinen Kameraden auf dem Bahnhof
Gehe am Morgen in die Stadt mit zugeknöpfter Jacke
Suche dir Quartier, und wenn dein Kamerad anklopft:
Öffne, oh, öffne die Tür nicht
Sondern
Verwisch die Spuren!

Wenn du deinen Eltern begegnest in der Stadt Hamburg
        oder sonstwo
Gehe an ihnen fremd vorbei, biege um die Ecke, erkenne
        sie nicht
Zieh den Hut ins Gesicht, den sie dir schenkten
Zeige, oh, zeige dein Gesicht nicht
Sondern
Verwisch die Spuren!

Iß das Fleisch, das da ist! Spare nicht!
Gehe in jedes Haus, wenn es regnet, und setze dich auf
        jeden Stuhl, der da ist
Aber bleibe nicht sitzen! Und vergiß deinen Hut nicht!
Ich sage dir:
Verwisch die Spuren!

Was immer du sagst, sag es nicht zweimal
Findest du deinen Gedanken bei einem andern:
        verleugne ihn.
Wer seine Unterschrift nicht gegeben hat, wer kein Bild
        hinterließ

Wer nicht dabei war, wer nichts gesagt hat
Wie soll der zu fassen sein!
Verwisch die Spuren!

Sorge, wenn du zu sterben gedenkst
Daß kein Grabmal steht und verrät, wo du liegst
Mit einer deutlichen Schrift, die dich anzeigt
Und dem Jahr deines Todes, das dich überführt!
Noch einmal:
Verwisch die Spuren!

(Das wurde mir gelehrt.)

2
VOM FÜNFTEN RAD

Wir sind bei dir in der Stunde, wo du erkennst
Daß du das fünfte Rad bist
Und deine Hoffnung von dir geht.
Wir aber
Erkennen es noch nicht.

Wir merken
Daß du die Gespräche rascher treibst
Du suchst ein Wort, mit dem
Du fortgehen kannst
Denn es liegt dir daran
Kein Aufsehen zu machen.

Du erhebst dich mitten im Satz
Du sagst böse: du willst gehen
Wir sagen: Bleibe! und erkennen
Daß du das fünfte Rad bist.
Du aber setzest dich.

Also bleibst du sitzen bei uns in der Stunde
Wo wir erkennen, daß du das fünfte Rad bist.
Du aber
Erkennst es nicht mehr.

Laß es dir sagen: du bist
Das fünfte Rad
Denke nicht, ich, der ich's dir sage
Bin ein Schurke
Greife nicht nach einem Beil, sondern greife
Nach einem Glas Wasser.

Ich weiß, du hörst nicht mehr
Aber
Sage nicht laut, die Welt sei schlecht
Sage es leis.

Denn nicht die vier sind zuviel
Sondern das fünfte Rad
Und nicht schlecht ist die Welt
Sondern
Voll.

(Das hast du schon sagen hören.)


3
AN CHRONOS

Wir wollen nicht aus deinem Haus gehen
Wir wollen den Ofen nicht einreißen
Wir wollen den Topf auf den Ofen setzen.
Haus, Ofen und Topf kann bleiben
Und du sollst verschwinden wie der Rauch im Himmel
Den niemand zurückhält.

Wenn du dich an uns halten willst, werden wir
      weggehen
Wenn deine Frau weint, werden wir unsere Hüte ins
      Gesicht ziehen
Aber wenn sie dich holen, werden wir auf dich deuten
Und werden sagen: Das muß er sein.

Wir wissen nicht, was kommt, und haben nichts Besseres
Aber dich wollen wir nicht mehr.
Vor du nicht weg bist
Laßt uns verhängen die Fenster, daß es nicht morgen
      wird.

Die Städte dürfen sich ändern
Aber du darfst dich nicht ändern.
Den Steinen wollen wir zureden
Aber dich wollen wir töten
Du mußt nicht leben.
Was immer wir an Lügen glauben müssen:
Du darfst nicht gewesen sein.

(So sprechen wir mit unsern Vätern.)


4

Ich weiß, was ich brauche.
Ich sehe einfach in den Spiegel
Und sehe, ich muß
Mehr schlafen; der Mann
Den ich habe, schädigt mich.

Wenn ich mich singen höre, sage ich:
Heute bin ich lustig; das ist gut für
Den Teint.

Ich gebe mir Mühe
Frisch zu bleiben und hart, aber
Ich werde mich nicht anstrengen; das
Gibt Falten.

Ich habe nichts zum Verschenken, aber
Ich reiche aus mit meiner Ration.
Ich esse vorsichtig; ich lebe
Langsam; ich bin
Für das Mittlere.

(So habe ich Leute sich anstrengen sehen.)

5

Ich bin ein Dreck. Von mir
Kann ich nichts verlangen als
Schwäche, Verrat und Verkommenheit
Aber eines Tages merke ich:
Es wird besser; der Wind
Geht in mein Segel; meine Zeit ist gekommen, ich kann
Besser werden als ein Dreck –
Ich habe sofort angefangen.

Weil ich ein Dreck war, merkte ich
Wenn ich betrunken bin, lege ich mich
Einfach hin und weiß nicht
Wer über mich geht; jetzt trinke ich nicht mehr –
Ich habe es sofort unterlassen.

Leider mußte ich
Rein um mich am Leben zu erhalten, viel
Tun, was mir schadete; ich habe
Gift gefressen, das vier

Gäule umgebracht hätte, aber ich
Konnte nur so
Am Leben bleiben; so habe ich
Zeitweise gekokst, bis ich aussah
Wie ein Bettlaken ohne Knochen
Da habe ich mich aber im Spiegel gesehen –
Und habe sofort aufgehört.

Sie haben natürlich versucht, mir eine Syphilis
Aufzuhängen, aber es ist
Ihnen nicht gelungen; nur vergiften
Konnten sie mich mit Arsen: ich hatte
In meiner Seite Röhren, aus denen
Floß Tag und Nacht Eiter. Wer
Hätte gedacht, daß so eine
Je wieder Männer verrückt macht? –
Ich habe damit sofort wieder angefangen.

Ich habe keinen Mann genommen, der nicht
Etwas für mich tat, und jeden
Den ich brauchte. Ich bin
Fast schon ohne Gefühl, beinah nicht mehr naß
Aber
Ich fülle mich immer wieder, es geht auf und ab, aber
Im ganzen mehr auf.

Immer noch merke ich, daß ich zu meiner Feindin
Alte Sau sage und sie als Feindin erkenne daran, daß
Ein Mann sie anschaut.
Aber in einem Jahr
Habe ich es mir abgewöhnt –
Ich habe schon damit angefangen.

Ich bin ein Dreck; aber es müssen
Alle Dinge mir zum besten dienen, ich

Komme herauf, ich bin
Unvermeidlich, das Geschlecht von morgen
Bald schon kein Dreck mehr, sondern
Der harte Mörtel, aus dem
Die Städte gebaut sind.

(Das habe ich eine Frau sagen hören.)


6


Er ging die Straße hinunter, den Hut im Genick!
Er sah jedem Mann ins Auge und nickte
Er blieb vor jedem Ladenfenster stehen
(Und alle wissen, daß er verloren ist!).

Sie hätten ihn hören müssen, wie er sagte, er werde noch
Mit seinem Feind ein ernstes Wort sprechen
Der Ton seines Hausherrn behage ihm nicht
Die Straße sei schlecht gekehrt
(Seine Freunde haben ihn schon aufgegeben!).

Er will allerdings noch ein Haus bauen
Er will allerdings noch alles beschlafen
Er will allerdings nicht zu schnell urteilen
(Ach, er ist schon verloren, es steht doch nichts mehr hinter ihm!).

(Das habe ich schon Leute sagen hören.)


7


Reden Sie nichts von Gefahr!
In einem Tank kommen Sie nicht durch ein Kanalgitter:
Sie müssen schon aussteigen.

Ihren Teekocher lassen Sie am besten liegen
Sie müssen sehen, daß Sie selber durchkommen.

Geld müssen Sie eben haben
Ich frage Sie nicht, wo Sie es hernehmen
Aber ohne Geld brauchen Sie gar nicht abzufahren.
Und hier können Sie nicht bleiben, Mann.
Hier kennt man Sie.
Wenn ich Sie recht verstehe
Wollen Sie doch noch einige Beefsteaks essen
Bevor Sie das Rennen aufgeben!

Lassen Sie die Frau, wo sie ist!
Sie hat selber zwei Arme
Außerdem hat sie zwei Beine
(Die Sie nichts mehr angehen, Herr!)
Sehen Sie, daß Sie selber durchkommen!

Wenn Sie noch etwas sagen wollen, dann
Sagen Sie es mir, ich vergesse es.
Sie brauchen jetzt keine Haltung mehr zu bewahren:
Es ist niemand mehr da, der Ihnen zusieht.
Wenn Sie durchkommen
Haben Sie mehr getan, als
Wozu ein Mensch verpflichtet ist.

Nichts zu danken.


8

Laßt eure Träume fahren, daß man mit euch
Eine Ausnahme machen wird.
Was eure Mutter euch sagte
Das war unverbindlich.

Laßt euren Kontrakt in der Tasche
Er wird hier nicht eingehalten.

Laßt nur eure Hoffnungen fahren
Daß ihr zu Präsidenten ausersehen seid.
Aber legt euch ordentlich ins Zeug
Ihr müßt euch ganz anders zusammennehmen
Daß man euch in der Küche duldet.

Ihr müßt das Abc noch lernen.
Das Abc heißt:
Man wird mit euch fertig werden.

Denkt nur nicht nach, was ihr zu sagen habt:
Ihr werdet nicht gefragt.
Die Esser sind vollzählig
Was hier gebraucht wird, ist Hackfleisch.

(Aber das soll euch nicht entmutigen!)

9
VIER AUFFORDERUNGEN AN EINEN MANN VON
VERSCHIEDENER SEITE ZU VERSCHIEDENEN ZEITEN

Hier hast du ein Heim
Hier ist Platz für deine Sachen.
Stelle die Möbel um nach deinem Geschmack
Sage, was du brauchst
Da ist der Schlüssel
Hier bleibe.

Es ist eine Stube da für uns alle
Und für dich ein Zimmer mit einem Bett.
Du kannst mitarbeiten im Hof

Du hast deinen eigenen Teller
Bleibe bei uns.

Hier ist deine Schlafstelle
Das Bett ist noch ganz frisch
Es lag erst ein Mann drin.
Wenn du heikel bist
Schwenke deinen Zinnlöffel in dem Bottich da
Dann ist er wie ein frischer
Bleibe ruhig bei uns.

Das ist die Kammer
Mach schnell, oder du kannst auch dableiben
Eine Nacht, aber das kostet extra.
Ich werde dich nicht stören
Übrigens bin ich nicht krank.
Du bist hier so gut aufgehoben wie woanders.
Du kannst also dableiben.

## ZUM LESEBUCH FÜR STÄDTEBEWOHNER GEHÖRIGE GEDICHTE

1

Die Städte sind für dich gebaut. Sie erwarten dich freudig.
Die Türen der Häuser sind weit geöffnet. Das Essen
Steht schon auf dem Tisch.

Da die Städte sehr groß sind
Gibt es für die, welche nicht wissen, was gespielt wird, Pläne
Angefertigt von denen, die sich auskennen
Aus denen leicht zu ersehen ist, wie man auf dem schnellsten Wege
Zum Ziel kommt.

Da man eure Wünsche nicht genauer kannte
Erwartet man natürlich noch eure Verbesserungsvorschläge.
Hier und dort
Ist etwas vielleicht noch nicht ganz nach eurem Geschmack
Aber das wird schleunigst geändert
Ohne daß ihr euch einen Fuß ausreißen müßt.

Kurz: ihr kommt
In die besten Hände. Alles ist seit langem vorbereitet. Ihr
Braucht nur zu kommen.


2

Tritt an! Warum kommst du so spät? Jetzt
Warte! Nein, du nicht, der da! Du kannst
Überhaupt weggehen, dich kennen wir, das hat gar keinen Zweck
Daß du dich da heranschmeißt. Halt, wohin?
Haut ihm doch bitte in die Fresse, ihr! So

Jetzt weiß er Bescheid hier. Was, er quatscht noch?
Nehmt ihn euch mal vor, er quatscht immer.
Zeigt dem Mann mal, auf was es hier ankommt.
Wenn er meint, er kann brüllen bei jeder Kleinigkeit
Immer auf das Maul, ihr werdet doch noch mit so einem fertig
        werden.
So, wenn ihr mit ihm fertig seid, könnt ihr
Hereinbringen, was von ihm noch da ist, das
Wollen wir behalten.


3

Die Gäste, die du siehst
Haben Teller und Tasse
Du
Hast nur einen Teller bekommen
Und als du fragtest, wann kommt der Tee
Hieß es:
Nach dem Essen.


4

Früher dachte ich: ich stürbe gern auf eignem Leinenzeug
Heute
Rücke ich kein Bild mehr gerad, das an der Wand hängt
Ich lasse die Stores verfallen, ich öffne dem Regen die Kammer
Wische mir den Mund ab, mit fremder Serviette.
Von einem Zimmer, das ich vier Monate hatte
Wußte ich nicht, daß das Fenster nach hinten hinausging
        (was ich doch liebe)
Weil ich so sehr für das Vorläufige bin und an mich nicht recht
        glaube.
Darum hause ich, wie's trifft, und friere ich, sage ich:

Ich friere noch.
Und so tief verwurzelt ist meine Anschauung
Daß sie mir dennoch erlaubt, meine Wäsche zu wechseln
Aus Courtoisie für die Damen und weil
Man gewiß nicht ewig
Wäsche benötigt.


5
ÜBER DIE STÄDTE (2)

Etliche ziehen fort eine halbe Straße
Hinter ihnen werden die Tapeten geweißnet
Niemals sieht man sie wieder. Sie essen
Ein andres Brot, ihre Frauen liegen
Unter anderen Männern mit gleichem Ächzen.
An frischen Morgenden hängen
Aus den gleichen Fenstern Gesichter und Wäsche
Wie ehedem.


6
BERICHT ANDERSWOHIN

Als ich in die neuerbauten
Städte kam, da kamen mit mir
Viele, aber als ich wegging aus den
Neuerbauten, kam nicht einer
Mit mir weg.
Am festgesetzten
Tag des Kampfes ging ich kämpfen
Und ich stand vom Morgen bis Abend
Und sah keinen bei mir stehen
Aber viele sahen lächelnd
Oder weinend von den Mauern.

Dacht' ich mir, sie haben vergessen
Jenen Tag, der festgesetzt war
Oder andern Tag beschlossen
Und vergessen, mir's zu sagen
Aber abends sah ich, daß sie
Auf den Mauern saßen und aßen
Und
Was sie aßen, waren Steine
Und ich sah, sie hatten schläulich
Neue Speis zu essen grad noch
Rechtzeitig gelernt.

Und ich sah an ihren Augen
Daß die Feind' mich nicht bekämpften
Sondern, daß ein dichter Hagel
Von Geschossen an dem Platz war
Wo ich stand. So ging ich lächelnd
Von dem Platz.

Alsbald gingen wir hinab, um
Miteinander, Freund und Feind jetzt
Wein zu trinken und zu rauchen
Und sie sagten es mir immer
Wieder diese schöne Nacht durch
Daß sie gegen mich nichts hatten
Keines meiner Worte hatte
Sie beleidigt, wie ich glaubte
Denn sie hatten keins gedeutet
Sondern nur ihr Glaube war es
Daß ich etwas wollte, was sie
Hatten und was festgesetzt war
Und für alle Zeiten heilig
Aber ich versichre lächelnd
Daß ich nichts dergleichen wollte.

7

Oft in der Nacht träume ich, ich kann
Meinen Unterhalt nicht mehr verdienen.
Die Tische, die ich mache, braucht
Niemand in diesem Land. Die Fischhändler sprechen
Chinesisch.

Meine nächsten Anverwandten
Schauen mir fremd ins Gesicht
Die Frau, mit der ich sieben Jahre schlief
Grüßt mich höflich im Hausflur und
Geht lächelnd
Vorbei.

Ich weiß
Daß die letzte Kammer schon leer steht
Die Möbel schon weggeräumt sind
Die Matratze schon zerschlitzt
Der Vorhang schon abgerissen ist.
Kurz, es ist alles bereit, mein
Trauriges Gesicht
Zum Erblassen zu bringen.

Die Wäsche, im Hof zum Trocknen aufgehängt
Ist meine Wäsche, ich erkenne sie gut.
Näher hinblickend, sehe ich
Allerdings
Nähte darinnen und angesetzte Stücke.
Es scheint
Ich bin ausgezogen. Jemand anderes
Wohnt jetzt hier und
Sogar in
Meiner Wäsche.

8

Hätten Sie die Zeitungen aufmerksam gelesen wie ich
Würden Sie Ihre Hoffnungen begraben, daß
Eine Besserung noch möglich ist.

Von selber stirbt doch niemand!
Und was hat der Krieg genützt?
Ein paar Leute haben wir natürlich angebracht
Und wie viele sind erzeugt worden?
Und wir können noch nicht einmal
Jedes Jahr einen solchen Krieg zustande bringen.

Was soll ein Hurrikan schon ausrichten?
Miami und ganz Florida zusammengenommen
Und dazu zwei Hurrikane berücksichtigt
Dann heißt es zuerst: 50 000 Tote, und dann
Am nächsten Tag stellt es sich heraus:
3700.

Das können Sie doch ohne weiteres nachschaffen.
Selbst für die Bewohner von Miami selber
Ist das kaum ein Aufatmen und
Was sollen wir sagen, die wir
So weit davon entfernt sind!

Es ist wie ein Hohn!
Sollen wir auch noch verhöhnt werden?
Wir hätten zumindest das Recht auf
Eine ungestörte Bitterkeit.

9

Setzen Sie sich!
Sitzen Sie?
Lehnen Sie sich ruhig zurück!
Sie sollen bequem und leger sitzen.
Rauchen können Sie.
Wichtig ist, daß Sie mich ganz genau hören.
Hören Sie mich genau?
Ich habe Ihnen etwas mitzuteilen, was Sie interessieren wird.

Sie sind ein Plattkopf.
Hören Sie auch wirklich?
Es besteht doch hoffentlich kein Zweifel darüber, daß Sie mich
          klar und deutlich hören?
Also:
Ich wiederhole: Sie sind ein Plattkopf.
Ein Plattkopf.
P wie Paul, l wie Ludwig, a wie Anna, zwomal t wie Theodor
Kopf wie Kopf.
Plattkopf.

Bitte unterbrechen Sie mich nicht.
Sie sollen mich nicht unterbrechen!
Sie sind ein Plattkopf.
Reden Sie nicht. Machen Sie keine Ausflüchte!
Sie sind ein Plattkopf.
Punkt.

Ich sage das doch nicht allein.
Ihre Frau Mutter sagt das doch schon lang.
Sie sind ein Plattkopf.
Fragen Sie doch Ihre Angehörigen
Ob Sie k e i n P sind.
Ihnen sagt man das natürlich nicht

Denn da werden Sie doch wieder rachsüchtig wie alle
          Plattköpfe.
Aber
Ihre ganze Umgebung weiß seit Jahr und Tag, daß Sie ein P
          sind.

Es ist ja typisch, daß Sie leugnen.
Das ist doch die Sache: es ist typisch für den P, daß er es ab-
          leugnet.
Ach, ist das schwer, einem Plattkopf beizubringen, daß er ein
          P ist.
Es ist direkt anstrengend.

Sehen Sie, das muß doch einmal gesagt werden
Daß Sie ein P sind.
Das ist doch nicht uninteressant für Sie, zu wissen, was Sie sind.
Das ist doch ein Nachteil für Sie, wenn Sie nicht wissen, was
          alle wissen.
Ach, Sie meinen, Sie haben auch keine anderen Ansichten als
          ihr Kompagnon
Aber das ist ja auch ein Plattkopf.
Bitte, trösten Sie sich nicht damit, daß es noch mehr P e gibt.
Sie sind ein P.

Ist ja auch gar nicht schlimm
Damit können Sie achtzig werden.
Geschäftlich ist es direkt ein Vorteil.
Und politisch erst!
Nicht mit Geld zu bezahlen!
Als P brauchen Sie sich um nichts zu kümmern.
Und Sie sind ein P
(Das ist doch angenehm?).

Sind Sie immer noch nicht im Bilde?
Ja, wer soll's Ihnen denn noch sagen?

Der Brecht sagt's ja auch, daß sie ein P sind.
Also bitte, Brecht, sagen Sie ihm doch als Fachmann Ihre
        Ansicht.

Der Mann ist ein P.
Na also.

(Einmaliges Abspielen der Platte genügt nicht.)


10

Ich will nicht behaupten, daß Rockefeller ein
        Dummkopf ist
Aber Sie müssen zugeben
Daß an der Standard Oil ein allgemeines
        Interesse bestand.
Was ein Mann hätte dazu hergehört
Das Zustandekommen der Standard Oil zu verhindern!
Ich behaupte
Solch ein Mann muß erst geboren werden.

Wer will beweisen, daß Rockefeller Fehler gemacht hat
Da doch Geld eingekommen ist.
Wissen Sie:
Es bestand Interesse daran, daß Geld einkam.

Sie haben andere Sorgen?
Aber ich wäre froh, wenn ich einen fände
Der kein Dummkopf ist, und ich
Kann es beweisen.

Sie haben schon den richtigen Mann ausgewählt.
Hatte er nicht Sinn für Geld?
Wurde er nicht alt?

Konnte er nicht Dummheiten machen und
Die Standard Oil kam doch zustande?

Meinen Sie, wir hätten die Standard Oil billiger haben
            können?
Denken Sie, ein anderer Mann
Hätte sie mit weniger Mühe zustande gebracht?
(Da ein allgemeines Interesse an ihr bestand?)

Sind Sie auf jeden Fall gegen Dummköpfe?
Halten Sie etwas von der Standard Oil?

Hoffentlich glauben Sie nicht
Ein Dummkopf ist
Ein Mann, der nachdenkt.


11

Ich höre Sie sagen:
Er redet von Amerika
Er versteht nichts davon.
Er war nicht dort.
Aber glauben Sie mir
Sie verstehen mich sehr gut, wenn ich von Amerika
            rede.
Und das Beste an Amerika ist:
Daß wir es verstehen.

Eine Keilschrift
Verstehen nur Sie
(Es ist natürlich eine tote Sache)
Aber sollen wir nicht von Leuten lernen
Die es verstanden haben
Verstanden zu werden?

Sie, Herr
Versteht man nicht
Aber New York versteht man
Ich sage Ihnen:
Diese Leute verstehen, was sie tun
Darum versteht man sie.


12


Unbezahlbar ist
Ein breiter Kopf.
Er tut das, was Sie auch getan hätten.
Er tut viel weniger, als Sie annehmen!
Er ist im Bilde.

Wo andere noch einen Ausweg sehen
Da gibt er auf.
An eine Sache, die Schwierigkeiten macht
Glaubt er nicht. Warum
Sollte eine Sache, die im allgemeinen Interesse
          liegt
Schwierigkeiten machen?

Einen breiten Kopf erkennt man daran
Daß er Appetit an Äpfeln hat
Wenn genügend Leute
Appetit nach Äpfeln haben und
Für alle diese genug Äpfel da sind.

Sind Sie ein breiter Kopf?
Dann sehen Sie zu, daß die Stadt wächst
Das Geschäftsleben blüht und
Die Menschheit sich noch vermehrt!

13

Ich habe ihm gesagt, er soll ausziehen.
Er wohnte hier im Zimmer schon sieben Wochen
Und wollte nicht ausziehen.
Er lachte und meinte
Ich mache Scherze
Als er am Abend heimkam, stand
Sein Koffer an der Tür. Da
Wunderte er sich.


14

Es war leicht, ihn zu bekommen.
Es war möglich am zweiten Abend.
Ich wartete auf den dritten (und wußte
Das heißt etwas riskieren)
Dann sagte er lachend: das Badesalz ist es
Nicht dein Haar!
Aber es war leicht, ihn zu bekommen.

Ich ging einen Monat lang gleich nach der Umarmung
Ich blieb jeden dritten Tag weg.
Ich schrieb nie.
Aber bewahre einen Schnee im Topf auf!
Er wird schmutzig von selbst.
Ich tat noch mehr als ich konnte
Als es schon aus war.

Ich habe die Menscher hinausgeworfen
Die bei ihm schliefen, als sei es in der Ordnung
Ich habe es lachend getan und weinend.
Ich habe den Gashahn geöffnet
Fünf Minuten bevor er kam. Ich habe

Geld auf seinen Namen geliehen:
Es hat nichts geholfen.

Aber eines Nachts schlief ich
Und eines Morgens stand ich auf
Da wusch ich mich vom Kopf bis zum Zeh
Aß und sagte zu mir:
Das ist fertig.

Die Wahrheit ist:
Ich habe noch zweimal mit ihm geschlafen
Aber, bei Gott und meiner Mutter:
Es war nichts.
Wie alles vorübergeht, so verging
Auch das.


15


Immer wieder
Wenn ich diesen Mann ansehe
Er hat nicht getrunken und
Er hat sein altes Lachen
Denke ich: es geht besser.
Der Frühling kommt; eine gute Zeit kommt
Die Zeit, die vergangen ist
Ist zurückgekehrt
Die Liebe beginnt wieder, bald
Ist es wie einst.

Immer wieder
Wenn ich mit ihm geredet habe
Er hat gegessen und geht nicht weg
Er spricht mit mir und
Hat seinen Hut nicht auf

Denke ich: es wird gut
Die gewöhnliche Zeit ist um
Mit einem Menschen
Kann man sprechen, er hört zu
Die Liebe beginnt wieder, bald
Ist alles wie einst.

Der Regen
Kehrt nicht zurück nach oben.
Wenn die Wunde
Nicht mehr schmerzt
Schmerzt die Narbe.

16
BEHAUPTUNG

Schweig!
Was, meinst du, ändert sich leichter
Ein Stein oder deine Ansicht darüber?
Ich bin immer gleich gewesen.

Was besagt eine Fotografie?
Einige große Worte
Die man jedem nachweisen kann?
Ich bin vielleicht nicht besser geworden
Aber
Ich bin immer gleich geblieben.

Du kannst sagen
Ich habe früher mehr Rindfleisch gegessen
Oder ich bin
Auf falschen Wegen schneller gegangen.
Aber die gute Unvernunft ist die

Welche vergeht, und
Ich bin immer gleich gewesen.

Was wiegt ein großer Regen?
Ein paar Gedanken mehr oder weniger
Wenige Gefühle oder gar keine
Wo alles nicht genügt
Ist nichts genügend.
Ich bin immer gleich gewesen.


17

Du, der das Unentbehrliche
Wenige machen sieht, verlaß sie nicht!
Frage nicht nach deinem Anteil am Essen
Frage nicht nach deiner Beliebtheit.
Das Richtige
Braucht den kleinsten Fingerzeig noch!
Nenne nicht einen Ersatz
Wenn du gebraucht wirst!

Warum rechnest du
Als Freundlichkeit nur das Gewünschte
Da du doch weißt, daß du Unweises wünschest?

Betrachte nicht immer
Deine paar Narben!
Bedenke: die Schläge, die du ausgeteilt hast
Wurden aufgenommen ohne Klage.
Deine Launen wurden ausgehalten
Du wurdest geachtet.
Daß du, wenn du das Gewünschte nicht bekamst
Das Nötigste verweigertest
Wurde nicht gerügt.

Auf dich wurden Lasten gelegt, die man
Nur auf die sichersten Schultern legt.
Du wurdest übersehen wie das Nächstliegende.
Von dir wurde erwartet
Die besondere Einsicht.
So essen am letzten die, denen das Werk am nächsten steht: die
           Köche.

Wie immer du behandelt wurdest, so eben
Wurden die Geächtetsten behandelt.

Setze also deinen Namen nicht
Auf die nicht abreißende Liste
Der Abgefallenen.


18
ÜBER DAS MISSTRAUEN DES EINZELNEN

Jeder weiß, daß der einzeln Mißtrauische
Zu Verbrechen neigt
Der Verbrecher aber
Hat Grund zum Mißtrauen.

Sage mir nicht, dein Mißtrauen
Sei im Verbrechen der andern begründet.
Woher immer das Mißtrauen kommt, der Mißtrauische
Neigt zu Verbrechen.

Manche, ins Wasser gefallen, erreichen spielend das Flußufer
Andere mit Mühe und wieder andere gar nicht.
Dem Fluß ist dies gleichgültig.
Du mußt das Flußufer erreichen.

Wisse: niemand außer dir
Kann es von dir verlangen, daß du lebst.
Der Mißtrauische
Hält zu viel von sich selber!
Der Verfolgte
Achte nicht so hoch, was da verfolgt wird!

Die Erdbeben mögen dich verschlingen
Aber sie sind nicht gegen dich geplant.
Die Erde, die dich verschlungen hat
Ist kaum gesättigt.

Ganz anders ist es mit dem Mißtrauen
Der Klassen.


19

Warum esse ich Brot, das zu teuer ist?
Ist nicht das Getreide zu teuer in Illinois?
Wer hat mit wem ausgemacht
Daß die Traktoren nicht haben soll
Der Mann in Irkutsk
Sondern der Rost?
Ist es falsch, daß ich esse?


20

Ich merke, ihr besteht darauf, daß ich verschwinde
Ich seh, ich esse euch zu viel
Ich verstehe, ihr seid nicht eingerichtet auf solche
          Leute wie ich
Nun, ich verschwinde nicht.

Ich habe euch zugeredet
Daß ihr euer Fleisch hergeben sollt
Ich bin neben euch hergegangen
Und habe euch nahegelegt, daß ihr ausziehen müßt
Zu diesem Zweck habe ich eure Sprache gelernt
Am Ende
Hat mich jeder verstanden
Aber am Morgen war wieder kein Fleisch da.

Einen Tag noch habe ich mich hingesetzt
Um euch die Gelegenheit zu geben, daß ihr noch kämt
Um euch zu rechtfertigen.

Wenn ich wiederkehre
Unter roherem Mond, meine Lieben
Dann komme ich in einem Tank
Rede mit einer Kanone und
Schaffe euch ab.

Wo mein Tank durchfährt
Da ist eine Straße
Was meine Kanone sagt
Das ist meine Ansicht
Von allen aber
Verschone ich nur meinen Bruder
Indem ich ihn lediglich aufs Maul schlage.


21

ANLEITUNG FÜR DIE OBEREN

An dem Tag, an dem der unbekannte gefallene Soldat
Unter Kanonenschüssen beerdigt wurde
Ruhte von London bis Singapore
Mittags zur selben Zeit

Von zwölf Uhr zwei bis zwölf Uhr vier
Volle zwei Minuten lang alle Arbeit
Einzig zum Zweck der Ehrung des
Gefallenen Unbekannten Soldaten.

Aber trotz alledem sollte man
Vielleicht doch anordnen
Daß dem Unbekannten Arbeiter
Aus den großen Städten der bevölkerten Kontinente
Endlich eine Ehrung bereitet wird.
Irgendein Mann aus dem Netz des Verkehrs
Dessen Gesicht nicht wahrgenommen
Dessen geheimnisvolles Wesen unbeachtet
Dessen Name nicht deutlich gehört worden ist
Ein solcher Mann sollte
In unser aller Interesse
Mit einer Ehrung von Ausmaß bedacht werden
Mit einer Radioadresse
»Dem Unbekannten Arbeiter«
Und
Mit einer Arbeitsruhe der sämtlichen Menschen
Über den ganzen Planeten.

DREIHUNDERT ERMORDETE KULIS BERICHTEN
AN EINE INTERNATIONALE

> Aus London wird telegrafiert: »300 Kulis,
> die von den Truppen der chinesischen wei-
> ßen Armee gefangen gesetzt waren und in
> offenen Eisenbahnwaggons nach Ping
> Tschuen befördert werden sollten, sind
> während der Fahrt vor Kälte und Hunger
> gestorben.«

Wir wären gern in unsern Dörfern geblieben
Aber man konnte uns nicht dort lassen.
So wurden wir eines Nachts in die Waggons getrieben.
Leider konnten wir keinen Reis mehr fassen.

Einen geschlossenen Waggon konnten wir nicht bekommen
Da man diese für die Rinder brauchte, die sehr empfindlich
        sind.
Besonders weil man unsere Pelze genommen
Litten wir stark unter dem Gegenwind.

Wir fragten mehrmals, wozu man uns brauche
Jedoch wußten es die Soldaten nicht, die unsere Wächter
        waren.
Sie sagten uns, daß man nicht friere, wenn man in die Hände
        hauche.
Wohin wir fuhren, haben wir nie erfahren.

Die letzte Nacht blieben wir stehen vor Festungstoren.
Wenn wir fragten, wann wir ankämen, sagte man uns:
        heute.
Es war der dritte Tag. Am Abend sind wir erfroren.
In diesen Jahren ist es zu kalt für die armen Leute.

SANG DER MASCHINEN

1

Hallo, wir wollen mit Amerika sprechen
Über das Atlantische Meer mit den großen Städten
Von Amerika, hallo!
Wir haben uns gefragt, in welcher Sprache
Wir reden sollen, damit man
Uns versteht
Aber jetzt haben wir unsere Sänger beisammen
Die man versteht hier und in Amerika
Und überall in der Welt.
Hallo, hört, was unsere Sänger singen, unsere schwarzen Stars
Hallo, paßt auf, wer für uns singt ...

*Die Maschinen singen.*

2

Hallo, das sind unsere Sänger, unsere schwarzen Stars
Sie singen nicht hübsch, aber sie singen beir Arbeit
Während sie für euch Licht machen, singen sie
Während sie Kleider machen, Zeitungen, Wasserröhren
Eisenbahnen und Lampen, Öfen und Schallplatten
Singen sie.
Hallo, singt gleich noch einmal, weil ihr gerade da seid
Euren kleinen Song über das Atlantische Meer
Mit eurer Stimme, die alle verstehen.

*Die Maschinen wiederholen ihren Song.*

Das ist kein Wind im Ahorn, mein Junge
Das ist kein Lied an den einsamen Stern
Das ist das wilde Geheul unserer täglichen Arbeit

Wir verfluchen es und wir haben es gern
Denn es ist die Stimme unserer Städte
Es ist das Lied, das uns gefällt
Es ist die Sprache, die wir alle verstehen
Und bald ist es die Muttersprache der Welt.

# KRANLIEDER

## KINDERLIED

I

Beiß, Greifer, beiß
Die Kohle hat 'nen Preis
Die Kohle, die ist schon bestellt
Der Millionär braucht wieder Geld
Das kostet uns viel Schweiß
Beiß, Greifer, beiß.

2

Die Kohle, die sauft Schweiß
Ohne Schweiß kein Preis!
Wenn ich mal zu lang scheißen tu
Dann steigt der Kohlenpreis im Nu
Bei Kind und Mann und Greis
Das Wasser, das ist Schweiß.

## RUTSCH MAL DREI METER VOR . . .

I

Rutsch mal drei Meter vor
Rutsch mal dreie retour
Nimm mal da die Kohle, leg sie mal dorthin
Denn die sind nun von hier
Und die kommen nun von hier weg
Und drinnen liegt

Und drinnen liegt ein tiefer Sinn.
  Drum, Karl, streck deinen Kragen grad
  Und schmeiß sie mal da rein
  Denn, Karl, das mußt du
  Denn, Karl, das mußt du.
  Karl, du gehörst zum Proletariat
  Und, Karl, das ganze Proletariat
  Das darf nicht sagen: Nein.


2

Rutsch mal drei Meter vor
Rutsch mal dreie retour
Pack das Eisen da und schmeiß es mal dorthin
Denn das ist nun ein Eisen
Und das wird nun Kanonen
Und die haben
Und die haben einen tiefen Sinn.
  Drum, Karl, streck deinen Kragen grad
  Und schmeiß es mal da rein
  Denn, Karl, das mußt du
  Denn, Karl, das mußt du.
  Karl, du gehörst zum Proletariat
  Und, Karl, das ganze Proletariat
  Das darf nicht sagen: Nein.


3

Einmal geht's nur mehr vor
Und dann geht's nie mehr retour
Und wir beide schmeißen ihnen alles hin
Und unser Eisen wird Häuser
Und unsere Kohle macht warm sie
Und dann kommt in alles
Und dann kommt in alles erst ein Sinn.

Dann, Karl, streck deinen Kragen grad
Und schmeiß mal uns was rein
Denn, Karl, das darfst du
Denn, Karl, das darfst du.
Karl, du gehörst zum Proletariat
Und geht es für das Proletariat
Dann gibt's für uns kein Nein.


SONG DES KRANS MILCHSACK IV


1

Mein Nam' ist Milchsack Nummer IV
Ich saufe Schmieröl, du saufst Bier
Ich fresse Kohlen, du frißt Brot
Du lebst noch nicht, ich bin noch tot
Ich mache täglich meine Tour
Ich war vor dir hier an der Ruhr
Bist du's nicht mehr, bin ich's noch lang
Ich kenne dich an deinem Gang.
    Freilich, bald seh ich dich nimmer
    Doch ich denke an dich immer
    Denn du hast ja ein Gefühl für mich
    Wir gehören schon zusammen
    Als Genossen, denn wir stammen
    Aus dem Proletariat
    Du und ich.


2

Vier schon nannten mich Genosse
Führten mich an meiner Trosse
Einer gab mir Bier zu saufen
Ließ es übern Greifer laufen

Einer schob vor meinen dreckigen Rüssel
Früh zum Waschen seine Schüssel
Einer ließ auf mir vorzeiten
Die Genossen-Jungens reiten.
  Freilich, bald sah ich sie nimmer
  Doch ich denke an sie immer
  Denn sie hatten ein Gefühl für mich
  Wir gehören schon zusammen
  Als Genossen, denn wir stammen
  Aus dem Proletariat
  Sie und ich.


3

Mein erster war ein Mann aus Hamm
Der ging verschütt' am Chemin des Dames
Mein zweiter schluckt' zuviel Kohlenstaub
Und fiel der Lungenseuch zum Raub
Meinem dritten flog ins Aug ein Ruß
Dem zerquetschte ich den Fuß
Mein vierter kam eines Morgens nicht mehr
Der war gestorben an einem Maschinengewehr.
  Freilich, bald seh ich euch nimmer
  Doch ich denke an euch immer
  Denn ihr hattet ein Gefühl für mich
  Wir gehören schon zusammen
  Wir Genossen, denn wir stammen
  Aus dem Proletariat
  Ihr und ich.

VOM GELD

> Vor dem Taler, Kind, fürchte dich nicht
> Nach dem Taler, Kind, sollst du dich sehnen.
> Wedekind

Ich will dich nicht zur Arbeit verführen.
Der Mensch ist zur Arbeit nicht gemacht.
Aber das Geld, um das sollst du dich rühren!
Das Geld ist gut! Auf das Geld gib acht!

Die Menschen fangen einander mit Schlingen.
Groß ist die Bösheit der Welt.
Darum sollst du dir Geld erringen
Denn größer ist ihre Liebe zum Geld.

Hast du Geld, hängen alle an dir wie Zecken:
Wir kennen dich wie das Sonnenlicht.
Ohne Geld müssen dich deine Kinder verstecken
Und müssen sagen, sie kennen dich nicht.

Hast du Geld, mußt du dich nicht beugen!
Ohne Geld erwirbst du keinen Ruhm.
Das Geld stellt dir die großen Zeugen.
Geld ist Wahrheit. Geld ist Heldentum.

Was dein Weib dir sagt, das sollst du ihr glauben.
Aber komme nicht ohne Geld zu ihr:
Ohne Geld wirst du sie deiner berauben
Ohne Geld bleibt bei dir nur das unvernünftige Tier.

Dem Geld erweisen die Menschen Ehren.
Das Geld wird über Gott gestellt.
Willst du deinem Feind die Ruhe im Grab verwehren
Schreibe auf seinen Stein: Hier ruht Geld.

**BALLADE VOM STAHLHELM**
(Melodie: Prinz Eugenius, der edle Ritter)

Noch erdröhnte der Krieg in Flandern
Schon in Rußland aufgestanden
War das Proletariat.
Und mit Stahlhelm und Kanone
Zogen Wilhelms Bataillone
Gen das rote Leningrad.

Ein Kontrakt ward aufgeschrieben
Daß in Rußland sollte sieben
Tag marschieren kein Soldat.
Schon fuhr Trotzki froh nach Hause
Brachte mit die Atempause
Für das Proletariat.

Doch zu Brest-Litowsk in Polen
Schlug (ihn soll der Teufel holen)
General Hoffmann auf den Tisch.
Und er hat sogleich geboten
Daß man sollt vertilgen die Roten
Und der Krieg begann von frisch.

Und in endelosen Wogen
Kamen Stahlhelme gezogen
Gen das rote Leningrad.
Als drei Monat warn verflossen
Mußten sie die Hände lassen
Von dem Proletariat.

Nichts half Stahlhelm und Kanone
Und die weißen Bataillone
Kamen nie bis Leningrad.

Nie hält Stahlhelm und Kanone
Halten weiße Bataillone
Auf der Weltgeschichte Rad.

INSCHRIFT AUF EINEM NICHT ABGEHOLTEN
GRABSTEIN

Wandrer, wenn du vorbeikommst
Wisse:
Ich war glücklich
Meine Unternehmungen waren fruchtbar
Meine Freunde treu
Meine Gedanken angenehm
Was ich tat, war besonnen
Am Ende habe ich nicht widerrufen
Wegen einer Kleinigkeit
Habe ich nie mein Urteil geändert.

Da ich noch nicht tot bin
Wage ich nichts zu sagen als:
Mein Leben war schwer, aber
Ich klage nicht
Auch habe ich etwas aufzuweisen
Was mein Leben rentiert hat
Sorge dich nicht um mich, ich selber
Verachte die Unglücklichen
Aber schon, als ich schrieb
Was du hier liest
Gab es nichts mehr, was mich noch treffen konnte.

WENIG WÜRDE GENÜGEN

Als ich einstmals die großen Städte gesichtet
Dachte ich gleich, es genügt
Wenn einer zum Beispiel ein Wort an sie richtet
Damit hätten sie sich ihrerseits dann begnügt.

Ich habe dieses Wort leider nicht gefunden
Das ohnegleichen ist
Die Zeit ist indes hingeschwunden
Ich brachte sie um mit List.

An Worten hat es nicht gemangelt
Der eine kotzt's, der andre frißt's
Hätt ich dies eine Wort eben geangelt
Hätten alle gesagt: Das ist's.

Ich hätte sicher Ruhe gegeben
Hätte die Münzen aufgelesen
Hätte davon gut können leben
Und sie wären mit mir zufrieden gewesen.


LIED EINES MANNES IN SAN FRANCISCO

Eines Tages gingen alle nach Kalifornien
Dort ist Öl, sagten die Zeitungen.
Und
Auch ich bin nach Kalifornien gegangen.
Ich bin gegangen für zwei Jahre.
Meine Frau blieb in einem Ort im Osten
Meine Farm war nicht tragbar.
Aber ich zog in eine Stadt im Westen

Und die Stadt wuchs, als ich hinkam.
Ich habe kein Öl gefunden
Ich habe Autos zusammengesetzt und gedacht:
Die Stadt wächst jetzt, ich
Warte auf ihr 30.Tausend.
Da waren es über Nacht viel mehr.
Zehn Jahre vergehen rasch, wenn Häuser gebaut werden.
Ich bin zehn Jahre da und habe Lust
Nach mehr. Auf dem Papier
Habe ich eine Frau im Osten
Über dem fernen Boden ein Dach
Aber hier
Ist etwas los und Spaß, und
Die Stadt wächst noch.


GEDENKTAFEL FÜR 12 WELTMEISTER

Dies ist die Geschichte der Weltmeister im Mittelgewicht
Ihrer Kämpfe und Laufbahnen
Vom Jahre 1891
Bis heute.

Ich beginne die Serie im Jahre 1891 –
Der Zeit rohen Schlagens
Wo die Boxkämpfe noch über 56 und 70 Runden gingen
Und einzig beendet wurden durch den Niederschlag –
Mit BOB FITZSIMMONS, dem Vater der Boxtechnik
Inhaber der Weltmeisterschaft im Mittelgewicht
Und im Schwergewicht (durch seinen am 17. März 1897
        erfochtenen Sieg über Jim Corbett).
34 Jahre seines Lebens im Ring, nur sechsmal geschlagen
So sehr gefürchtet, daß er das ganze Jahr 1889
Ohne Gegner war. Erst im Jahre 1914
Im Alter von 51 Jahren absolvierte er

Seine beiden letzten Kämpfe:
Ein Mann ohne Alter.
1905 verlor Bob Fitzsimmons seinen Titel an

Jack O'Brien genannt PHILADELPHIA JACK.
Jack O'Brien begann seine Boxerlaufbahn
Im Alter von 18 Jahren
Er bestritt über 200 Kämpfe. Niemals
Fragte Philadelphia Jack nach der Börse.
Er ging aus von dem Standpunkt
Daß man lernt durch Kämpfe
Und er siegte, so lange er lernte.

Jack O'Briens Nachfolger war
STANLEY KETCHEL
Berühmt durch vier wahre Schlachten
Gegen Billie Papke
Und als rauhster Kämpfer aller Zeiten
Hinterrücks erschossen mit 23 Jahren
An einem lachenden Herbsttage
Vor seiner Farm sitzend
Unbesiegt.

Ich setze meine Serie fort mit
BILLIE PAPKE
Dem ersten Genie des Infighting.
Damals wurde zum ersten Male gehört
Der Name: Menschliche Kampfmaschine.
Im Jahre 1913 zu Paris
Wurde er geschlagen
Durch einen größeren in der Kunst des Infighting:
Frank Klaus.

FRANK KLAUS, sein Nachfolger, traf sich
Mit den berühmten Mittelgewichten seiner Zeit

Jim Gardener, Billie Berger
Willie Lewis und Jack Dillon
Und Georges Carpentier war gegen ihn schwach wie ein Kind.


Ihn schlug GEORGE CHIP
Der unbekannte Mann aus Oklahoma
Der nie sonst Taten von Bedeutung vollbrachte
Und geschlagen wurde von


AL MACCOY, dem schlechtesten aller Mittelgewichtsmeister
Der weiter nichts konnte als einstecken
Und seiner Würde entkleidet wurde von


MIKE O'DOWD
Dem Mann mit dem eisernen Kinn
Geschlagen von


JOHNNY WILSON
Der 48 Männer k. o. schlug
Und selber k. o. geschlagen wurde von


HARRY GREBB, der menschlichen Windmühle
Dem zuverlässigsten aller Boxer
Der keinen Kampf ausschlug
Und jeden bis zu Ende kämpfte
Und wenn er verloren hatte, sagte:
Ich habe verloren.
Der den Männertöter Dempsey
Den Tigerjack, den Manassamauler
Verrückt machte, daß er beim Training
Seine Handschuhe wegwarf
Das »Phantom, das nicht stillstehen konnte«
Geschlagen 1926 nach Punkten von

TIGER FLOWERS, dem Neger und Pfarrer
Der nie k. o. ging.

Nach ihm war Weltmeister im Mittelgewicht
Der Nachfolger des boxenden Pfarrers
MICKEY WALKER, der den mutigsten Boxer Europas
Den Schotten Tommy Milligan
Am 30. Juni 1927 zu London in 30 Minuten
In Stücke schlug.

Bob Fitzsimmons
Jack O'Brien
Stanley Ketchel
Billie Papke
Frank Klaus
George Chip
Al MacCoy
Mike O'Dowd
Johnny Wilson
Harry Grebb
Tiger Flowers
Mickey Walker –
Dies sind die Namen von 12 Männern
Die auf ihrem Gebiet die besten ihrer Zeit waren
Festgestellt durch harten Kampf
Unter Beobachtung der Spielregeln
Vor den Augen der Welt.

# SONETTE

## SONETT NR. 1

> Zur Erinnerung an Josef Klein. Enthauptet
> wegen Raubmord im Untersuchungsgefängnis
> zu Augsburg am 2. Juli 1927.

Ich widme dies Sonett Herrn Josef Klein
Für den ich sonst nichts tun kann, denn man schnitt
Ihm seinen Kopf ab heute früh. Damit
Man weiß, die Welt fällt nicht durch eine Untat ein.

So machten die's mit was aus Fleisch und Bein
Dieweil es angeschnallt auf einem Holzbrett ritt
(Ein Pfaff gab ihm was aus der Bibel mit
Weil der doch weiß, es sieht kein Gott nach Klein.)

Ich aber denke, daß es sich sehr häuft.
Ich wollte wohl, daß solches nicht geschäh
Denn wahrlich, ihre Untat hat kein Z!

Ich möcht nicht, daß man mich mit solchen sitzen säh!
(Höchstens so lang noch, bis das Geld einläuft
Das sie mir schuldig sind für dies Sonett.)

## SONETT NR. 2 (VON VORBILDERN)

Durch Jahre suchend, wen ich mir zum Vorbild nähme
(Und nicht, weil ich für einen Guten einen Bessern suche
Ich bin nicht gut, als ich mich ja nicht schäme)
Find ich mir keinen lebend, noch im Buche.

Am meisten sucht ich Unempfindlichkeit
Doch fand ich einen, der nicht sein Gesicht verlor
In roher Welt, so hatte der kein Ohr.
Verlor er nicht sein Herz, so war er nicht gescheit.

Nur die kein Wasser hatten, hatten keine Träne
(Den Hunger sah ich sich von Steinen nähren!)
Und keinen fand ich glücklich – nur zufrieden.

Am Schlusse dacht ich, daß gerade jene
Die für mich mehr als ich gewesen wären
Gerade mich (den sie wohl kannten) mieden.


## SONETT NR. 9 (ÜBER DIE NOTWENDIGKEIT DER SCHMINKE)

Die Frauen, welche ihren Schoß verstecken
Vor aller Aug gleich einem faulen Fisch
Und zeigen ihr Gesicht entblößt bei Tisch
Das ihre Herren öffentlich belecken

Sie geben schnell den Leib dem, der mit rauher
Hand lässig ihnen an den Busen kam
Schließend die Augen, stehend an der Mauer
Sehen sie schaudernd nicht, welcher sie nahm.

Wie anders jene, die mit leicht bemaltem Munde
Und stummem Auge aus dem Fenster winkt
Dem, der vorübergeht, und sei es einem Hunde.

Wie wenig lag doch ihr Gesicht am Tage!
Wie höflich war sie doch, von der ich sage
Sie muß gestorben sein: sie ist nicht mehr geschminkt!

SONETT NR. 12 (VOM LIEBHABER)

Gestehn wir's: leider sind wir schwach im Fleische!
Ich, seit ich meines Freundes Frau geschwächt
Meid ich mein Zimmer jetzt und schlafe schlecht
Und merke nachts: ich horche auf Geräusche!

Dies kommt daher, weil dieser beiden Zimmer
An meines stößt. Das ist es, was mich schlaucht
Daß ich stets höre, wenn er sie gebraucht
Und hör ich nichts, so denk ich: desto schlimmer!

Schon abends, wenn wir drei beim Weine sitzen
Und ich bemerke, daß mein Freund nicht raucht
Und ihm, wenn er sie sieht, die Augen schwitzen

Muß ich ihr Glas zum Überlaufen bringen
Und sie, wenn sie nicht will, zum Trinken zwingen
Damit sie nachts dann nichts zu merken braucht.

## ÜBER DAS FRÜHJAHR

Lange bevor
Wir uns stürzten auf Erdöl, Eisen und Ammoniak
Gab es in jedem Jahr
Die Zeit der unaufhaltsam und heftig grünenden Bäume.
Wir alle erinnern uns
Verlängerter Tage
Helleren Himmels
Änderung der Luft
Des gewiß kommenden Frühjahrs.
Noch lesen wir in Büchern
Von dieser gefeierten Jahreszeit
Und doch sind schon lange
Nicht mehr gesichtet worden über unseren Städten
Die berühmten Schwärme der Vögel.
Am ehesten noch sitzend in Eisenbahnen
Fällt dem Volk das Frühjahr auf.
Die Ebenen zeigen es
In alter Deutlichkeit.
In großer Höhe freilich
Scheinen Stürme zu gehen:
Sie berühren nur mehr
Unsere Antennen.

## ALLES NEUE IST BESSER ALS ALLES ALTE

Woher weiß ich, Genosse
Daß ein Haus, das heute gebaut ist
Einen Nutzen hat und gebraucht wird?
Und die nie gesehenen Konstruktionen
Die aus dem Straßenbild herausfallen und
Deren Zweck ich nicht kenne
Mir so sehr einleuchten?

Weil ich weiß:
Alles Neue
Ist besser als alles Alte.

Nicht wahr:
Der ein frisches Hemd anzieht
Ist ein frischer Mann?
Die Frau, die sich frisch gewaschen hat
Ist eine neue Frau.
Und neu ist
Der bei nächtelangen Versammlungen in verrauchtem Lokal
Eine neue Rede beginnt.
Alles Neue
Ist besser als alles Alte.

In den lückenhaften Statistiken
Unaufgeschnittenen Büchern, fabrikneuen Maschinen
Sehe ich die Gründe, warum ihr morgens aufsteht.
Die Männer, die auf einer Karte
In einen weißen Fleck eine neue Linie eintragen
Die Genossen, die ein Buch aufschneiden
Die fröhlichen Männer
Die in eine Maschine das erste Öl füllen
Sie sind es, die es verstehen:
Alles Neue
Ist besser als alles Alte.

Dieses oberflächliche neuerungssüchtige Gesindel
Das seine Stiefel nicht zu Ende trägt
Seine Bücher nicht ausliest
Seine Gedanken wieder vergißt
Das ist die natürliche
Hoffnung der Welt.
Und wenn sie es nicht ist

So ist alles Neue
Besser als alles Alte.


## 700 INTELLEKTUELLE BETEN EINEN ÖLTANK AN

Ohne Einladung
Sind wir gekommen
Siebenhundert (und viele sind noch unterwegs)
Überall her
Wo kein Wind mehr weht
Von den Mühlen, die langsam mahlen, und
Von den Öfen, hinter denen es heißt
Daß kein Hund mehr vorkommt.

Und haben Dich gesehen
Plötzlich über Nacht
Öltank.

Gestern warst Du noch nicht da
Aber heute
Bist nur Du mehr.

Eilet herbei, alle
Die ihr absägt den Ast, auf dem ihr sitzet
Werktätige!
Gott ist wiedergekommen
In Gestalt eines Öltanks.

Du Häßlicher
Du bist der Schönste!
Tue uns Gewalt an
Du Sachlicher!

Lösche aus unser Ich!
Mache uns kollektiv!
Denn nicht wie wir wollen
Sondern wie Du willst.

Du bist nicht gemacht aus Elfenbein und Ebenholz,
          sondern aus
Eisen.
Herrlich, herrlich, herrlich!
Du Unscheinbarer!

Du bist kein Unsichtbarer
Nicht unendlich bist Du!
Sondern sieben Meter hoch.
In Dir ist kein Geheimnis
Sondern Öl.
Und Du verfährst mit uns
Nicht nach Gutdünken, noch unerforschlich
Sondern nach Berechnung.

Was ist für Dich ein Gras?
Du sitzest darauf.
Wo ehedem ein Gras war
Da sitzest jetzt Du, Öltank!
Und vor Dir ist ein Gefühl
Nichts.

Darum erhöre uns
Und erlöse uns von dem Übel des Geistes.
Im Namen der Elektrifizierung
Der Ratio und der Statistik!

SINGENDE STEYRWÄGEN

Wir stammen
Aus einer Waffenfabrik
Unser kleiner Bruder ist
Der Manlicherstutzen.
Unsere Mutter aber
Eine steyrische Erzgrube.

Wir haben:
Sechs Zylinder und dreißig Pferdekräfte.
Wir wiegen:
Zweiundzwanzig Zentner.
Unser Radstand beträgt:
Drei Meter.
Jedes Hinterrad schwingt geteilt für sich: wir haben
Eine Schwenkachse.
Wir liegen in der Kurve wie Klebestreifen.
Unser Motor ist:
Ein denkendes Erz.

Mensch, fahre uns!!

Wir fahren dich so ohne Erschütterung
Daß du glaubst, du liegst
In einem Wasser.
Wir fahren dich so leicht hin
Daß du glaubst, du mußt uns
Mit deinem Daumen auf den Boden drücken und
So lautlos fahren wir dich
Daß du glaubst, du fährst
Deines Wagens Schatten.

# SONGS ZU DEM STÜCK »HAPPY END«

## DER BILBAO-SONG

I

Bills Ballhaus in Bilbao
War das Schönste auf dem ganzen Kontinent.
Dort gab's für einen Dollar Krach und Wonne
Und was die Welt ihr eigen nennt.
Aber wenn Sie da hereingekommen wären
Ich weiß ja nicht, ob Ihnen so was grad gefällt.
Ach!
Brandylachen waren, wo man saß
Auf dem Tanzboden wuchs das Gras
Und der rote Mond schien durch das Dach.
'ne Musik gab's da, man konnte sich beschweren
Für sein Geld!
Joe, mach die Musik von damals nach.
    Alter Bilbaomond
    Wo noch die Liebe lohnt –
    's ist doll mit dem Text
    's ist schon so lange her –
    Ich weiß ja nicht, ob Ihnen so was grad gefällt, doch
    Es war das Schönste
    Es war das Schönste
    Auf der Welt.


2

Bills Ballhaus in Bilbao
An 'nem Tag gen Ende Mai im Jahre acht

Da kamen vier aus Frisco mit 'nem Geldsack
Die haben damals mit uns was gemacht.
Aber wenn Sie da dabeigewesen wären
Ich weiß nicht, ob Ihnen so was grad gefällt.
Ach!
Brandylachen waren, wo man saß
Auf dem Tanzboden wuchs das Gras
Und der rote Mond schien durch das Dach
Und vier Herren konnten Sie mit ihren Brownings
        schießen hören.
Sind Sie 'n Held?
Na, dann machen Sie's mal nach . . .
   Alter Bilbaomond
   Wo noch die Liebe lohnt –
   Ich kann den Text nicht mehr
   's ist schon zu lange her –
   Ich weiß ja nicht, ob Ihnen so was grad gefällt,
        doch
   Es war das Schönste
   Es war das Schönste
   Auf der Welt.


3

Bills Ballhaus in Bilbao
Heute ist es renoviert – so auf dezent
Mit Palme und mit Eiscreme ganz gewöhnlich
Wie 'n anderes Etablissement.
Aber wenn Sie da jetzt hereingesegelt kämen
's ist ja möglich, daß es Ihnen so gefällt.
Spaß!
Auf dem Tanzboden wächst kein Gras
Und der Brandy ist auch nicht mehr das.
Und der rote Mond ist abbestellt.
'ne Musik machen sie, da kann man sich nur schämen

Für sein Geld!
Joe, mach die Musik von damals nach.
  Alter Bilbaomond
  Das hab ich oft betont
  Ich hab sie nie geschont –
  Na, das ist ja der Text –
  Alter Bilbaomond
  's ist zu lange her . . .
  Ich weiß ja nicht, ob Ihnen so was grad gefällt, doch
  Es war das Schönste
  Es war das Schönste
  Auf der Welt.


DER MATROSEN-SONG


I

Hallo, jetzt fahren wir nach Birma hinüber
Whisky haben wir ja noch genügend dabei
Und Zigarren rauchen wir Henry Clay
Und die Mädels sind wir ja auch schon über.
Na, da sind wir eben jetzt so frei.
Denn andere Zigarren, die rauchen wir nicht
Und weiter wie Birma reicht dem Kasten der Rauch nicht
Und einen lieben Gott, den brauchen wir nicht
Und einen Anstand, den brauchen wir auch nicht.
Na also, good-bye!

Und das segelt so hin – und das kommt auch mal an
Und ein lieber Gott läßt sich nicht blicken.
Und dem lieben Gott, dem liegt vielleicht auch gar nichts daran
Und wenn, dann muß er sich drein schicken.
Na also, good-bye!

Mit Mensch-bei-mir-nicht und Na-wat-denn-mein-Sohn
Und fehlt's wo, dann laß mich's nur wissen
Und 'ne feinere Regung nicht um 'ne Million
Da wird eben auf alles geschissen.
   Und das Meer ist blau, so blau – und das geht alles seinen
       Gang
   Und wenn die Chose aus ist, dann fängt's von vorne an.
   Und das Meer ist blau, so blau – und das geht ja auch
       noch lang
   Und das Meer ist blau, so blau – und das Meer ist blau.


2

Da könnten wir z. B. mal ins Kino gehn
Das kostet Geld, das hat doch kein Gewicht.
Ja, graue Haare wachsen lassen wir uns nicht
Leute wie wir, die müssen sich auch mal amüsieren.
Denn für sie da gibt es keine Pflicht.
Zigarren unter 5 Cent, die rauchen sie nicht
Und Schwarzbrot verträgt doch ihr Bauch nicht
Und für andere sorgen, das brauchen sie nicht
Und mal in sich gehen, brauchen die auch nicht
Das hat kein Gewicht.

Und das lebt so dahin und das stellt so was an
Und ein lieber Gott läßt sich nicht blicken
Und dem lieben Gott, dem liegt vielleicht auch gar nichts
       daran
Und wenn, dann muß er sich drein schicken
Ja, warum denn nicht?

Mit Mensch-bei-mir-nicht und Na-wat-denn-mein-Sohn
Und fehlt's wo, dann laß mich's nur wissen
Und 'ne feinere Regung nicht um 'ne Million
Da wird eben auf alles geschissen.

Und das Meer ist blau, so blau – und das geht alles seinen
    Gang
Und wenn die Chose aus ist, dann fängt's von vorne an.
Und das Meer ist blau, so blau – und das geht ja auch noch
    lang
Und das Meer ist blau, so blau – und das Meer ist blau.


3

(Ja, da braucht jetzt nur einmal ein Sturm zu kommen.)
Na ja, da ist ja schon das Dock von Birma.
Halt du, das ist doch nur 'ne schwarze Wolkenwand
Mensch, und die Wellen, 's ist allerhand!
Mensch, das verschlingt uns ja die ganze Firma.
Ja, da sind wir jetzt glatt am Rand.
Bald sinkt das Schiff zu Grund, das Meer geht drüber
Und die versunken sind, sucht nur mehr der Hai
Da hilft kein Whisky mehr und keine Henry Clay.
Wo's jetzt hingeht, da geht kein Mädchen mehr mit rüber
Ja, da heißt's auf einmal jetzt good-bye!

Und das Wasser, das steigt, und das Schiff, das versinkt
Und ein rettender Strand läßt sich nicht blicken.
Nur ein Schiff, das nicht schwimmt, nur ein Strand,
    der nicht winkt
Und da muß jeder sich drein schicken.
Na also, good-bye!

Da hört man auf einmal keine großen Reden mehr
Da sind sie auf einmal alle ganz klein.
Da plappern sie plötzlich alle ein Vaterunser her
Da will's plötzlich keiner mehr gewesen sein.

Denn jetzt ist's vorbei, und
Jetzt will ich euch mal was sagen: das kennen wir schon!

Da wird ein Leben lang das Maul aufgerissen
Und steht so was dann vor Gottes Thron
Dann wird in die Hosen geschissen.
   Ja, das Meer ist blau, so blau – und das geht alles seinen
       Gang
   Nur wenn die Chose aus ist, fängt's nicht von vorne an.
   Ja, das Meer ist blau, so blau, und das geht ja auch noch
       lang
   Ja, das Meer ist blau, so blau, ja, das Meer ist blau.


DER SONG VON MANDELAY

Mutter Goddams Puff in Mandelay
Sieben Bretter an 'ner grünen See.
Goddam, was ist das für ein Etablissement!
Da stehen ja schon fünfzehn die Bretterwand entlang
In der Hand die Uhr und mit Hohé!
Gibt's denn nur ein Mensch in Mandelay?
   Menscher sind das Schönste auf der Welt
   Denn sie sind, zum Teufel, wert ihr Geld.
   Und es wäre alles einfach in der Ordnung
   Wenn der Mensch, der drin ist, nicht so langsam wär.
   Nehmt den Browning, schießt mal durch das Türchen
   Denn der Mensch, der drinnen, hindert den Verkehr.
   Rascher, Johnny, he, rascher, Johnny, he!
   Stimmt ihn an, den Song von Mandelay!
   Liebe, die ist doch an Zeit nicht gebunden.
   Johnny, mach rasch, denn hier geht's um Sekunden!
   Ewig nicht stehet der Mond über dir, Mandelay.


Mutter Goddams Puff in Mandelay
Jetzt ruht über dir die grüne See.
Ach, goddam, was war das für ein Etablissement!
Jetzt stehen keine fünf mehr die Bretterwand entlang!

Jetzt gibt's keine Uhr und kein Hohé!
Und kein Mensch mehr ist in Mandelay.
  Damals gab's noch Menscher auf der Welt
  Und die waren eben wert ihr Geld.
  Jetzt ist eben nichts mehr auf der Welt in Ordnung
  Und ein' Puff wie diesen kennt man heut nicht mehr
  Keinen Browning mehr und auch kein Türchen
  Wo kein Mensch ist, da ist auch kein Verkehr.
  Rascher, Johnny, he, rascher, Johnny, he!
  Stimmt ihn an, den Song von Mandelay!
  Liebe, die ist doch an Zeit nicht gebunden.
  Johnny, mach rasch, denn es geht um Sekunden!
  Ewig nicht stehet der Mond über dir, Mandelay.


## DAS LIED VOM SURABAYA-JOHNNY


I

Ich war jung, Gott, erst sechzehn Jahre
Du kamest von Birma herauf
Und sagtest, ich solle mit dir gehen
Du kämest für alles auf.
Ich fragte nach deiner Stellung
Du sagtest, so wahr ich hier steh
Du hättest zu tun mit der Eisenbahn
Und nichts zu tun mit der See.
Du sagtest viel, Johnny
Kein Wort war wahr, Johnny
Du hast mich betrogen, Johnny, in der ersten Stund
Ich hasse dich so, Johnny
Wie du dastehst und grinst, Johnny
Nimm die Pfeife aus dem Maul, du Hund.
  Surabaya-Johnny, warum bist du so roh?
  Surabaya-Johnny, mein Gott, ich liebe dich so.

Surabaya-Johnny, warum bin ich nicht froh?
Du hast kein Herz, Johnny, und ich liebe dich so.


2

Zuerst war es immer Sonntag
So lang, bis ich mitging mit dir
Aber schon nach zwei Wochen
War dir nichts mehr recht an mir.
Hinauf und hinab durch den Pandschab
Den Fluß entlang bis zur See:
Ich sehe schon aus im Spiegel
Wie eine Vierzigjährige.
Du wolltest nicht Liebe, Johnny
Du wolltest Geld, Johnny
Ich aber sah, Johnny, nur auf deinen Mund.
Du verlangtest alles, Johnny
Ich gab dir mehr, Johnny
Nimm die Pfeife aus dem Maul, du Hund.
    Surabaya-Johnny, warum bist du so roh?
    Surabaya-Johnny, mein Gott, ich liebe dich so.
    Surabaya-Johnny, warum bin ich nicht froh?
    Du hast kein Herz, Johnny, und ich liebe dich so.


3

Ich hatte es nicht beachtet
Warum du den Namen hast
Aber an der ganzen langen Küste
Warst du ein bekannter Gast.
Eines Morgens in einem Sixpencebett
Werd ich donnern hören die See
Und du gehst, ohne etwas zu sagen
Und dein Schiff liegt unten am Kai.
Du hast kein Herz, Johnny

Du bist ein Schuft, Johnny
Du gehst jetzt weg, Johnny, sag mir den Grund.
Ich liebe dich doch, Johnny
Wie am ersten Tag, Johnny
Nimm die Pfeife aus dem Maul, du Hund.
   Surabaya-Johnny, warum bist du so roh?
   Surabaya-Johnny, mein Gott, warum liebe ich dich so.
   Surabaya-Johnny, warum bin ich nicht froh?
   Du hast kein Herz, Johnny, und ich liebe dich so.

## BALLADE VON DER HÖLLENLILI

1

Wenn ich in der Hölle brenne
Wer sich davon was verspricht –
Ob nun 'ne besoffne Henne
Mehr verbrannt wird oder nicht –
Kurz und schlicht:
   Schließlich ist das doch erst morgen
   Morgen, das sind keine Sorgen
   Morgen interessiert mich nicht
   (Und mit morgen könnt ihr mich!)
   Ein Rat für morgen ist kein Rat
   Jeder bereut morgen, was er heut tat
   Jeder verreckt daran früh oder spat
   Doch um wen ist's schon schad?
   (Und mit morgen könnt ihr mich!)

2

Aber solltet ihr doch meinen
Daß ihr zuviel für mich tut

Ja, es könnte nur so scheinen
Und mir geht's gar nicht so gut –
Kurz und schlicht:
  Macht euch da nur keine Sorgen
  Glaubt mir: ihr besorgt mir's morgen
  Nur: das interessiert mich nicht
  (Denn mit morgen könnt ihr mich!)
  Ein Rat für morgen ist kein Rat
  Jeder bereut morgen, was er heut tat
  Jeder verreckt daran früh oder spat
  Doch um wen ist's schon schad?
  (Und mit morgen könnt ihr mich!)


3

Wenn ich meine Spesen nenne
Vor dem ewigen Gericht
Fragt sich's, ob ich dann noch brenne
Vielleicht brenne ich auch nicht –
Kurz und schlicht:
  Wie gesagt, das ist erst morgen
  Morgen, das sind keine Sorgen
  Morgen interessiert mich nicht
  (Und mit morgen könnt ihr mich!)
  Ein Rat für morgen ist kein Rat
  Jeder bereut morgen, was er heut tat
  Jeder verreckt daran früh oder spat
  Doch um wen ist's schon schad?
  (Und mit morgen könnt ihr mich!)

TEILS DER GEWOHNHEIT MEINESGLEICHEN FOLGEND

Teils der Gewohnheit meinesgleichen folgend, teils dem
      Auftrag
Habe ich ein Gedicht geschrieben für das Radio
Schildernd den Flug eines Fliegers über das Atlantische Meer
Im vergangenen Jahr.
Ich habe dazu entworfen den genauen Plan seiner
      Verwendung
Neuer Aufgaben der Apparate im Dienste der Pädagogik
Und alles drucken lassen nach meinem Recht als Schriftsteller.

Nach Wochen das Gedruckte durchlesend
Schien mir der Plan undurchführbar.
Die großen Institutionen
Wurden in ihm angesprochen mit Namen
Der Plan entsprach der genauen
Betrachtung der vorhandenen Apparate
Er deutete kindlich die unverkennbaren Anzeichen
Entstehender Bedürfnisse der Massen
Beruhte auf der zunehmenden Konzentration der
      Produktionsmittel
Und der Spezialisierung der Arbeitskräfte
Der dringenden Notwendigkeit geistiger Ausbildung
      möglichst vieler
Zur Bedienung unserer stetig feiner werdenden Maschinen
Und erstrebte zur Ermöglichung für die Arbeit notwendiger
      Mechanisierung
Eine einfache Schulung des Geistes in der Mechanik.
Viele Gründe ergaben den Plan jener öffentlichen Übung
Neuer Verwendung der vorhandenen ungenützten Apparate
Und entschuldigten ihn vor den Fachleuten, aber
Wie viele Gründe immer dafürsprachen – einer zumindest
Fehlte, den Plan
Auszuführen.

Nachdenkend über jenen Grund, der fehlte
Vielen Gründen gegenüber, die vorhanden waren

*Fragment*

DIESE ARBEITSLOSIGKEIT!

Meine Herrn, das ist sehr schwierig
Mit der Arbeitslosigkeit.
Wir ergriffen ja begierig
Jegliche Gelegenheit
Diese Sache zu – besprechen
Wann Sie wollen! Jederzeit!
Denn das muß ein Volk ja schwächen
Diese Arbeitslosigkeit.

Uns ist sie ja unerklärlich
Diese Arbeitslosigkeit.
Dabei ist sie so beschwerlich
Und es wär auch höchste Zeit!
Dabei darf man nicht einmal
Sagen, sie sei unerklärlich
Denn das ist ja auch fatal
Das verschafft uns nämlich schwerlich

Das Vertrauen bei den Massen
Und das ist uns unentbehrlich.
Man muß uns gewähren lassen
Denn das wäre ganz gefährlich
Jetzt das Chaos zu entfachen
In so ungeklärter Zeit!
So etwas darf man nicht machen
Bei der Arbeitslosigkeit!

Oder was ist Ihre Meinung?
Passen würd uns in den Kram
Diese Meinung: die Erscheinung
Wird verschwinden, wie sie kam.

Aber die erzählt uns hier nicht:
Unsere Arbeitslosigkeit
Geht nicht eher weg, eh ihr nicht
Arbeitslos geworden seid!

RAT AN DIE SCHAUSPIELERIN C. N.

Erfrische dich, Schwester
An dem Wasser aus dem Kupferkessel mit den Eisstückchen –
Öffne die Augen unter Wasser, wasch sie –
Trockne dich ab mit dem rauhen Tuch und wirf
Einen Blick in ein Buch, das du liebst.
So beginne
Einen schönen und nützlichen Tag.

SONETT ZUR NEUAUSGABE DES FRANÇOIS VILLON

Hier habt ihr aus verfallendem Papier
Noch einmal abgedruckt sein Testament
In dem er Dreck schenkt allen, die er kennt –
Wenn's ans Verteilen geht: schreit, bitte »Hier!«

Wo ist euer Speichel, den ihr auf ihn spiet?
Wo ist er selbst, dem eure Buckel galten?
Sein Lied hat noch am längsten ausgehalten
Doch wie lang hält es wohl noch aus, sein Lied?

Hier, anstatt daß ihr zehn Zigarren raucht
Könnt ihr zum gleichen Preis es noch mal lesen
(Und so erfahren, was ihr ihm gewesen ...)

Wo habt ihr Saures für drei Mark bekommen?
Nehm jeder sich heraus, was er grad braucht!
Ich selber hab mir was herausgenommen ...


HIER STANDEN DIE ALTEN MAUREN

Hier standen die alten Mauren
Und schauten aufs Meer hinaus
Und sagten, nun kann's nicht mehr lang dauern
Und dann ist's mit uns aus.

Und damit hatten die Mauren recht;
Denn jetzt ist's mit ihnen aus
Und da, wo sie standen, steht jetzt der Brecht
Und schaut aufs Meer hinaus.


EIN FISCH MIT NAMEN FASCH

Es war einmal ein Fisch mit Namen Fasch
Der hatte einen weißen Asch
Er hatte keine Hände zum Arbeiten nicht
Und er hatte keine Augen zum Sehen im Gesicht
In seinem Kopf war gar nichts drin
Und er hatte auch für nichts einen Sinn
Er kannte nicht das Einmaleins
Und von allen Ländern kannte er keins
Er war nur der Fisch Fasch
Und hatte eben seinen weißen Asch.

Und wenn die Menschen ein Haus bauten
Und wenn die Menschen Holz hauten
Und wenn die Menschen einen dicken Berg
        durchlochten
Und wenn die Menschen Suppe kochten
Dann sah der Fisch Fasch ihnen stumpfsinnig zu
Und wenn sie ihn fragten: Und was machst du?
Dann sagte er: Ich bin doch der Fisch Fasch
Und dies hier ist mein weißer Asch.

Gingen sie aber am Abend in die Häuser hinein
Dann ging der Fisch Fasch hinter ihnen drein
Und wenn sie sich setzten zum Ofen, nanu
Dann setzte sich der Fisch Fasch auch dazu
Und wenn die Suppe kam auf den Tisch
Dann saß da gleich auch mit einem großen Löffel
        ein Fisch
Und rief ganz laut: Jetzt esset rasch
Dann zeige ich euch meinen weißen Asch.

Da lachten die Leute und ließen ihn mitessen
Und hätten wohl auch seine Faulheit vergessen
Wenn nicht eine Hungersnot gekommen wäre
Und zwar keine leichte, sondern eine schwere
Und jetzt mußte jeder etwas bringen für die
        Hungersnot
Der eine brachte ein Stück Käse, der andere eine Wurst,
        der dritte ein Brot
Nur der Fisch Fasch brachte nichts als den Löffel mit.
Das sahen einige Leute; sie waren grad zu dritt.

Und da fragten sie mal den Fisch Fasch: Na, und du
Was gibst uns jetzt eigentlich du dazu?
Und da sagte der Fisch Fasch
Ja, wenn ich vielleicht meinen weißen Asch . . .

Aber da wurden die Leute zum erstenmal sehr bitter zu
          dem Fisch Fasch
Und redeten mit ihm plötzlich ganz basch
Und warfen ihn mal rasch
Durch die Eichentür und verhauten ihm draußen
          seinen weißen Asch.


SEIN ENDE

Und damit sein Verrecken ein Mond noch beglänze
Verläßt er noch vor seinem Ende die Stadt
Und erreicht mit Hast die ärmliche Grenze
Die der Lärm mit dem Schweigen vereinbart hat.

Und zwischen dreien Wellblechschuppen
Und einem stehengebliebenen Tannenbaum
Verzehrt er seine letzte Suppen
Und verbringt eine letzte Nacht ohne Traum.

Der Vormittag verging mit allerlei Sachen.
Mittags war es noch nicht warm. Wind kam von
          Norden her
Wolken, die gegen fünf Uhr über den Wäldern
          aufbrachen
Erreichten ihn nicht mehr.

Gegen Mitternacht versanken drei Kontinente
Gegen Morgen zu verfiel Amerika
Und es war, als er verging, als wär es nie gewesen
Alles, was er sah und was er nicht sah.

## SIE SAGT, SIE IST DIE TREUSTE FRAU DER WELT

I

Sie sagt, sie ist die treuste Frau der Welt
(Sie werden's glauben, wenn Sie sie gesehn)
Nur darf sie, sagt sie, niemals etwas trinken, sagt sie
Sonst kann sie, sagt sie, einfach für nichts stehn.
    Aber kann man eine solche Frau heiraten?
    Und mit ihr vereint durch dieses Leben gehn?
    Sie werden mir natürlich davon abraten
    Aber haben Sie sie schon einmal gesehn?
    Ach, da ist ja nicht ja
    Nein ist nicht nein
    Der, der sie einmal sah
    Geht mit ihr heim.
    Aber wenn Sie nicht wolln
    Bitte, ich will
    Fragen Sie nicht mich, was Sie solln
    Wenn Sie nicht zahlen wolln, soll Sie der Teufel holn
    Ach, sei'n Sie still!

2

Ich fragte sie, ob sie sehr gerne trinkt
Sie sagte nein, sie haßt nämlich den Wein
Nur darf man, sagt sie, sie nicht überreden, sagt sie
Sonst gibt sie nach, sie sagt sehr ungern nein.
    Aber kann man eine solche Frau heiraten?
    Und mit ihr vereint durch dieses Leben gehn?
    Sie werden mir natürlich davon abraten
    Aber haben Sie sie schon einmal gesehn?
    Ach, da ist ja nicht ja
    Nein ist nicht nein
    Der, der sie einmal sah

Geht mit ihr heim.
Aber wenn Sie nicht wolln
Bitte, ich will
Fragen Sie nicht mich, was Sie solln
Wenn Sie nicht zahlen wolln, soll Sie der Teufel holn
Ach, sei'n Sie still!

*Fragment*

ERINNERUNG AN EINE M. N.

1

Haltbar wie Kautschuk
Der bleibt, wie er ist
Den kannst du nicht umbiegen
Wer du auch bist.
    Doch warum nicht Rum aus dem Wasserglas
    Und warum nicht die hundert Prozent?
    Aber vielleicht ist es gut für was
    Wenn man das Bitterste kennt.

2

Fandest du sie billig
Sagtest du: Kattun?
Aber jetzt lüge nicht:
Hattest du sie nun?
    Doch warum nicht Rum aus dem Wasserglas
    Und warum nicht die hundert Prozent?
    Aber vielleicht ist es gut für was
    Wenn man das Bitterste kennt.

3

Warst du auf ihrem Bett?
Erzähle nichts! Deine Hand!
Ich weiß, auf dem Gange
Hat sie dich nicht mehr erkannt.
    Doch warum nicht Rum aus dem Wasserglas
    Und warum nicht die hundert Prozent?
    Aber vielleicht ist es gut für was
    Wenn man das Bitterste kennt.

4

Willst du sie vergessen
Zerreiß ihre Fotografie
Da wirst du sie schon vergessen
Aber ihre Wörter nie.
    Doch warum nicht Rum aus dem Wasserglas
    Und warum nicht die hundert Prozent?
    Aber vielleicht ist es gut für was
    Wenn man das Bitterste kennt.

5

Sage, es war finster
Sage, finster war gut
Merke dir, es war Ebbe
Und vergiß: es war Flut.
    Doch warum nicht Rum aus dem Wasserglas
    Und warum nicht die hundert Prozent?
    Aber vielleicht ist es gut für was
    Wenn man das Bitterste kennt.

6

Sagst du, du gingst weg von ihr?
Schwöre, daß du sie vergaßt!
Sage nicht, sie war nichts
Sage, daß du eine bessere sahst.
    Ach, warum Rum aus dem Wasserglas
    Und warum auch hundert Prozent?
    Freilich: vielleicht ist es gut für was
    Wenn man das Bitterste kennt.


EIN PAAR NEUE VERSE EINER SOEBEN
VERALTETEN MORITAT

Ja, wie kommt der Mensch zu Zaster?
Im Kontore kühl wie Eis
Sitzt der Bankier Mackie Messer, den
Man nicht fragt und der es weiß.

Auf des Hyde Parks dürrem Rasen
Sitzt ein ruinierter Mann
(Und durch Piccadilly, Stock und Hütchen, kannst
            du was lernen!)
Geht der Bankier Mackie Messer
Dem man nichts beweisen kann.


LIED DES POLIZEICHEFS

Ach, sie sind die besten Leute
Wenn man sie nicht grade stört
Bei dem Kampfe um die Beute
Welche ihnen nicht gehört.

Wird des Armen Lamm geschlachtet
Sind es meist der Schlächter zwei
Und den Streit der beiden Schlächter
Schlichtet dann die Polizei.


GRÜNDUNGSSONG DER NATIONAL DEPOSIT BANK

Nicht wahr, eine Bank zu gründen
Muß doch jeder richtig finden
Kann man schon sein Geld nicht erben
Muß man's irgendwie erwerben.
Dazu sind doch Aktien besser
Als Revolver oder Messer
Nur das eine ist fatal –
Man braucht Anfangskapital.
Wenn die Gelder aber fehlen
Woher nehmen, wenn nicht stehlen?
Ach, wir wolln uns da nicht zanken
Woher haben's die andern Banken
Irgendwoher ist's gekommen
Irgendwem haben sie's genommen.

# DIE DREI SOLDATEN

Ein Kinderbuch

## DIE DREI SOLDATEN

Der Krieg war vielen wunderbar
Aber einmal war er gar
Und man ging heim mit Qualen
Und begann seinen Krieg zu bezahlen.
   Längst sprachen vom Frieden die andern
Da waren noch in Flandern
Drei Soldaten und eine Kanon
Auf einer Bergesklipp am Meer, die wußten nichts davon.
Das kam, weil ihnen im vierten Jahr
Der Sergeant gefallen war
Und der Sergeant ist der einzige Mann
Der ihnen was befehlen kann.
Zerschossen war das Telefon
Und in dem Lärmen der Kanon
Hörten sie nicht das Läuten der Glocken
Sonst wären sicher auch sie erschrocken.
Es konnten zu ihnen auch keine Stafetten
Weil sie diese erschossen hätten
Denn sie hatten die Menschen in vier Jahren
Kennengelernt und was sie waren
Und erschossen sie, wo sie sie sahn
Drum konnte ihnen keiner nahn
Kein Mensch konnt zu ihnen, was nicht gar!
Weil ihre Stellung uneinnehmbar war.
   Diese drei Soldaten

Waren in den Weltkrieg geraten
Ohne daß man sie fragte, ob sie auch wollten
Eigentlich wußten sie gar nicht, was sie da sollten!
Als nun kam das vierte Jahr
War es ihnen offenbar
Daß es ein Krieg der Reichen war
Und daß die Reichen den Krieg nur führten
Damit die Reichen noch reicher würden.
  Die Drei hatten längst aufgehört sich zu schämen
Und sich irgend etwas übelzunehmen
Aber jetzt begannen sie sich zu hassen
Daß sie sich so was hatten gefallen lassen.
Und als sie merkten, der Feind bleibt stumm
Da drehten sie ihre Kanone um
Und beschossen kurzerhand
Jetzt auch einmal ihr eigenes Land.
  Denn sie hatten beschlossen, jetzt alle zu erschießen
Die sich etwas gefallen ließen
Und es gab da viele, die nicht zu mucksen wagten
Und zu allem Ja und Amen sagten
Und die mußten eben alle erschossen werden
Damit man sich endlich auskannte auf Erden.
Und so führten diese Drei
Einfach weiter die Schlächterei.


2

DIE DREI SOLDATEN UND DIE REICHEN

Die Reichen saßen in ihrem schönen Haus
Und sagten laut: Der Krieg ist aus.
Das war natürlich gar nicht wahr:
Der Krieg auf dem Papier war gar
Aber genau wie in den Kriegen

Starben die Leute wie die Fliegen
Und die Leute waren noch gar nicht alt
Da kam schon der Tod in vieler Gestalt.
Und zwar kam der Tod zu den ärmeren Leuten
Sie wußten schon gar nicht mehr, was das bedeuten
Sollte, denn was immer sie taten
Immer kamen die drei Soldaten.
Selbst wenn sie sich alles gefallen ließen
Kamen die Drei mit ihrem Erschießen
So daß sie bald nicht mehr aus noch ein wußten.
Es hießen die Drei aber Hunger, Unfall und Husten.

    Das Elend war ganz riesig schon
Da kam eines Tags eine Kommission
Zum lieben Gott der armen Leute.
Der saß wie gewöhnlich so auch heute
Mit den reichen Leuten gerade zu Tisch.
Und nunmehr zwischen Suppe und Fisch
Wurde Gott von der Kommission gebeten
Dem Elend der Welt entgegenzutreten.
Ihr hättet sehen sollen, was
Da vor sich ging! Das war kein Spaß:
Die reichen Leute wurden ganz blaß
Der liebe Gott trinkt überhaupt sein Glas nicht aus
Und bittet die reichen Leute in sein Haus
Wo er sofort den Antrag stellt
Daß das Elend entfernt werde aus der Welt.
    Sagten die Reichen von Mitleid voll:
»Soll man das Elend entfernen? Man soll!«
Nur, denken sie weiter (die denken scharf)
Daß es natürlich nichts kosten darf.
Und bei den Kosten angekommen
Haben sie sich gleich zusammengenommen
Und sie schauen einander an und sagen:
»Man muß das Elend leider ertragen.
Leider (man muß da wieder scharf denken)

Braucht man das Elend, um die Löhne zu senken.«
Da beschlossen die Reichen messerscharf
Daß das Elend nicht entfernt werden darf.
   Aber sie kamen dem lieben Gott entgegen
Und ließen sich zu einem andern Antrag bewegen:
»Du kannst das Elend nicht aufheben
Da müßten wir ja unser Geld hergeben
Du, das ist nichts für unser Ohr
Da schlagen wir dir etwas anderes vor:
Das Elend bleibt. So wie es war.
Du kannst es nicht ausrotten ganz und gar
Aber du machst es unsichtbar.«
Das Elend sollte also zwar weiterbestehn
Aber man sollte das Elend nicht mehr sehn.
Da sagte der liebe Gott nicht nein
Sondern sah wieder alles ein:
»Ich kann es nicht ausrotten ganz und gar
Gut, da mach ich es unsichtbar.«
Und von der Stund an, das ist wahr
War das Elend unsichtbar.
   *Daß die Reichen und ihr Gott das so machen*
*Das beweisen die Tatsachen:*
*In unseren Städten trotz ihres elektrischen Lichts*
*Sieht man von ihrem Elend fast nichts.*


3

DIE DURCHSICHTIGEN

Also waren die Drei unsichtbar geworden
Aber darum hörten sie nicht auf mit dem Morden.
Sie waren durchsichtig ganz und gar
Doch durch sie sah man durch, was dahinter war.
Also sah man durch sie das Unrecht auf der Erden

Wie die Leute gequält und ausgenutzt werden.
(Sie selber aber sah man nicht
Sie wirkten eher wie ein starkes Scheinwerferlicht.)
    Durch sie sah man das Kind, das friert
Und den Mann, der seinen Fuß verliert
In einer Maschine seinen Fuß
Weil er zu schnell arbeiten muß.
Den Mann, der keine Arbeit hat
Weil er zu alt ist für die Stadt.
Den Taglöhner, der den Grund aushebt
Und schlechter als ein Hofhund lebt.
Den Maurer, der das Haus baut dann
In dem er selber nicht wohnen kann.
Den Zimmermann, der dem Haus das Dach aufgibt
Wofür ein anderer das Geld einschiebt.
    Die drei Soldaten sah man nie
Doch sah man das Unrecht der Welt durch sie
Und weil sie durchsichtig waren wie Glas
Kam's, daß man ihre Anwesenheit oft vergaß.
Und die, denen es gut geht durch ihr Geld
Vergessen gern das Unrecht der Welt
Aber die drei Soldaten sorgten da
Daß man das Unrecht manchmal sah
Indem sie beschlossen, zu erschießen
Alle, die es sich gefallen ließen.


4

DIE DREI SOLDATEN UND DER ZUGFÜHRER

Der Abend stand vorm Bahnhofshaus
Da fuhr ein Zug aus der Halle heraus.
Die Türen waren zu. Es begann grad zu schnein.
Da stiegen noch drei Passagiere ein.

Sie traten durch die verschlossenen Türen
Bis nach vorn, wo die Heizer die Kohlen einschüren
Durch alle Waggons, ohne jemand zu fragen.
Sie setzten sich auf den Kohlenwagen.
Da sah sie keiner, das ist wahr
Sie waren nämlich unsichtbar.

    Als die Fahrt zehn Stunden gedauert hat
Sah einer von ihnen aufs Ziffernblatt
Und sah mit seiner finstersten Miene
Nach vorn nach dem Führer der Maschine
Und sagte den beiden andern unten:
»Das ist, wie wir's dachten: jetzt sind es zehn Stunden.«
Und der Heizer fing wieder mit Schüren an
Da sprach eine Stimme zu dem Mann
Der schweißbedeckt aus dem Bunker kroch:
»Wie lange, mein Sohn, fahrt ihr denn noch?«
Und in dem gleichen Augenblick
Schlug den Führer einer ins Genick
Daß ihm schwarz vor den Augen ward.
Er stellte noch auf halbe Fahrt
Da sah er schon etwas aus Stein
Das konnte nur eine Mauer sein
Da wollte er eben laut aufschrein
Da fuhr er in die Mauer hinein
Da sprang der Zug aus den Geleisen
Da konnte keiner weiterreisen
Da brach ihm schon sein Schädel ein
Da hörte er eine Stimme schrein:
»Wer so lang fährt, der will hinsein.«
Wer schrie das wohl? Ihr könnt es leicht raten:
Es war die Stimme eines Soldaten.

    *Daß die drei Soldaten so etwas machen*
*Das beweisen die Tatsachen:*
*Zugführer, die zu lange Dienst gemacht*
*Haben Züge zum Entgleisen gebracht.*

5

## DIE DREI SOLDATEN UND DIE WOHNUNGSNOT

Viel mehr als jemals durch die Kanonen
Sterben Leute, die in schlechten Häusern wohnen.
Das sind Häuser, an denen sieht jedes Kind
Daß darinnen zu viele Wohnungen sind.
Und daß es darin soviel Wohnungen gibt
Ist, damit der Hausherr die Miete einschiebt.
Und in jedem Zimmer, finster und klein
Müssen recht viele Leute sein
Die ganz eng aufeinanderpappen
Und sich die wenige Luft wegschnappen
Aber so viele müssen es sein
Damit der Hausherr ihr Geld steckt ein.
   Doch eines Tages im Monat Mai
Kommen die drei Soldaten vorbei
Die sehen den großen Haufen voll Stein
Und sagen: »Da gehen wir hinein.«
Und traben hinauf die engen Stiegen
Die so laut schrein und sich gleich biegen
Und schauen hinein in die dunklen Löcher
Und sagen: »Hier wohnen, scheint's, lauter Verbrecher.«
Und sehen viele Leute drin: Mann, Frau und Kind
Und daß wieder so viele in einem Zimmer sind.
Und werden gleich ganz wutentbrannt
Und stellen gleich die Leute an die Wand
Und schießen schrecklich auf sie ein
Und schießen alles tot und schrein:
»Wer so wohnt, groß oder klein
Der will anscheinend erschossen sein.«
   Wer in ein solches Haus hineingeraten
Den erschießen eben die drei Soldaten.
Sie schießen ihn nämlich in seine Lungen

Und so wird er von ihnen gezwungen
Daß er wieder heraus muß aus dem Haus
Und wenn auch mit seinen Füßen voraus.
  *Daß aber die Drei das wirklich machen*
  *Das beweisen die Tatsachen:*
  *In solchen Häusern weit und breit*
  *Herrscht eine große Sterblichkeit.*


6

DIE DREI SOLDATEN UND DER KINDERREICHTUM


Eines Tages kamen die drei Soldaten vorbei
Da hörten sie ein großes Kindergeschrei.
Sagte einer: »Nur eingetreten
Ich glaube, da müssen wir auch mitreden.«
Und als sie traten in das Zimmer stumm
Da saßen um einen Tisch elf Kinder herum
Das waren keine elf rotbackigen Kinder, sondern elf blasse
Und auf dem Tisch stand eine Tasse.
Die Tasse war aus Porzellan
Und die elf Kinder schauten sie an.
Das war nämlich die Tasse, die die Stadt
Ihren Eltern umsonst gegeben hat
Weil sie so viele Kinder hatten
Wenn auch hungrige und keine satten.
Jeder, der zwölf Kinder hat
Bekommt eine Tasse von der Stadt.
Und wirklich, die drei Unsichtbaren zählten genau:
Elf saßen am Tisch, und das zwölfte lag an der Brust der Frau.
  Da lächelten finster unsere Drei
Und sahen die Kinder an nach der Reih
Und einer von den drei Soldaten winkt
Und schreit die Kinder laut an: »Trinkt!«
Die Kinder streckten die Händchen aus

Und das größte nahm die Tasse heraus
Und wollte auch trinken, denn die Drei schauten her
Aber es konnte nicht trinken, denn die Tasse war leer.
Und im ganzen Zimmer war keine Milch und kein Brot
Sondern nur Kinder und Hunger und Not.

    Da schauten die Drei die Mutter an
Und fragten sie: wie sie so viele Kinder bekommen kann
Wo sie doch kein Essen hat für sie:
»Kannst du das nicht verhindern?« Da fragte sie: »Wie?
Das verbietet doch die Polizei!«
Da schüttelten den Kopf die Drei
Und fragten weiter: wie denn das sei?
Ob dann vielleicht die Polizei
Ihr auch die Milch für die Kinder schenkt?
Da sagte sie, daß die Polizei nicht dran denkt.
Da waren die Drei mit ihr unzufrieden
Und sagten bös: »So, das läßt du dir bieten?«

    Und nahmen ihr die Tasse weg
Und warfen sie vor ihren Augen in den Dreck
Und hielten sich nicht lange auf mit Drohn
Und schritten sofort zur Exekution
Und nahmen still die Kinder an die Hand
Und führten sie sorgsam an die Wand
Und faßten sie aber freundlich an
Weil man mit Kindern nicht so umgehen kann.
Und als sie standen in einer Reih
Da erschossen sie die Drei
Aber so leise, daß die Gören
Beinahe gar nichts davon hören
Sondern sie spüren nur einen Schmerz im Magen
Und den können sie nicht länger ertragen.

    *Daß die drei Soldaten es wirklich so machen*
*Das beweisen die Tatsachen:*
*Wenn arme Leute zuviel Kinder kriegen*
*Dann sterben diese Kinder wie die Fliegen.*

7

DIE DREI SOLDATEN UND DIE KIRCHE

Mehr als das Giftgas und die Kanonen
Vertilgen auf Erden die Religionen.
Wer diese Welt für sich behält
Verweist seinen Bruder auf eine andere Welt.
  Die drei Soldaten schliefen schlecht
Und drum waren sie immer gerne recht
Früh auf ihren Beinen.
Sie schienen auch zu meinen
Sie könnten etwas versäumen und nicht sehn
Drum wollten sie lieber früh aufstehn.
So ging einer von ihnen einmal früh um sechs ungefähr
Eine Stunde hinter einem Jungen her.
Der sah nicht so aus wie ihr
Sondern weiß und dünn wie ein Papier
So wie er auch nicht schlief wie ihr im Bett
Sondern herumlief mit einem Brett
Auf dem lagen knusprig, lecker und fest
Die Brötchen, die ihr morgens eßt.
  Der Soldat ging lange hinter ihm her
Und dachte sich und wünschte sehr
Der Junge möchte auch nicht vergessen
Selber eins von den Brötchen zu essen
Denn er sah doch in dem Morgenlicht:
Der Hunger stand ihm im Gesicht.
Aber der Junge legte Brötchen vor fremde Türen.
Da begann der Soldat ein Gespräch zu führen.
  Der Soldat fragte: »Hast du Hunger, Kind?«
»Gewiß doch.« Die Antwort kam geschwind.
Sagte der Soldat: »Wenn du Hunger hast, iß!«
Sagte der Junge: »Keinen Biß.«
Sagte der Soldat: »Das ist dumm.«

Fragte ihn der Junge: »Warum?«
»Wer das Essen kocht, der muß selber auch essen.«
Sagte der Junge: »Kommt darauf an, wessen
Essen er ißt. Es gibt Mein und Dein.«
Sagte der Soldat zu ihm: »Nein.«
Der Junge sah ihm ins Gesicht
Und sagte: »Fremdes Brot esse ich nicht.
Das ist doch klar, daß man als Christ
Was einem nicht gehört, nicht ißt
Ganz gleich, ob man hungrig ist oder satt
Weil dafür der Christ sein Abendmahl hat.«
»So, und wann kriegst du dein Abendmahl?«
Der Junge nannte ihm Tag, Kirche und Portal.
Er kletterte eine Treppe hinauf
Da schrieb der Soldat die Kirche auf.
    Die Orgel spielte, die Gemeinde sang
Da gingen drei Unsichtbare das Kirchenschiff lang.
Sie gingen nach vorn, wo Kerzen brannten
Und sahen sich die Jungen an, die dort standen.
Und der eine sagte: »Hier muß es sein.
Hier gibt es angeblich kein Mein und Dein.
Das ist er, neben der Frau, die weint
Der Magre dort, das ist mein Freund.
Der kriegt heute hier etwas zum Fressen.«
Die zwei Soldaten grinsten. Indessen
Winkte der Pfarrer den Magren zu sich
Die Orgel spielte feierlich
Der Junge ging still zu dem Pfarrer hin
Und drei Unsichtbare stellten sich hinter ihn.
Sie paßten scharf auf und ohne Scham
Was ihr Freund zu essen bekam.
Da nahm der Pfarrer eine Oblate und
Gab sie dem Jungen in den Mund.
Die gab er ihm in Gottes Namen.
Der Junge sagte eben noch Amen

Da schlug ihm eine große Hand
In das Gesicht, daß sein Sinn verschwand.
Das war die Hand von dem Soldaten
Der war in großen Zorn geraten.
Der Junge wurde hinausgetragen
Da sagte ein Weib: »Er hat nichts im Magen.«
Da waren alle beruhigt sofort
Und hörten weiter auf Gottes Wort.
   *Daß die drei Soldaten das wirklich so machen*
*Das beweisen die Tatsachen:*
*Wer seine Sach auf Gott gestellt*
*Den jagen sie aus dieser Welt.*


8

DIE DREI SOLDATEN UND DIE MEDIZIN

In Moabit vor einer Fabrik
Standen drei Unsichtbare mit bösem Blick.
Sie standen nämlich in einer großen
Hungrigen Menge von Arbeitslosen.
Die wollten alle in die Fabrik hinein
Aber das Tor war zu und aus Stein.
   Die drei Soldaten standen eben davor
Da kamen zweie heraus aus dem Tor.
Es waren zwei Mädchen, weiß wie die Wand
Eine hatte eine verbundene Hand.
Sie gingen, die Drei hinterher, gradaus
Die Straße hinab und dann in ein Haus
Mit einem Ärzteschild, und dabei
Stand ausdrücklich, daß der Arzt praktisch sei.
   Da warteten die Drei vor dem Haus
Und bald kamen die Mädchen wieder heraus.
»Alles in Ordnung?« fragten die Drei vor dem Tor.

»Nein«, sagte das eine Mädchen, »wir müssen zuvor
Den Krankenschein holen.« »Sonst«, sagte die Blasse
»Kriegt der Arzt nicht sein Geld von der Krankenkasse.«
»Und da seid ihr wieder gegangen?« fragten die drei Soldaten
Und begannen sogleich in Zorn zu geraten.
Und einer schrie: »Zeig mal her die Hand!«
Und riß ihr ab den dünnen Verband.
Sie war nämlich nur mit einem schmutzigen Lappen verbunden.
Da nahm er die Hand und hielt sie nach unten.
Und weil sie wirklich ganz und gar
Von der Zupfmaschine zerrissen war
Floß ihr ganzes Blut aus ihr heraus
So daß sie starb vor dem Arzt seinem Haus.
  *Daß die Kassenärzte so etwas machen*
*Das sind Tatsachen.*
*Die Leute in den Krankenkassen*
*Müssen es sich gefallen lassen.*


9

DIE DREI SOLDATEN UND DER WEIZEN

Der große Mangel an Weizen und Brot
Macht mehr Leute als der Weltkrieg tot.
Im vorigen Jahr in Amerika
Wuchs überall Weizen, so weit man sah.
Und wenn man ging drei Wochen gradaus.
Rechts und links ging der Weizen nicht aus.
Und alle Leute, die man frug
Sagten: Heuer gibt's Brot genug.
Kurz, es gab so viel Weizen im vorigen Jahr
Daß es für alle Menschen genügend war
Und hätten alle zu essen bekommen
Der Weizen hätte kein Ende genommen.

Und als nun endlich im vorigen Jahr
All der Weizen beisammen war
Da kamen fünf reiche Leute einher
Die gossen den Weizen in das Meer.
Denn diesen fünf Leuten gehörte der Weizen so gut
Wie dir dein Stiefel und mir mein Hut.
Und wenn's zuviel Weizen gibt auf der Erd
Dann ist er nicht mehr soviel wert
Denn etwas, wovon es zuviel gibt
Wird schlecht bezahlt und ist nicht beliebt:
Da kaufen die Leute dann nichts und laufen
Woanders hin, wo sie es billiger kaufen.
Drum sagten die reichen Leute verdrossen:
»Der Weizen wird in das Meer gegossen.
Wenn man die Hälfte ins Meer ausleert
Ist die andere Hälfte wieder was wert.
Dann gibt's wieder wenig Brot auf der Welt
Und dann zahlen die Leute dafür viel Geld.
Und die Leute, die kein Geld haben, sollen
Steine essen, wenn sie essen wollen.«
   Sie warfen das Brot in die Meeresflut
Wie du deinen Stiefel und ich meinen Hut.
Da kann keiner was machen, wenn einer zerstört
Was er bezahlt hat und was ihm gehört!
   Ein Eisenbahnzug fuhr am Meer entlang
Draus warfen sie Korn ins Meer, das versank
Ein ganzer Eisenbahnzug im Nu
Und tausend Leute schauten zu.
Die armen Leute standen herum
Und sahen zu und blieben stumm.
   Das Korn floß eben in das Meer
Da kamen die drei Soldaten daher.
Sie sahen den Weizen zum Teufel gehn
Und die armen Leute stumm dabeistehn
Und wie sie sahen, daß keiner was tut

Bekamen sie eine solche Wut
Daß sie nicht mehr wußten, was sie taten
Und zogen heraus ihre Handgranaten
Und schmissen sie in die Leute hinein.
Die fielen um in großen Reihn.
Da sagten die Drei: »Denen haben wir's aber gegeben
Die wollten ja doch nicht länger leben
Sonst hätten sie sich sicher gewehrt
Wenn man ihr Brot in das Meer ausleert.«
   *Daß die Drei das wirklich genau so machen*
*Das beweisen die Tatsachen:*
*Denn wenn sie kein Brot zum Essen kriegen*
*Dann sterben die Leute wie die Fliegen.*


10

DIE DREI SOLDATEN UND DIE JUSTIZ

Mitten in der Stadt lag ein großes Gebäude
Drin saßen die Söhne wohlhabender Leute
Für so und so viel Geld im Monat (und nicht
Gerade wenig) über die Armen zu Gericht.
   Eines Tags – die Gerichtsferien waren grad aus –
Stand wieder einmal ein Arbeiter in diesem Haus.
Der war angeklagt wegen Landesverrat
Der Staatsanwalt bewies ihn gerad.
Da traten drei Unsichtbare ein
Und setzten sich in die hintersten Reihn.
   Der Staatsanwalt bewies sonnenklar
Daß der Arbeiter ein Verräter war.
Er hatte auch einen Beweis in der Hand
Das war ein Brief von »Ungenannt«.
In dem stand es ganz sonnenklar
Daß der Arbeiter ein Verräter war.

(Der Schreiber wurde nicht genannt
Nur das: er war ein Fabrikant.)
   Und dann hatte er noch einen Beweis in der Mappe
Und dieser Beweis war auch nicht von Pappe.
Er brachte ihn leise, wie hingehaucht:
»Der Mann hat nämlich Geld gebraucht.«
Und das begriffen die drei im Talar
Weil der Mann nämlich ein Arbeiter war
Und ein Arbeiter, das weiß doch die ganze Welt
Bekommt für die Arbeit zu wenig Geld.
   Der Arbeiter sah die drei im Talar
Und sagte: »Es ist ja alles nicht wahr.
Ich weiß nicht, wo ihr eure Waffen
Versteckt: ich hab mit eurem Staat nichts zu schaffen.«
   Die Richter gaben natürlich nichts drauf
Nur drei Unsichtbare standen hinten auf
Die sagten zu sich: in seinem Gesicht
Steht, daß er die Wahrheit spricht.
   Der Richter ordnete seinen Kragen
Und fragte: »Haben Sie noch was zu sagen?«
Der Arbeiter sagte: »Es hat keinen Sinn.«
Da setzten sich noch drei Unsichtbare an den Richtertisch hin.
(Zwischen je zwei Richtern eine Lücke war
Darin saßen sie. Unsichtbar.)
Dann urteilten die Richter. Sichtbare und unsichtbare.
Und gaben dem Arbeiter Zuchthaus: 15 Jahre.
Der Mann wollte noch fragen: w o f ü r ?
Da waren die Richter schon durch die Tür
Abzulegen das Kleid der Gerechtigkeit
Und anzulegen ein anderes Kleid.
(Denn sie hatten zweierlei Kleider.)
Da sprachen drei Stimmen das Urteil weiter:
   »Dafür, daß du es gebilligt hast
Daß dich ein solcher Mensch anfaßt
Der niemals Hunger gehabt hat

Und keine Nacht ohne Obdach war in der Stadt
Sondern als reicher Leute Sohn
Von dir bezahlt wird von deinem Lohn
Daß er das, woran dir's gebricht
Dir im Namen des Gesetzes abspricht
Und einen Mann ohne Namen mit Geld
Für einen Zeugen der Wahrheit hält.«
    *Daß die drei Soldaten so ein Urteil fällen*
*Das kann man sich vorstellen:*
*Wer solche Gerichte über sich duldet*
*Der ist eben schuld. Denn er schuldet*
*Es der Gerechtigkeit*
*Daß er sie von solchen Gerichten befreit.*


11

DIE DREI SOLDATEN UND DAS GIFTGAS

Vor der Stadt ein gutes Stück
Sahen die drei Soldaten eine Fabrik.
Aus dem Schornstein stieg ein weißlicher Rauch
Mit großem Gestank zum Himmel. Auch
Waren die Tore sehr geschlossen
Das hat die drei Soldaten verdrossen.
    Sie gingen sogleich in die Stadt zurück
Und fragten: »Was fabriziert die Fabrik?«
Da sagten die Leute: »Hm!«
Und sahen sich scheu um.
Nur ein Arbeiter sagte, was er meinte:
»Die Fabrikanten machen da was gegen ihre Feinde.«
Da fragten die Drei: »Und was sagt ihr dazu?«
Die Leute sagten: »Laßt uns in Ruh!
Wir müssen verdienen und fragen nicht wo.«
Die drei Soldaten sagten: »So.«
    Die Nacht kam. Still lag die Fabrik im Moor

Da gingen drei Unsichtbare durch das Tor.
Sie gingen die Fabrikanlagen besehn
Und blieben vor einem riesigen Ofen stehn.
Dann legten sich zweie von den Drei'n
Auf den Boden und bliesen in den Ofen hinein.
Und dann stieg einer auf das Dach der Fabrik
Und zog aus der Tasche einen langen Strick
Und machte eine Schlinge daraus
Da kam schon eine giftige Wolke aus dem Schornstein heraus.
Da sagte der eine Unsichtbare nur: »Hm!«
Und legte dieser Wolke die Schlinge um.

   Als die Drei wieder herauskamen aus der Fabrik
Hielten sie die giftige Wolke wie einen Drachen an ihrem Strick
Und zogen sie (sie zogen schwer)
Hoch am Himmel hinter sich her.
Und wie die Uhr früh um fünf geschlagen hat
Da standen die Drei auf einem Platz mitten in der Stadt
Und zogen die Wolke an ihrem Strick
Mit aller Kraft wieder auf den Boden zurück.

   Die Arbeiter wollten gerade aufstehn
Um wieder in die Fabrik zu gehn
Da merkten sie plötzlich, sie können nicht schnaufen.
Sie wollten noch an die Fenster laufen
Aber da bekam sie das Gas schon zu fassen
So mußten sie das Laufen lassen
Und umfallen und keine Luft mehr kriegen.

   Die drei Soldaten sahen sie liegen
Und sagten: »So haben wir das verstanden:
Soll das Giftgas der Fabrikanten
Etwas gegen ihren Feind sein
So kann damit nur der Arbeiter gemeint sein.«

   *Daß die drei Soldaten so etwas machen*
*Das sind Tatsachen:*
*Denn das Giftgas, wie man's nimmt*
*Ist immer für Proletarier bestimmt.*

12

DIE DREI SOLDATEN UND DER LIEBE GOTT

Der liebe Gott seit tausend Jahr
Verheiratet mit seiner Kirche war.
Die Kirche lebte gerne gut
Ihr Kleid war scharlach, Gold ihr Hut
So daß, wie jedes Kind einsieht
Der liebe Gott in große Schulden geriet.
Die Kirche stellte viele Diener an
Die trugen eine teure schwarze Soutan
Die aßen Weißbrot und tranken Wein
Und wollten alle erhalten sein.
    Das alles zahlten die armen Leut
Und zwar bis zur Bewußtlosigkeit.
Sie legten das Geld für den lieben Gott aus
Davon lebten die Diener in Saus und Braus.
    Als nun Gott bis über sein weißes Haar
Den armen Leuten verschuldet war
So daß er nie mehr, nicht mit Sonne und Mond
Ihnen ihr Geld zurückzahlen konnt
War er gequält von Gewissensbissen
Bis daß ihm seine Nerven rissen.
Und bei Nacht, von oben ertönte Gesang
Verließ er sein Haus durch den Kücheneingang.
Denn er dachte, daß es übles Gerede gäbe
Wenn er weiter in Prunk und Überfluß lebe.
    Aber bevor er begann seine Flucht
Hätte er gern noch ein Buch gesucht
Das, wie er ganz genau noch wußte
In einer Kiste im Speicher liegen mußte.
Das hatte er in seiner Jugend geschrieben
Und es war auch nicht ganz unbekannt geblieben.
In dem Buch, daran erinnerte er sich genau

(Er hatte es oft gesagt seiner Frau)
Stand: die Armen seien die besseren Leute.
Das war wahr und das stimmte auch noch heute.
Er hätte nun gern die Folgerungen daraus noch einmal gelesen
Denn Folgerungen waren doch wohl sicher dabeigewesen.
Jedenfalls hätte er es gern gewußt
Aber dann hätte er nachts auf den Speicher gemußt
Und das hielten seine Nerven nicht mehr aus
Darum verließ er ohne das Buch das Haus.

   Als er nun ziellos herumgezogen
Kam er unter einen Brückenbogen
Da sah er drei Unsichtbare hocken
Er fühlte gleich seinen Herzschlag stocken.
Und alsbald wurde eine Frage an ihn gestellt
Und drei Unsichtbare fragten nach einem Geld –
Das war das verschwundene Geld von den armen Leuten
Und er sah drei Finger auf sich deuten.

   Da sagte der liebe Gott beklommen
Er wisse gar nicht, wie es gekommen
Daß man den Ärmsten ihr Geld genommen.
Er selber sei niemals dafür gewesen.
Nur die Repräsentationskosten! und die Spesen!
Und die teure Kirche mit ihrem Prassen!
Er selber habe es sich eigentlich nur gefallen lassen.

   Doch kaum war gesprochen dieses Wort
So sahen sich die Drei an sofort
Und sahen in schreckliche Gesichter
Und wurden wieder Bösewichter
Eben der Hunger, der Unfall und der Husten
Die alles durften und nichts mußten
Und waren sofort wutentbrannt
Und stellten den lieben Gott an die Wand
Und schossen brüllend auf ihn ein
Er konnte gar nicht so schnell schrein
Die Drei wollten gar nichts mehr hören

Sie schrien: »So einer kann sich nicht beschweren!«
Und erschossen ihn zur selbigen Stund
So daß Gott aus der Welt verschwund.
  *Daß die drei Soldaten das machen*
*Das sind Tatsachen.*
*Drum bei dem großen Arbeiterheer*
*Gibt es den lieben Gott nicht mehr.*

13

DIE DREI SOLDATEN UND DER KLASSENKAMPF

Als Gott aus der Welt war
Da war auch nichts mehr unsichtbar.
Und alsbald wurde laut, was schwieg
Der Frieden wurde sichtbar als ein Krieg.
  Die Stadt in grauem Nebel lag
Es war ein gewöhnlicher Vormittag.
Die drei Soldaten gingen durch die Straßen
Sie hatten ihre Gewehre unter der Brücke gelassen
Da hatten sie plötzlich eine Vision:
Sie hörten auf einmal eine Kanon.
Durch das Autohupen und Trambahnrollen
Durch das Sausen der U-Bahnstollen
Drang plötzlich Kanonendonner an ihr Ohr.
Doch war nichts anders als zuvor.
Die Leute gingen ruhig wie gewöhnlich über den Damm
Ihrem Geschäft nach, da war es gleichsam
Als gingen sie plötzlich schneller jetzt
So als würden sie gehetzt
So als ob hinter ihnen her
Schösse ein richtiges Maschinengewehr
(Das schoß ohne Soldaten)
Da fielen sie auch schon um in Schwaden.

Die Häuser standen eben noch ruhig dort
Da waren plötzlich die Mauern fort
Und hinter der verschwundenen Wand
War ein blutiger Krieg entbrannt.
Da wälzten sich Menschenknäuel im Kampf
Von unten nach oben ging durch die Häuser ein Krampf.
Ohne zu reden und ohne zu schrein
Hieben sie aufeinander ein!
Da kamen auch schon von den Enden der Straßen
Bis an die Zähne bewaffnete Massen
Die kämpften über und unter dem Boden
Und füllten die Stadt mit Krüppeln und Toten.
Aber ohne daß sich im täglichen Leben der Städte
Irgend etwas geändert hätte.
Zwischen Trambahnklingeln und Autohupen
Schlachteten sich stumm die Gruppen
Und jeder Mensch in Restaurant, Bahn, Büro
Wurde bekämpft und kämpfte so.
Und mit jeder Tat und mit jedem Wort
Führt er den Kampf der Klassen fort:
Es kämpfte mit dem Messer
Der Koch mit dem Esser
Der Arzt kämpfte mit dem Kranken
Der schlug dem Wärter die Zähne in die Flanken
Der Hauswirt legte dem Mieter Schlingen
Der Mieter versuchte, ihn umzubringen.
Es rangen Richter und Angeklagte
Der Lehrer bekämpfte den, der ihn fragte.
Der Schreiber mit dem Leser
Der Verweste mit dem Verweser:
Es war ein ungeheuerer Krieg
Der kannte Opfer, doch keinen Sieg.
    Als die drei Soldaten das so sahn
Da war's, als hielte ihr Herzschlag an.
Sie merkten, sie ertrugen's nicht

Drum wandten sie ab das Gesicht
Und machten ihre Augen zu.
Da war auf einmal wieder Ruh
Die Stadt im grauen Nebel lag
Es war ein gewöhnlicher Vormittag.

    Erträgt man nicht die Tatsachen
Dann muß man die Augen zumachen.
Dann sagt man, damit man den Schrecken vergißt
Mitten im Krieg einfach: daß Frieden ist.
Und es brüllen ja auch keine Kanonen
Wo Menschen in nassen Häusern wohnen.
Man schießt nicht hin mit Geschützen
Wo Menschen vor leeren Tellern sitzen.
Man treibt kein Gelbkreuzgas in die Fabriken
Wenn Menschen an der Maschine ersticken.
Sondern man sagt: es ist Frieden.
So wird die Revolution vermieden.


14

DIE DREI SOLDATEN IN DER STADT MOSKAU

Die Drei hatten den Krieg schon satt
Da kamen sie in eine neue Stadt
Und als sie gingen sich umzusehn
Da sahen sie überall lauter Arbeiter gehn.
Da war es ihnen natürlich klar
Daß die Stadt die Stadt Moskau war.
Da sagten die Drei zueinander: »Kein Bangen
Wir wollen gleich mit dem Schießen anfangen.«
Doch solange sie gingen durch diese Gassen
Fanden sie keinen, der sich hätte etwas gefallen lassen.
Da war wohl Elend noch vorhanden
Aber niemand war damit einverstanden.

Statt dessen hörten die Drei in jedem Haus:
Das Elend muß aus der Welt hinaus.
 Und allsogleich kam eine Menschenmenge
Und trieb die Drei in eine Enge
Und rief sie bei ihrem Namen an
Damit alle Welt sie erkennen kann.
»Du bist der Hunger!« schrien sie
»Du wirst erschossen jetzt, du Vieh!«
»He, Unfall!« schrien sie, »seht mir den!
Den wollen wir auch nicht mehr sehn.«
»Husten, du hast genug gebellt
Du Hund, jetzt mußt du aus der Welt!«
Und sie bestimmten, es sollten die drei Gefährten
Auf dem Roten Platze erschossen werden.
Da wurde es den Dreien schlecht
Sie sagten heiser: »Da habt ihr recht.«
 Und als sie sahen in den Stahl
Da lachten die Drei, zum erstenmal
Und sagten: »Jetzt haben wir hier gesprochen mit allen
Und keiner läßt sich das Elend gefallen.
Das sind Leute, die haben einen Verstand
Die stellen uns einfach an die Wand.«
Sie schrien noch mitten im Erschießen
Daß sie sich's gern gefallen ließen.

WER SICH WEHRT

Wer sich wehrt, weil ihm die Luft weggenommen wird
Indem man ihm den Hals zupreßt, vor den stellt sich ein
        Paragraph
Und schreit, er hat in Notwehr gehandelt. Aber
Dieser selbe Paragraph wendet sein Gesicht weg und tritt
        auf die Seite
Wenn ihr euch wehrt, weil euch das Brot weggenommen
        wird.
Und doch stirbt, wer nicht ißt und wer zu wenig ißt
Wenn auch langsam. Alle die Jahre, die er stirbt
Darf er sich nicht wehren.


WER KEINE HILFE WEISS

Wie soll die Stimme, die aus den Häusern kommt
Die der Gerechtigkeit sein
Wenn auf den Höfen die Obdachlosen liegen?

Wie soll der kein Schwindler sein, der den Hungernden
Anderes lehrt, als wie man den Hunger abschafft?

Wer den Hungernden kein Brot gibt
Der will die Gewalttat

Wer im Nachen
Keinen Platz für die Versinkenden hat
Der hat kein Mitleid

Wer keine Hilfe weiß
Der schweige.

WOHIN ZIEHT IHR?

1

Wohin zieht ihr? Freilich
Wo ihr immer hinzieht, dort
Wird es schlechter sein, und
Wo immer ihr wegzieht, dort
War es besser.

2

Wovor flieht ihr? Eurem Elend
Werdet ihr nicht entfliehen.
Niemand hält euch, hier
Werdet ihr nicht vermißt.
Wo ihr hinkommt
Seid ihr nicht willkommen.

3

Ihr fürchtet das Unten
Ihr seid noch nicht unten.
Ihr werdet erkennen: es gibt
Mehr als ein Unten
Wenn ihr meint, ihr seid unten.

4

Könnt ihr nicht halt machen
Könnt ihr nicht umkehren?
Ihr flieht, aber
Wohin flieht ihr?
Euerm Elend

Werdet ihr nicht entgehn.
Macht also halt. Schaut euch um.


5

Wenn ihr erkennen würdet, wohin ihr geht
Würdet ihr haltmachen.
Wenn ihr wissen würdet
Was mit euch geplant ist
Würdet ihr euch umschauen.


6

Wißt, daß ihr eure Lage verbessern könnt!


## SORGFÄLTIG PRÜF ICH

Sorgfältig prüf ich
Meinen Plan: er ist
Groß genug, er ist
Unverwirklichbar.


## DAS LIED DER OBDACHLOSEN

1

Wir wollten ein Obdach haben
Sie sagten: Geht mal rasch dorthin!
Wir schrien wie die Raben:
Wir werden ein Obdach haben.
Da waren überall schon Leute drin.
  Denkt mal nach, aber strengt euch an
  Weil das nicht immer so gehen kann.

2

Wir wollten eine Arbeit finden
Sie sagten: Stellt euch mal dort an!
Da war der Betrieb schon pleite
Und vor ihm standen Leute
Und fragten uns, wo man was finden kann.
    Denkt mal nach, aber strengt euch an
    Weil das nicht immer so gehen kann.


3

Wir sagten: Da gehn wir schwimmen.
Das Wasser war von uns ganz voll
Wenn wir geschwommen haben
Wolln wir zurückkehrn und sie fragen:
Wie es jetzt weitergehen soll.
    Denkt inzwischen nach, aber strengt euch an
    Weil das nicht immer so gehen kann.


DAS FRÜHJAHR

1

Das Frühjahr kommt.
Das Spiel der Geschlechter erneuert sich
Die Liebenden finden sich zusammen.
Schon die sacht umfassende Hand des Geliebten
Macht die Brust des Mädchens erschauern.
Ihr flüchtiger Blick verführt ihn.

2

In neuem Lichte
Erscheint die Landschaft den Liebenden im Frühjahr.
In großer Höhe werden die ersten
Schwärme der Vögel gesichtet.
Die Luft ist schon warm.
Die Tage werden lang und die
Wiesen bleiben lang hell.

3

Maßlos ist das Wachstum der Bäume und Gräser
Im Frühjahr.
Ohne Unterlaß fruchtbar
Ist der Wald, sind die Wiesen, die Felder.
Und es gebiert die Erde das Neue
Ohne Vorsicht.

SPORTLIED

Kommend aus den vollen Hinterhäusern
Finstern Straßen der umkämpften Städte
Findet ihr euch zusammen
Um gemeinsam zu kämpfen.
Und lernt zu siegen.

Von den Pfennigen der Entbehrung
Habt ihr die Boote gekauft
Und vom Mund abgespart ist das Fahrgeld.
Lernt zu siegen!

Aus den zermürbenden Kämpfen um das Notwendigste
Für wenige Stunden

Findet ihr euch zusammen
Um gemeinsam zu kämpfen.
Und lernt zu siegen!


SOLIDARITÄTSLIED

Auf, ihr Völker dieser Erde!
Einigt euch in diesem Sinn:
Daß sie jetzt die eure werde
Und die große Nährerin.
   Vorwärts und nicht vergessen
   Worin unsre Stärke besteht!
   Beim Hungern und beim Essen
   Vorwärts, nie vergessen
   Die Solidarität!

Schwarzer, Weißer, Brauner, Gelber!
Endet ihre Schlächterein!
Reden erst die Völker selber
Werden sie schnell einig sein.
   Vorwärts und nicht vergessen
   Worin unsre Stärke besteht!
   Beim Hungern und beim Essen
   Vorwärts, nie vergessen
   Die Solidarität!

Wollen wir es schnell erreichen
Brauchen wir noch dich und dich.
Wer im Stich läßt seinesgleichen
Läßt ja nur sich selbst im Stich.
   Vorwärts und nicht vergessen
   Worin unsre Stärke besteht!
   Beim Hungern und beim Essen

> Vorwärts, nie vergessen
> Die Solidarität!

Unsre Herrn, wer sie auch seien
Sehen unsre Zwietracht gern
Denn solang sie uns entzweien
Bleiben sie doch unsre Herrn.
> Vorwärts und nicht vergessen
> Worin unsre Stärke besteht!
> Beim Hungern und beim Essen
> Vorwärts, nie vergessen
> Die Solidarität!

Proletarier aller Länder
Einigt euch und ihr seid frei.
Eure großen Regimenter
Brechen jede Tyrannei!
> Vorwärts und nie vergessen
> Und die Frage konkret gestellt
> Beim Hungern und beim Essen:
> Wessen Morgen ist der Morgen?
> Wessen Welt ist die Welt?

## BALLADE VOM TROPFEN AUF DEN HEISSEN STEIN

I

Der Sommer kommt, und der Himmel des Sommers
Leuchtet auch euch.
Das Wasser ist warm, und im warmen Wasser
Liegt auch ihr.
Auf den grünen Wiesen habt ihr
Eure Zelte aufgeschlagen. Die Straßen

Hörten euren Gesang. Der Wald
Nimmt euch auf. Also
    Ist das Elend aus? Trat die Besserung ein?
    Ist für euch gesorgt? Könnt ihr ruhig sein?
    Wird also eure Welt schon besser? Nein:
    Das ist der Tropfen auf den heißen Stein.

2

Der Wald hat Ausgestoßene aufgenommen. Der schöne
        Himmel
Bescheint Aussichtslose. Die in sommerlichen Zelten
Wohnen, haben sonst kein Obdach. Die im warmen Wasser
        liegen
Haben nicht gegessen. Die
Auf den Straßen marschieren, setzten nur
Ihren unaufhörlichen Marsch nach Arbeit fort.
    Das Elend ist nicht aus. Die Besserung trat nicht ein.
    Für euch ist nicht gesorgt. Ihr könnt nicht ruhig sein.
    Wird also eure Welt so besser? Nein:
    's ist nur der Tropfen auf den heißen Stein.

3

Werdet ihr euch begnügen mit dem leuchtenden Himmel?
Wird das warme Wasser euch nicht mehr hergeben?
Wird der Wald euch behalten?
Werdet ihr abgespeist? Werdet ihr getröstet?
Die Welt wartet auf eure Forderungen
Sie braucht eure Unzufriedenheit, eure Vorschläge.
Die Welt schaut auf euch mit ihrer letzten Hoffnung.
    Ihr dürft nicht lange mehr zufrieden sein
    Mit solchem Tropfen auf den heißen Stein.

LOB DES DOLCHSTOSSES

1

Der Krieg beginnt, die Herrschenden
Haben ihn gemacht. Ihr
Kämpft. Im Schützengraben
Kämpft ihr. Tag und Nacht in den
Munitionsfabriken, an Pflug, Schaltbrett und Zeichentisch
An dem Küchenherde und an der Nähmaschine
Kämpft ihr. Ihr glaubt
Der Krieg ist euer Krieg
Eure Existenz wird verteidigt
Und ihr bereitet euch eure bessere Zukunft.
Vor euch erblickt ihr den Feind
Ihr glaubt, der Krieg ist euer Krieg.

2

Jetzt ist der Krieg am blutigsten.
In unlöslicher Umklammerung
Steht ihr, Arbeiter gegen Arbeiter.
Die Kämpfe des Krieges
Machen vergessen die Kämpfe des Friedens.
Eure Organisationen, mühsam aufgebaut
Mit den Pfennigen der Entbehrung, sind
Zerschlagen. Seite an Seite
Kämpft ihr mit dem Klassenfeind. Eure Erfahrungen
Scheinen vergessen, und vergessen scheint
Der Kampf um die Suppe.

3

Wenn der Krieg am blutigsten ist
Geht die Suppe aus.

4

Noch kämpft ihr den heroischen Kampf. Noch hört ihr
Hinter euch die Befehle der Herrschenden, aber
Die Suppe geht schon aus.
Der Sieg winkt. Den Überlebenden
Ist das glückliche Ende nahe, aber
Die Suppe geht aus.


5

Wenn die Suppe ausgeht
Hört eure Hoffnung auf. Der Zweifel beginnt. Bald
Wißt ihr: der Krieg
Ist nicht euer Krieg. Hinter euch erblickt ihr
Den eigentlichen Feind.
Die Gewehre werden umgedreht
Es beginnt: der Kampf um die Suppe.


## GLAUBE NUR

Glaube nur an das, was deine Augen sehen und deine Ohren
hören!

Glaube auch nicht an das, was deine Augen sehen und deine
Ohren hören!

Wisse auch, daß etwas nicht glauben, doch etwas glauben heißt!


## DIE NACHTLAGER

Ich höre, daß in New York
An der Ecke der 26. Straße und des Broadway

Während der Wintermonate jeden Abend ein Mann steht
Und den Obdachlosen, die sich ansammeln
Durch Bitten an Vorübergehende ein Nachtlager verschafft.

Die Welt wird dadurch nicht anders
Die Beziehungen zwischen den Menschen bessern sich nicht
Das Zeitalter der Ausbeutung wird dadurch nicht verkürzt
Aber einige Männer haben ein Nachtlager
Der Wind wird von ihnen eine Nacht lang abgehalten
Der ihnen zugedachte Schnee fällt auf die Straße.

Leg das Buch nicht nieder, der du das liesest, Mensch.

Einige Menschen haben ein Nachtlager
Der Wind wird von ihnen eine Nacht lang abgehalten
Der ihnen zugedachte Schnee fällt auf die Straße
Aber die Welt wird dadurch nicht anders
Die Beziehungen zwischen den Menschen bessern sich
        dadurch nicht
Das Zeitalter der Ausbeutung wird dadurch nicht verkürzt.


DER FÜHRER HAT GESAGT

I

Der Führer hat gesagt: man muß marschieren
Und möglichst rasch und viel, sonst geht es nie.
Man darf die Hoffnung nämlich nicht verlieren
Die Trommel dazu kauft die Industrie.
    Es ist ein langer Weg zum Dritten Reiche
    Man soll's nicht glauben, wie sich das zieht.
    Es ist ein hoher Baum, die deutsche Eiche
    Von der aus man den Silberstreif erst sieht.

2

Der Führer sagt: man könne auf ihn bauen.
Zuerst baut er sich – ein braunes Haus.
Und auf die Rechnung darf man da nicht schauen
Er stattet es mit Gold und Marmor aus.
  Dann ist's ein schönrer Weg zum Dritten Reiche
  Man merkt es nicht mehr so, wie er sich zieht.
  Es ist ein hoher Baum, die deutsche Eiche
  Von der aus man den Silberstreif erst sieht.


3

Der Führer hat gesagt: er sorgt für Essen
's ist besser, wenn man was im Magen hat!
Darum ist er im Kaiserhof gesessen
Da gibt's vier Gänge, da wird er satt.
  Es ist ein langer Weg zum Dritten Reiche
  Und man wird hungrig, weil er sich so zieht.
  Es ist ein hoher Baum, die deutsche Eiche
  Von der aus man den Silberstreif erst sieht.


4

Der Führer sagt: nur nicht in Lumpen laufen!
Er hat ihr's schon gesagt, der Industrie
Wir wollen neue Uniformen kaufen
Der Hauptmann Röhm liebt uns nicht ohne die.
  Es ist ein langer Weg zum Dritten Reiche
  Ein bißchen Liebe macht ihn halb so schwer.
  Es ist ein hoher Baum, die deutsche Eiche
  Und kameradschaftlich ist der Verkehr.

5

Der Führer sagt: jetzt kommt der elfte Winter.
Nur jetzt nicht schlappgemacht! Ihr müßt marschiern!
Der Führer fährt voran im Acht-Zylinder.
Marsch, Marsch! Ihr dürft die Fühlung nicht verliern!
  's ist noch ein langer Weg zum Dritten Reiche
  Man soll's nicht glauben, wie sich das zieht.
  Es ist ein hoher Baum, die deutsche Eiche
  Von der aus man den Silberstreif erst sieht.


6

Der Führer hat gesagt: er lebt noch lange
Und er wird älter als der Hindenburch.
Er kommt noch dran, da ist ihm gar nicht bange
Und drum pressiert's ihm gar nicht und dadurch
  Ist es ein langer Weg zum Dritten Reiche
  Es ist unglaublich, wie sich das zieht!
  Es ist ein hoher Baum, die deutsche Eiche
  Von der aus man den Silberstreif erst sieht.
  Hitler verrecke!
  Rassereines Vieh
  Sag: zu welchem Zwecke
  Zahlt dich die Industrie?


ICH, DER ICH NICHTS MEHR LIEBE

Ich, der ich nichts mehr liebe
Als die Unzufriedenheit mit dem Änderbaren
Hasse auch nichts mehr als
Die tiefe Unzufriedenheit mit dem Unveränderlichen.

DAS OPERIEREN MIT BESTIMMTEN GESTEN

Das Operieren mit bestimmten Gesten
Kann deinen Charakter verändern
Ändere ihn.
Wenn die Füße höher liegen als das Gesäß
Ist die Rede eine andere, und die Art der Rede
Ändert den Gedanken.
Eine gewisse heftige
Bewegung der Hand mit dem Rücken nach unten bei
Einem Oberarm, der am Körper bleibt, überzeugt
Nicht nur andere, sondern auch dich, der sie macht.
Das Zurückblättern beim Lesen, das Zeichnen eines
      Schemas

*Fragment*

# DREI PARAGRAPHEN
# DER WEIMARER VERFASSUNG

## PARAGRAPH 1

**1**

*Die Staatsgewalt geht vom Volke aus.*
– Aber wo geht sie hin?
Ja, wo geht sie wohl hin
Irgendwo geht sie doch hin!
Der Polizist geht aus dem Haus.
– Aber wo geht er hin?
usw.

**2**

Seht, jetzt marschiert das große Trumm.
– Aber wo marschiert es hin?
Ja, wo marschiert es wohl hin?
Irgendwo marschiert das doch hin!
Jetzt schwenkt es um das Haus herum.
– Aber wo schwenkt es hin?
usw.

**3**

Die Staatsgewalt macht plötzlich halt.
Da sieht sie etwas stehn.
– Was sieht sie denn da stehn?
Da sieht sie etwas stehn.
Und plötzlich schreit die Staatsgewalt
Sie schreit: Auseinandergehn!

– Warum auseinandergehn?
Sie schreit: Auseinandergehn!


4

Da steht so etwas zusammengeballt
Und etwas fragt: warum?
Warum fragt es denn warum?
Da fragt so was warum!
Da schießt natürlich die Staatsgewalt
Und da fällt so etwas um.
Was fällt denn da so um?
Warum fällt es denn gleich um?


5

Die Staatsgewalt sieht: da liegt was im Kot.
Irgendwas liegt im Kot!
Was liegt denn da im Kot?
Irgendwas liegt doch im Kot.
Da liegt etwas, das ist mausetot
Aber das ist ja das Volk!
Ist denn das wirklich das Volk?
Ja, das ist wirklich das Volk.


PARAGRAPH III


1

Lauf, lauf, Prolet, du hast das Recht
Ein Grundstück zu erwerben
Dazu hast du das Recht.
Du hast das Recht am Wannsee
Du hast das Recht am Nikolassee.

Jetzt braucht kein Prolet mehr Hungers zu sterben
Er hat das Recht, ein Grundstück zu erben.
Er hat ein Recht
Das ist nicht schlecht
Er darf etwas erwerben.

2

Halt, halt, Prolet, das Grundstück da
Das hat schon einer erworben.
Dazu hat er das Recht.
Er hat das Recht am Wannsee
Er hat das Recht am Nikolassee.
Da mußt du schon warten, bis er gestorben.
Dann hat es wieder ein anderer erworben
Der hat geblecht
Und das war sein Recht
Sonst hättest du was erworben!

PARAGRAPH 115

1

Auch für einen Deutschen gibt es freie Stätten
Denn die sind in unserm Sklavendasein unersetzlich
Unersetzlich.
Wenn wir eine Wohnung hätten
Wäre diese Wohnung unverletzlich
Unverletzlich.

2

Niemand dürfte uns in unserer Wohnung stören
Er bekäm sofort die Strafe, welche ihm gebührte

Gebührte.
Diese Wohnung würde uns gehören
Wenn 'ne Wohnung uns gehören würde
Würde.


3

Da wir leider keine Wohnung kriegen
Sind uns Kellerloch und Brückenbogen unersetzlich
Unersetzlich.
Wenn wir aber auf der Straße liegen
Sind wir dann natürlich auch verletzlich
Verletzlich.

HERR DOKTOR . . .

Herr Doktor, die Periode . . .
Na, freu'n Sie sich doch man
Daß die Bevölkerungsquote
Mal 'n bißchen wachsen kann.
Herr Doktor, ohne Wohnung . . .
Na, 'n Bett wern Sie wohl noch ham
Da gönn'n Sie sich 'n bißchen Schonung
Und halten sich 'n bißchen stramm.
Da sind Sie mal 'ne nette kleine Mutter
Und schaffen mal 'n Stück Kanonenfutter
Dazu ham Sie 'n Bauch, und das müssen Sie auch
Und das wissen Sie auch
Und jetzt keinen Stuß
Und jetzt werden Sie Mutter und Schluß.

Herr Doktor, 'n Arbeitsloser
Daß der nicht 'n Kind haben kann . . .
Na, Frauchen, so was is 'n bloßer
Antrieb für Ihren Mann.
Herr Doktor, bitte, . . . Frau Renner
Da kann ich Sie nicht verstehn
Sehn Sie, Frauchen, der Staat braucht Männer
Die an der Maschine stehn.
Da sind Sie mal 'n nette kleine Mutter
Und schaffen noch 'n Stück Maschinenfutter
Dazu ham Sie 'n Bauch, und das müssen Sie auch
Und das wissen Sie auch
Und jetzt keinen Stuß
Und jetzt werden Sie Mutter und Schluß.

Herr Doktor, wo soll ich denn liegen . . .
Frau Renner, quasseln Sie nicht
Erst wollen Sie das Vergnügen

Und dann wolln Sie nicht Ihre Pflicht.
Und wenn wir mal was verbieten
Dann wissen wir schon, was wir tun
Und drum sei'n Sie mal ganz zufrieden
Und lassen Sie das mal unsere Sache sein, ja? Und nun
Seien Sie mal 'ne nette kleine Mutter
Und schaffen mal 'n Stück Kanonenfutter
Dazu ham Sie 'n Bauch, und das müssen Sie auch
Und das wissen Sie auch
Und jetzt keinen Stuß
Und jetzt werden Sie Mutter und Schluß.


ZEHR UND PATSCHEK / EINE MORITAT

Zehr und Patschek waren Kapitäne
Doch auf keinem Schiff und keinem Meer
Für Herrn Patschek schwammen Kohlenkähne
Aber Dünger fabrizierte Zehr.

Eine Tochter hold besaß der Dünger
Und die Kohle hatte einen Sohn.
Diese beiden wurden auch nicht jünger
Und die Eltern kannten sich doch schon.

So erblühte eine große Liebe
Die besiegelt ward am Traualtar.
Und zwei Herzen folgten einem Triebe
Der auch finanziell gesichert war.

Und die Liebe, sie war ganz beträchtlich
Doch als sie dann im Erkalten war
War die Lage allen zwar geschlechtlich
Aber nicht vermögensrechtlich klar.

Wenn ein Paar so hart des Schicksals Tritt trifft
Leistet es sich oft ein starkes Stück:
Patschek junior forderte die Mitgift
Und Herr Zehr – verlangte sie zurück.

»Niemals sahn wir eine Mitgift nämlich«
Schwur Herr Patschek. Und Herr Zehr beschwur:
»Leider gab ich sie. Ich war so dämlich
Und drum fordre ich sie jetzt retour.«

Und Herr Patschek? »Her die Quittung« schrie er.
»Eine Abschrift hätt ich« sprach Herr Zehr.
Doch als bei ihm der Gerichtsvollzieher
Eintrat, hatte er auch die nicht mehr.

Denn die Abschrift der bewußten Quittung
Die Herr Patschek gern gesehen hätt
Warf Herr Zehr – wo blieb da die Gesittung
Eines Wirtschaftsführers?! – ins Klosett.

Schwimmt 'ne Quittung so ins Klo hinunter
Was juristisch ist, als ob man sie zerreißt
Kann Herr Zehr sich freilich auch nicht wundern
Wenn Herr Patschek auf die Quittung pfeift.

Und so kam's denn, daß sich Dung und Kohle
Vor dem Richter gegenüberstand.
Jeder hob nun dort zu seinem Wohle
Die drei Finger seiner rechten Hand.

Und dann breiteten sie ihrer Kinder
Betten eifrig vor dem Kadi aus.
Und es interessierte mehr und minder
Aber doch mehr minder keine Laus.

Aber mancher meinte: solche Herren
Kapitäne von der Industrie
Sollten sich nicht vor den Richter zerren
Denn was da herauskommt, weiß man nie.

Denn so manche Köchin las die Zeitung
In der solches stand, und seufzte schwer.
Früher war sie für Kreditausweitung
Unsrer Wirtschaftsführer. Jetzt nicht mehr.

Leider aber hat auch die Betrachtung
Keine Folgen für die große Welt
Denn die lebt ja nicht von unsrer Achtung
Sondern, wie es heißt, von unserm Geld.

### ICH HABE GEHÖRT, IHR WOLLT NICHTS LERNEN

Ich habe gehört, ihr wollt nichts lernen
Daraus entnehme ich: ihr seid Millionäre.
Eure Zukunft ist gesichert – sie liegt
Vor euch im Licht. Eure Eltern
Haben dafür gesorgt, daß eure Füße
An keinen Stein stoßen. Da mußt du
Nichts lernen. So wie du bist
Kannst du bleiben.

Sollte es dann noch Schwierigkeiten geben, da doch die Zeiten
Wie ich gehört habe, unsicher sind
Hast du deine Führer, die dir genau sagen
Was du zu machen hast, damit es euch gut geht.
Sie haben nachgelesen bei denen
Welche die Wahrheiten wissen
Die für alle Zeiten Gültigkeit haben
Und die Rezepte, die immer helfen.

Wo so viele für dich sind
Brauchst du keinen Finger zu rühren.
Freilich, wenn es anders wäre
Müßtest du lernen.


VON ALLEN WERKEN

Von allen Werken die liebsten
Sind mir die gebrauchten.
Die Kupfergefäße mit den Beulen und den abgeplatteten
        Rändern
Die Messer und Gabeln, deren Holzgriffe
Abgegriffen sind von vielen Händen: solche Formen
Schienen mir die edelsten. So auch die Steinfliesen um alte
        Häuser
Welche niedergetreten sind von vielen Füßen, abgeschliffen
Und zwischen denen Grasbüschel wachsen, das
Sind glückliche Werke.

Eingegangen in den Gebrauch der vielen
Oftmals verändert, verbessern sie ihre Gestalt und werden
        köstlich
Weil oftmals gekostet.
Selbst die Bruchstücke von Plastiken
Mit ihren abgehauenen Händen liebe ich. Auch sie
Lebten mir. Wenn auch fallen gelassen, wurden sie doch getragen.
Wenn auch überrannt, standen sie doch nicht zu hoch.
Die halbzerfallenen Bauwerke
Haben wieder das Aussehen von noch nicht vollendeten
Groß geplanten: ihre schönen Maße
Sind schon zu ahnen; sie bedürfen aber
Noch unseres Verständnisses. Andrerseits
Haben sie schon gedient, ja, sind schon überwunden. Dies alles
Beglückt mich.

ÜBER DIE BAUART LANGDAUERNDER WERKE

I

1

Wie lange
Dauern die Werke? So lange
Als bis sie fertig sind.
So lange sie nämlich Mühe machen
Verfallen sie nicht.

Einladend zur Mühe
Belohnend die Beteiligung
Ist ihr Wesen von Dauer, so lange
Sie einladen und belohnen.

Die nützlichen
Verlangen Menschen
Die kunstvollen
Haben Platz für Kunst
Die weisen
Verlangen Weisheit
Die zur Vollständigkeit bestimmten
Weisen Lücken auf
Die langdauernden
Sind ständig am Einfallen
Die wirklich groß geplanten
Sind unfertig.

Unvollkommen noch
Wie die Mauer, die den Efeu erwartet
(Die war einst unfertig
Vor alters, vor der Efeu kam, kahl!).

Unhaltbar noch
Wie die Maschine, die gebraucht wird
Aber nicht ausreicht
Aber eine bessere verspricht
So gebaut sein muß
Das Werk für die Dauer wie
Die Maschine voll der Mängel.


2

So auch die Spiele, die wir erfinden
Sind unfertig, wir hoffen's;
Und die Geräte, die zum Spielen dienen
Was sind sie ohne die Einbuchtungen, die
Von vielen Fingern stammen, jene Stellen,
            scheinbar schadhaft
Die die edle Form erzeugen;
Und auch die Wörter, die
Mit den Benützern ihren Sinn
Oftmals wechselten.


3

Gehe nie vor, ohne zuvor
Zurückzugehen der Richtung wegen!
Die Frager sind es
Denen du Antwort geben wirst, aber
Die dir zuhören werden, sind es
Die dich dann fragen.

Wer wird sprechen?
Der noch nicht gesprochen hat.
Wer wird eintreten?
Der noch nicht eingetreten ist.

Deren Stellung gering erscheint
Wenn man sie ansieht
Das sind
Die Mächtigen von morgen
Die deiner bedürfen, die
Sollen die Macht haben.

Wer verleiht den Werken Dauer?
Die dann leben werden.
Wen erwählen als Bauleute?
Die noch Ungeborenen.

Frage nicht: wie werden sie sein? Sondern
Bestimme es.


II

Wenn etwas gesagt werden soll, was nicht gleich verstanden
        wird
Wenn ein Rat gegeben wird, dessen Ausführung lang
        dauert
Wenn die Schwäche der Menschen befürchtet wird
Die Ausdauer der Feinde, die alles verschüttenden
        Katastrophen
Dann muß den Werken eine lange Dauer verliehen werden.


III

Der Wunsch, Werke von langer Dauer zu machen
Ist nicht immer zu begrüßen.

Wer sich an die Ungeborenen wendet
Tut oft nichts für die Geburt.

Er kämpft nicht und will doch den Sieg.
Er sieht keinen Feind
Außer dem Vergessen.

Warum soll jeder Wind ewig dauern?
Einen guten Ausspruch kann man sich merken
Solange die Gelegenheit wiederkehren kann
Für die er gut war.
Gewisse Erlebnisse, in vollendeter Form überliefert
Bereichern die Menschheit
Aber Reichtum kann zu viel werden.
Nicht nur die Erlebnisse
Auch die Erinnerungen machen alt.

Darum ist der Wunsch, Werken lange Dauer zu verleihen
Nicht immer zu begrüßen.

### KEINEN GEDANKEN VERSCHWENDET AN DAS UNÄNDERBARE!

I

Keinen Gedanken verschwendet an
Das Unänderbare!
Keinen Handgriff gönnt
Dem nicht zu Verbessernden!
Dem, was nicht zu retten ist
Zeigt keine Träne! Aber
Das Vorhandene teilt aus an die Hungernden
Das Mögliche erzwingt und zerstampft
Zerstampft den eigennützigen Lumpen, der euch in den
        Arm fällt
Wenn ihr euren Bruder aus dem Schacht holt mit den reichlich
        vorhandenen Stricken.

Keinen Gedanken verschwendet an das Unabänderliche! Aber
Holt die gesamte leidende Menschheit hoch aus dem Schacht
          mit den
Reichlich vorhandenen Stricken!


2

Welchen Triumph bedeutet das Nützliche!
Selbst der ungebundene Bergsteiger, der niemand etwas
          versprochen hat als sich selber
Wenn er die Spitze erstiegen hat und triumphiert, so freut er
          sich
Weil seine Kraft ihm nützlich war hier und also auch
          anderswo
Nützlich wäre. Und nach ihm kommen sie
Allsogleich und schleppen
Ihre Instrumente und Maße herauf auf den nun besteigbaren
          Gipfel, die
Dem Bauern das Wetter messen und dem Flugzeug die Luftart.


3

Jenes Gefühl der Zustimmung und des Triumphes
Das uns bewegt vor den Bildern des Aufruhrs auf dem
          Panzerkreuzer Potemkin
Im Augenblick, wo die Matrosen ihre Peiniger ins Wasser
          stürzen
Ist das gleiche Gefühl der Zustimmung und des Triumphes wie
Vor den Bildern, welche das Überfliegen des Südpols berichten.

Ich habe erlebt, wie neben mir
Selbst die Ausbeuter ergriffen wurden von jener Bewegung
          der Zustimmung
Angesichts der Tat der revolutionären Matrosen: auf solche
          Weise

Beteiligte sich sogar der Abschaum an der unwiderstehlichen
Verführung des Möglichen und den strengen Freuden der
        Logik.

So wie die guten Techniker den mit soviel Mühe gebauten
        und immer verbesserten Wagen
Auszufahren wünschen am Ende auf seine höchste
        Geschwindigkeit
Damit herausgeholt werde, was in ihm steckt, und der
        Bauer den Acker
Mit dem verbesserten Pflug zu befahren wünscht, so wie die
        Brückenbauer
Die gigantischen Bagger loslassen wollen auf das Gerölle
        des Flußbetts
Wünschen auch wir auszufahren und zu Ende zu bringen das
        Werk der Verbesserung
Dieses Planeten für die gesamte lebende Menschheit.


### DIE BOLSCHEWIKI ENTDECKEN IM SOMMER 1917 IM SMOLNY, WO DAS VOLK VERTRETEN WAR: IN DER KÜCHE

Als die Revolution des Februar um war und die Bewegung
        der Massen
Stillstand
War der Krieg noch nicht aus. Ohne Land waren die Bauern
Und unterdrückt und ausgehungert die Arbeiter in
        den Betrieben.
Aber die Räte waren von allen gewählt und vertraten
        die Wenigen.
Als so alles beim Alten blieb und nichts wurde anders
Gingen die Bolschewiki wie Verbrecher herum in den Räten
Denn sie verlangten immer wieder, daß die Gewehre
Gegen den eigentlichen Feind des Proletariats:
        die Herrschenden

Gerichtet würden.
Als Verräter wurden sie da geachtet und für Konter-
	revolutionäre gehalten
Räuberisches Gesindel vertretend. Ihr Führer Lenin
Gekaufter Spion genannt, verbarg sich in einer Scheune.
Wohin immer sie blickten, da
Wichen die Blicke aus, Schweigen empfing sie.
Unter anderen Fahnen sahen sie die Massen marschieren.
Groß erhob sich die Bourgeoisie der Generäle und
	Kaufleute
Und verloren erschien die Sache der Bolschewiki.
In dieser Zeit nun arbeiteten sie wie gewöhnlich
Achteten nicht des Geschreis und kaum des offenen Abfalls
Derer, für die sie doch kämpften. Sondern
Immer von neuem
Traten sie ein mit immer neuem Bemühen
Für die Sache der Untersten.
Wohl aber achteten sie, wie sie selber berichten,
	auf solcherlei:
In der Kantine des Smolny bemerkten sie
Bei der Ausgabe der Speisen, Kohlsuppe und Tee, daß der
Buffetier im Exekutivkomitee, ein Soldat, den Bolschewiki
Heißeren Tee gab und besser belegte Brote
Als allen andern: es ihnen hinreichend
Schaute er an ihnen vorbei. So erkannten sie: dieser
Sympathisierte mit ihnen und verbarg es
Vor den Vorgesetzten, und so auch neigte
Das gesamte untere Personal des Smolny
Wächter, Kuriere und Posten, sichtlich zu ihnen.
Als sie aber dies sahen, sagten sie:
»Unsere Sache ist zur Hälfte gewonnen.«
Solcher Menschen kleinste Regung nämlich
Aussage und Blick, doch auch Schweigen und Wegsehen
Schien ihnen wichtig. Und von diesen
Freunde genannt zu werden: das war ihr Hauptziel.

DIE INTERNATIONALE

Genossen berichten:
In den Vorbergen des Pamir
Trafen wir eine Frau, Leiterin einer Kokonanstalt
Welche in Krämpfe verfällt beim Anhören der
Internationale. Sie erzählte:
Im Bürgerkrieg war ihr Mann
Führer einer Partisanengruppe. Schwer verwundet
In der Hütte liegend, wurde er verraten. Ihn verhaftend
Schrien die Weißgardisten: Du wirst deine
Internationale nicht mehr singen! Und vor seinen Augen
Taten sie der Frau Gewalt an auf dem Bette.
Da begann der Mann zu singen.
Und er sang die Internationale
Auch, als sie sein kleinstes Kind erschossen
Und er hörte auf zu singen
Als sie ihm den Sohn erschossen
Und er auf zu leben hörte. Seit dem Tage
Sagt die Frau, verfalle sie in Krämpfe
Hört sie irgendwo die Internationale.
Und, erzählt sie, schwer sei es gewesen
In den Sowjetrepubliken einen Arbeitsplatz zu finden
Wo sie nicht gesungen wurde
Denn von Moskau bis zum Pamir
Kannst du heut der Internationale
Nicht entfliehen.
Doch ein wenig seltener ertöne
Sie am Pamir.
Und wir sprachen weiter über ihre Arbeit.
Sie erzählte: nur zur Hälfte
Habe der Bezirk den Plan erfüllt jetzt.
Aber schon sei ihr Ort ganz verwandelt
Unkenntlich, werd er zugleich vertrauter
Eine neue Menge schaffe

Neue Arbeit, neue Ruhe
Und im nächsten Jahre werde
Auch der Plan wohl überschritten
Und wenn dies geschähe, würde
Hier eine Fabrik gebaut: wenn die gebaut sei
Nun, sagt sie, an diesem Tage
Singe ich die Internationale.


## GESANG VON DEN DREI METAPHYSISCHEN SOLDATEN

Eine Kanone ist ein Ding
Darüber denkt man zu gering.
Ein Ding, das immer mit zwei Mann
Einen ganzen Haufen vernichten kann.
Die schönsten Städte unbesehn
Daß sie auch nie mehr auferstehn.
Auch eine Trommel ist ein Ding
Worüber man denkt zu gering.
Ein Ding, das mühlos mit einem Mann
Immer viel anstellen kann.
Wenn er hört eine Trommel gehn
Kann er die großen Dinge sehn.
Er sieht seine großen Pflichten besser.
Seine zwei Hände werden Messer.
Er kann seine Absätz ins Auge fassen
Und sieht die Gesichter, in die sie passen.
Gibt's an Trommeln und Kanonen keine Not
Wird der Himmel schon ganz von selber rot.
Und ein guter Brand von irgendwoher
Riecht immer ganz von selber nach mehr.
Und wenn sich erst einmal das Fleisch zerfleischt
So ist das etwas, das mehr erheischt.
Ein roter Himmel ist ein Ding
Darüber denkt man zu gering.

# ZU DEM STÜCK »KAMRAD KASPER«

## ACH, DES ARMEN MORGENSTUND

Ach, des Armen Morgenstund
Hat für den Reichen Gold im Mund.
Eines hätt ich fast vergessen:
Auch wer arbeit', soll nicht essen.

## LIED DER KRIEGERWITWE

Als ich meinem Mann die Treue schwor
Da dacht ich nicht dran im Moment
Daß ich ihn aus den Augen verlieren
Und sein Gesicht vergessen könnt.

Und als ich ihm zwei Kinder gebar
Da hatt ich mir nicht vorgestellt
Daß mich mein Mann verlassen würd
Und zög für den Kaiser ins Feld.

Als ich mich ihm verschrieben
Da war es nicht so gemeint
Daß ich nicht zu essen hätte
Und er schlüg des Kaisers Feind.

Die einen solchen Krieg anstiften
Die müßte man am Kopfe haun
Daß sie sich die Menschen künftig
Etwas besser anschaun.

ICH HATTE EINE LIEBE FRAU

Ich hatte eine liebe Frau
Die schönste auf der Welt
Da kam der Generalfeldmarschall
Und sagte: Marsch ins Feld!

Ich hab da was verteidigt
Meine Frau, die ging mir fremd
Das hat mich sehr beleidigt
Ich finde es unverschämt.

Meiner Frau hau ich in die Fresse
Da bin ich nun mal so barsch.
Doch wenn ich einen Feldmarschall seh
Dann kriech ich ihm noch heut in den Arsch.

Wenn ich nicht so ein dummer Hund wär
Dann dächt ich einmal nach
Vielleicht, daß mir manches zu bunt wär
Und vielleicht schlüg ich auch dann mal Krach.

Und würde dem Feldmarschall sagen:
Du gabst mir ein Gewehr
Und jetzt will ich mal schießen
Stell dich einmal daher.

FAHREND ÜBER DIE GRENZE DER UNION

Fahrend über die Grenze der Union
Vaterlands der Vernunft und der Arbeiter
Sahen wir über den Schienengeleisen
Ein Schild mit der Aufschrift:
Willkommen, Arbeiter!
Aber zurückkehrend in das Land der Unordnung und der
        Verbrechen
Unsere Heimat
Sahen wir ein Schild für die Züge, die nach Westen fahren
Mit der Aufschrift:
Die Revolution
Bricht alle Grenzen.


DIE DA WEGKÖNNEN

Die da wegkönnen, sollen weggehen.
Sie sollen nicht gebeten werden, zu bleiben.
Bleiben sollen nur, die nicht wegkönnen.

Wie soll man den halten können
Der auch gehen kann?
Leute, die in Bedrängnis sind
Können niemand halten.

Aber auch in den guten Zeiten
Sollen sie niemand halten, der gehen kann.
Denn es können schlechte Zeiten kommen.

Mit uns in den Kampf gehen werden nur
Die wie wir bedroht sind
Was nützt es uns, wenn den andern
Unsere Gesichter gefallen?

Sagen wir ihnen doch: heute
Ist die Straße noch frei, die von uns wegführt
Der Ring um uns ist noch nicht geschlossen.
Jeder kann weg, der woanders einen Schlupfwinkel hat
Wer bei den Feinden einen Freund hat
Der kann jetzt noch weggehen.

Damit wir endlich allein sind, lauter Leute
Die nicht weggehen können.


## ES GIBT KEIN GRÖSSERES VERBRECHEN ALS WEGGEHEN

Es gibt kein größeres Verbrechen als Weggehen.
Worauf kann man sich bei seinen Freunden verlassen? Nicht
            auf ihr Tun.
Man kann nicht wissen, was sie tun werden. Nicht auf ihre
            Art. Sie kann
Sich ändern. Nur auf eines: daß sie nicht weggehen.
Wer weggehen kann, der kann nicht dableiben. Wer einen
            Urlaubsschein in
Der Tasche hat – wird er dableiben, wenn der Angriff
            einsetzt? Er wird
Vielleicht nicht dableiben.
Wenn es mir schlecht geht, wird er vielleicht dableiben.
            Aber wenn es ihm
Schlecht geht, wird er vielleicht weggehen.
Kämpfer sind arme Leute. Sie können nicht weggehen.
            Wenn der Angriff
Einsetzt, können sie nicht weggehen.
Wer dableibt, den weiß man. Wer wegging, den wußte man
            nicht. Was wegging
Ist ein anderes, als was da war.
Vor wir in den Kampf gehen, muß ich wissen: hast du einen
            Paß in der

Rocktasche? Wartet ein Flugzeug auf dich hinter dem
        Schlachtfeld? Wie-
viele Niederlagen willst du überstehen? Kann ich dich
        wegschicken?
Dann wollen wir nicht in den Kampf gehen.

## ALS DER FASCHISMUS IMMER STÄRKER WURDE

Als der Faschismus immer stärker wurde in Deutschland
Und sogar Massen der Arbeiter ihm immer mehr zuströmten
Sagten wir uns: Unser Kampf war nicht richtig.
Durch das rote Berlin gingen frech zu vieren und fünfen
Nazis, neu uniformiert, und erschlugen uns
Die Genossen.
Aber es fielen Leute von uns und Leute des Reichsbanners.
Da sagten wir den Genossen von der SPD:
Sollen wir dulden, daß sie die Genossen erschlagen?
Kämpft mit uns in dem antifaschistischen Kampfbund!
Wir bekamen die Antwort:
Wir würden vielleicht mit euch kämpfen, aber unsere Führer
Warnen uns, roten Terror gegen den weißen zu stellen.
Täglich, sagten wir, schrieb unsere Zeitung gegen den
        Einzelterror
Täglich aber auch schrieb sie: wir schaffen es nur durch
Rote Einheitsfront.
Genossen, erkennt doch jetzt, dieses kleinere Übel, womit man
Jahre um Jahre von jeglichem Kampf euch fernhielt
Wird schon in nächster Zeit Duldung der Nazis bedeuten.
Doch in den Betrieben und auf allen Stempelstellen
Sahen wir den Willen zum Kampf bei den Proleten.
Auch im Osten Berlins grüßten Sozialdemokraten
Uns mit Rot Front und trugen sogar schon das Zeichen
Der antifaschistischen Aktion. Die Lokale
Waren an den Diskussionsabenden übervoll.

Und sofort wagten die Nazis
Sich bald nicht mehr einzeln durch unsere Straßen
Denn die Straßen zumindest sind unser
Wenn sie die Häuser uns rauben.

### WIR HABEN EINEN FEHLER BEGANGEN

Du sollst geäußert haben: wir
Haben einen Fehler begangen, deshalb
Willst du dich trennen von uns.

Du sollst gesagt haben: wenn
Mich mein Auge ärgert
Reiße ich es mir aus.
Damit wolltest du immerhin andeuten
Daß du dich uns so verbunden fühlst wie
Ein Mensch sich verbunden fühlt
Mit seinem Auge.

Das ist schön von dir, Kamerad, aber
Gestatte, daß wir dich darauf hinweisen:
Der Mensch in diesem Bild, das sind wir, du
Bist nur das Auge.
Und wo hat man gehört, daß das Auge
Falls der Mensch, der es besitzt, einen Fehler begeht
Sich einfach entfernt?
Wo will es denn leben?

### DAS LIED VOM SCHUH

Als mich meine Mutter geboren
Dachte sie nicht daran

Daß man aus fünfzig Jahren Not
Kein Leben machen kann.
  Auch ein Schuhmacher kann
  Keinen Schuh machen aus
  Zwei alten Postkarten; das
  Kann man nicht von ihm erwarten, denn
  Das hat er nicht gelernt, der Mann.

Ich ging in Essen zur Schule
Und ich lernte (im Winter bei Licht)
Doch ich lernte nicht, wie man den Hunger stillt
Das Wissen nützte mir nicht.
  Auch ein Schuhmacher kann
  Keinen Schuh machen aus
  Zwei alten Postkarten; das
  Kann man nicht von ihm erwarten, denn
  Das hat er nicht gelernt, der Mann.

Und ich fuhr mit der Bahn von Essen
Und stieg in Ruhrort aus
Und grub in einer Grube an dreißig Jahr
Und grub mir nichts heraus.
  Auch ein Schuhmacher kann
  Keinen Schuh machen aus
  Zwei alten Postkarten; das
  Kann man nicht von ihm erwarten, denn
  Das hat er nicht gelernt, der Mann.

Sie kamen mit blutroten Flaggen
Und einem Kreuz daran
Das hat einen großen Haken
Für den armen Mann.
  In einem Pappschuh kann
  Man nicht gehn, doch wenn man

Drüber eine braune Kappe gibt
Sieht womöglich diese Pappe
Sich im Ladenfenster wie 'n Schuh an.

Sie geben uns kein Essen
Und nehmen den Teller weg
Sie sagen: Baut ein Reich auf!
Und geben zum Bauen uns Dreck.
   Doch auch ein Schuhmacher kann
   Keinen Schuh machen aus
   Zwei alten Postkarten; das
   Kann man nicht von ihm erwarten, denn
   Das hat er nicht gelernt, der Mann.


IMMER WIEDER, SEIT WIR ZU MEHREREN ARBEITEN

Immer wieder, seit wir zu mehreren arbeiten
In großen, für viele bestimmten und langdauernden
              Bemühungen
Verschwindet ein Mann aus unserer Gemeinschaft
Um nicht mehr zurückzukehren.

Sie klatschen ihm Beifall
Sie stecken ihn in einen feinen Anzug
Sie geben ihm einen Vertrag mit viel Geld.

Er aber verändert sich von einem Tag auf den andern
Er sitzt in seinem alten Stuhl wie ein Gast
Zu einer langdauernden Arbeit hat er keine Zeit mehr
Bei den Formulierungen widerspricht er nicht mehr
(Da dies Zeit in Anspruch nimmt)
Er ist schnell begeistert.
Er nimmt ein herzliches Wesen an.
Er ist gleich beleidigt.

Eine Zeitlang noch
Lacht er über seinen feinen Anzug
Ein paar Mal
Spricht er davon, daß er seine Geldgeber betrügen will
(Es sind schmutzige Leute).
Aber wir wissen, daß er nicht mehr lange bei uns sitzt.

Dann verschwindet ein Mann aus unserer Gemeinschaft
Läßt uns allein mit unserer schwierigen Arbeit und
Geht den üblichen Weg.


WIR HÖREN: DU WILLST NICHT MEHR MIT UNS ARBEITEN

1

Wir hören: Du willst nicht mehr mit uns arbeiten.
Du bist zu kaputt. Du kannst nicht mehr herumlaufen.
Du bist zu müde. Du kannst nicht mehr lernen.
Du bist erledigt.
Man kann von dir nicht verlangen, daß du noch etwas tust.

So wisse:
Wir verlangen es.

Wenn du müde bist und einschläfst
Wird dich niemand mehr wecken und sagen:
Steh auf, das Essen steht da.
Warum sollte Essen dastehen?
Wenn du nicht mehr herumlaufen kannst
Wirst du liegen bleiben. Niemand
Wird dich suchen und sagen:
Es ist eine Revolution gewesen. Die Fabriken
Warten auf dich.

Warum sollte eine Revolution gewesen sein?
Wenn du tot bist, werden sie dich begraben
Ob du schuld bist an deinem Tod oder nicht.

Du sagst:
Du hast zu lange gekämpft. Du kannst nicht mehr
            kämpfen.
So höre:
Ob du schuld bist oder nicht:
Wenn du nicht mehr kämpfen kannst, wirst du untergehen.


2

Du sagst: Du hast zu lange gehofft. Du kannst nicht mehr
            hoffen.
Was hast du gehofft?
Daß der Kampf leicht sei?

Das ist nicht der Fall.
Unsere Lage ist schlimmer, als du gedacht hast.

Sie ist so:
Wenn wir nicht das Übermenschliche leisten
Sind wir verloren.
Wenn wir nicht tun können, was niemand von uns verlangen
            kann
Gehen wir unter.

Unsere Feinde warten darauf
Daß wir müde werden.

Wenn der Kampf am erbittertsten ist
Sind die Kämpfer am müdesten.
Welche Kämpfer zu müde sind, die verlieren die Schlacht.

ERWARTUNG DES ZWEITEN FÜNFJAHRPLANS

In der Zeit zunehmender Verwirrung über den ganzen
          Planeten hin
Erwarten wir den zweiten Plan
Des ersten kommunistischen Gemeinwesens.

Dieser Plan sieht nicht vor
Eine Rangordnung aller Stände für die Ewigkeit
Oder eine glanzvolle Organisation des Hungers
Oder die Disziplin der Ausgebeuteten
Sondern die restlose Befriedigung der Bedürfnisse aller
Nach verständlichen Gesichtspunkten.

Nicht von der Kraft der Rasse
Nicht von der Erleuchtung des Führers
Nicht von besonderen Listen, übermenschlichen Wundern
Sondern von einem einfachen Plan
Ausführbar von jedem Volk jedweder Rasse
Begründet auf schlichte Überlegungen, die jeder
          anstellen kann
Der kein Ausbeuter ist noch ein Unterdrücker
Erwarten wir alles.


NIEMALS IST DAS UNVERMEIDBARE UNRECHT

Niemals ist das Unvermeidbare unrecht
Das ist nicht ungerecht, wenn einer nicht gibt, was er nicht hat

Oder wenn keiner da ist, der etwas hat
Dann erleidet der nichts bekommt
Doch keine Ungerechtigkeit!

*Fragment*

VERHALTEN IN DER FREMDE

1

Früher
Lebend in dem Land, in dem ich geboren war
Gebrauchte auch ich meine Ellbogen in dem Gewühl
Wünschte abgefertigt zu werden nach der Reihe
Setzte mich, wenn die andern saßen und verlangte
Daß mir gehalten wurde, was mir unterschrieben war.

2

Wer auf seiner gerechten Forderung nicht besteht, handelt
          unsittlich.
Wer sein Recht wegwirft, läßt das Recht verfaulen.
Wer den Rohling nicht zurechtweist, ermutigt die Roheit.
Wer nicht ißt vom gemeinsamen Tisch, beschädigt die
          Gewissen der Esser.

3

Jetzt
Lebe ich in fremdem Land, verjagt aus meiner Heimat
Stehe vor Sitzenden, mache Platz den nach mir
          Gekommenen
Und schweige, wenn ich angeschrieen werde.

4

Seitdem wünschte ich: es gäbe
Kein Recht, das der Mangel erzeugt.
Keine Abfertigung nach der Reihe, aber
Auch keinen Mangel an Zeit. Keine
Unterschiede der Person, aber auch

Keine Aufgaben, die nicht gelöst sind. Kein
Platzanbieten noch Platzfordern, sondern
Genügend Stühle.


5

Also: es möchte
Allen vergönnt sein, sich so zu benehmen wie
In der Fremde.


(Wenn der auf seiner gerechten Forderung nicht
          Bestehende unsittlich handelt
Wenn der sein Recht Wegwerfende das Recht verfaulen läßt
Wenn der den Rohling nicht Zurechtweisende die Roheit
          ermutigt
Der nicht vom gemeinsamen Tisch Essende die Gewissen
          der Esser beschädigt
So beweist das: daß vermeidbarer Mangel herrscht.)


DIE MORITAT VOM REICHSTAGSBRAND
(Nach der Melodie der »Moritat vom Mackie Messer«)


1

Als der Trommler dreizehn Jahre
Aller Welt verkündet hat
Die Verbrechen der Kommune
Fand noch immer keines statt.


2

Und die kleinen Trommler grollen:
Es muß endlich was geschehn.

Die Verbrecher, seht, sie wollen
Die Verbrechen nicht begehn.


3

Eines Tags, es war noch Winter
Blieb man an der Panke Strand
Denn der Führer sagte: in der
Luft liegt heut ein Reichstagsbrand.


4

Und an diesem Montag abend
Stand ein hohes Haus in Brand.
Fürchterlich war das Verbrechen
Und der Täter unbekannt.


5

Zwar ein Knabe ward gefunden
Der nur eine Hose trug
Und in Leinwand eingebunden
Der Kommune Mitgliedsbuch.


6

Wer hat ihm dies Buch gegeben?
Warum stand er hier herum?
Die SA, sie stand daneben
Und die fragt man nicht, warum.


7

Das Gebäude anzustecken
Mußten's zwölf gewesen sein

Denn es brannte an zwölf Ecken
Und war hauptsächlich aus Stein.


8

Mitten drin in den zwölf Bränden
Standen zwölf von der SA
Wiesen mit geschwärzten Händen
Auf den schwachen Knaben da.


9

Und so ward denn durch den Führer
Die Verschwörung aufgedeckt
Freilich, was noch alles aufkam
Hat so manchen doch erschreckt.


10

In dem Haus, wo die Verschwörung
Unbedingt hindurchgemußt
Wohnte ein gewisser Görung
Der von allem nichts gewußt.


11

Er gab allen Wächtern Urlaub
War des Reichstags Präsident
Und war grade nicht zu Hause
Als er hört: der Reichstag brennt!


12

Warum gabst du deinen Wächtern
Heute Urlaub, Präsident?

Heute ist doch grad der Montag
Wo dein ganzer Reichstag brennt!

13

Könnte man ihn so verhören
Fiel ihm wohl die Antwort schwer.
Doch man kann ihn nicht verhören
Denn verhören: das tut er.

14

Er verhört nicht Hermann Göring
So erfährt er nicht, was wahr
Und was unwahr ist, und schließt draus:
Der Kommune Schuld sei klar.

15

Und noch eh die Nacht vergangen
Diesem blut'gen Februar
Ward zerschossen und gefangen
Was ein Feind des Hitler war.

16

Als zu Rom der Kaiser Nero
Dürstete nach Christenblut
Setzte er sein Rom in Flammen
Und es sank in Asch und Glut.

17

So bewies der Kaiser Nero
Daß die Christen Schurken sind.

Ein gewisser Hermann Göro
Lernte das als kleines Kind.


18

Zu Berlin im Jahre neunzehn-
hundertdreiunddreißig stand
Dann an einem Montag abend des
Letzten Reichstags Haus in Brand.


19

Der dies sang, hieß Oberfohren
Und er wurde nicht mehr alt:
Als der Welt es kam zu Ohren
Hat man schnell ihn abgeknallt!


VERLANGT NICHT ZUVIEL KLUGHEIT

Verlangt nicht zuviel Klugheit:
Da ist nicht soviel Klugheit nötig, einzusehen
Daß eins mehr als keins ist.

Rechnet nicht nur mit der Verläßlichkeit:
Seinen einzigen Helfer
Wird schon keiner verlassen.

Zählt nicht nur auf die Mutigen:
Ihr Leben zu retten
Sind die meisten mutig genug.

DER DU ZU FLIEHEN GLAUBTEST DAS UNERTRAGBARE

1

Der du zu fliehen glaubtest das Unertragbare
Ein Geretteter trittst du
In das Nichts.

2

Ein anderes wolltest du, als du
Drohtest mit dem Abfall, ein anderes
Tatst du, als du abfielst.

3

Freilich, du schädigst die Reihe, die du verlässest
Ein Schlechterer tritt in die Lücke
Aber kehre zurück, und
Du findest die Reihe geschlossen.

4

Wenn die Jahre vergangen sind
Rechnest auch du nur mehr
Mit dem, was dir geglückt ist. Jene Zeit nennst du
Deine glückliche.

5

Selbst der Undank
Nimmt dir nicht dein Verdienst
Selbst die Gerechtigkeit
Entschuldigt dir nicht dein Versagen.

VERLUST EINES WERTVOLLEN MENSCHEN

Du hast einen wertvollen Menschen verloren.
Daß er von dir ging, ist kein Beweis
Daß er nicht wertvoll ist. Gib zu:
Du hast einen wertvollen Menschen verloren.

Du hast einen wertvollen Menschen verloren.
Er ging von dir, weil du einer guten Sache dienst
Und er ging zu einer nichtigen. Und dennoch, gib zu:
Du hast einen wertvollen Menschen verloren.

ICH HABE LANGE DIE WAHRHEIT GESUCHT

1

Ich habe lange die Wahrheit gesucht über das Leben der
            Menschen untereinander
Dieses Leben ist sehr verwickelt und schwer verständlich
Ich habe hart gearbeitet, um es zu verstehen, und dann
Habe ich die Wahrheit gesagt, so wie ich sie gefunden hatte.

2

Als ich die Wahrheit gesagt hatte, die so schwer zu finden
            war
Da war es eine allgemeine Wahrheit, die viele sagten
(Und nicht alle so schwer finden).

3

Kurze Zeit darauf kamen Leute her in großen Massen mit
            geschenkten Pistolen

Und schossen blind um sich auf alle, die keinen Hut
      aufhatten aus Armut
Und alle, die die Wahrheit gesagt hatten über sie und ihre
      Geldgeber
Trieben sie aus dem Land im vierzehnten Jahre der halben
      Republik.


4

Mir nahmen sie mein kleines Haus und meinen Wagen
Die ich schwer verdient hatte.
(Meine Möbel konnte ich noch retten.)


5.

Als ich über die Grenze fuhr, dachte ich:
Mehr als mein Haus brauche ich die Wahrheit.
Aber ich brauche auch mein Haus. Und seitdem
Ist die Wahrheit für mich wie ein Haus und ein Wagen.
Und man hat sie genommen.


EINMAL EINE NÜTZLICHE HANDLUNG VERRICHTEN

Als ich las, daß sie die Schriften derer verbrannten
Die die Wahrheit zu schreiben versucht hatten
Aber den Schwätzer George, den Schönredner,
      einluden
Ihre Akademie zu eröffnen, wünschte ich heftiger
Daß die Zeit endlich kommt, wo das Volk einen solchen
      Menschen bittet
Öffentlich bei einem Bau in einer der Vorstädte
Einen Schubkarren mit Mörtel über den Bauplatz zu
      schieben, damit

Einmal einer von ihnen eine nützliche Handlung
            verrichte, worauf er sich
Für immer zurückziehen könnte, um
Papier mit Buchstaben zu bedecken
Auf Kosten des
Reichen arbeitenden Volkes.


ALS ICH INS EXIL GEJAGT WURDE

Als ich ins Exil gejagt wurde
Stand in den Zeitungen des Anstreichers
Das sei, weil ich in einem Gedicht
Den Soldaten des Weltkriegs verhöhnt hätte.
Tatsächlich hatte ich im vorletzten Jahr dieses Kriegs
Als das damalige Regime, um seine Niederlage
            hinauszuschieben
Auch die schon zu Krüppeln Geschossenen wieder ins
            Feuer schickte
Neben den Greisen und den Siebzehnjährigen
In einem Gedicht beschrieben, wie
Der gefallene Soldat ausgegraben wurde und
Unter der jubelnden Beteiligung aller Volksbetrüger
Aussauger und Unterdrücker wieder
Zurück ins Feld eskortiert wurde. Jetzt
Wo sie einen neuen Weltkrieg vorbereiteten
Entschlossen, die Untaten des letzten noch zu übertreffen
Brachten sie Leute wie mich zu Zeiten um oder verjagten sie
Als Verräter
Ihrer Anschläge.

DIE SCHAUSPIELERIN

Aber die Gleiche und Wandelbare
War nicht enttäuscht, als der Boden plötzlich ein anderer
war.
Spielte der Wind ihren Feind und griff ihr roh in die
Haare
Sagte sie nur: Das ist vieler Mitmenschen Haar.

Das ist die Wlassowa, die ihr vertrieben
Hocken blieb Arthurs Mutter mit roten Strümpfen.
Auch dem Ödipus gab sie schon Kunde, daß wenig
geblieben
Singend wusch euch die Witwe das Linnen rein in den
Sümpfen.

Also wußte ich alles und zeigte ich alles beizeiten
Und ich schrie es hinaus, was ihr mit uns treibt
Und ich zeig es dem Hunger, dem Frost und dem Leiden
Was sie da machen müssen, daß ihr nicht bleibt.


DIE HOFFENDEN

Worauf wartet ihr?
Daß die Tauben mit sich reden lassen
Und daß die Unersättlichen
Euch etwas abgeben!
Die Wölfe werden euch nähren statt euch zu verschlingen!
Aus Freundlichkeit
Werden die Tiger euch einladen
Ihnen die Zähne zu ziehen!
Darauf wartet ihr!

## DER BAUER KÜMMERT SICH UM SEINEN ACKER

I

Der Bauer kümmert sich um seinen Acker
Hält sein Vieh in Stand, zahlt Steuern
Macht Kinder, damit er die Knechte einspart und
Hängt vom Milchpreis ab.
Die Städter reden von der Liebe zur Scholle
Vom gesunden Bauernstamm und
Daß der Bauer das Fundament der Nation ist.


2

Die Städter reden von der Liebe zur Scholle
Vom gesunden Bauernstamm und
Daß der Bauer das Fundament der Nation ist.
Der Bauer kümmert sich um seinen Acker
Hält sein Vieh in Stand, zahlt Steuern
Macht Kinder, damit er die Knechte einspart und
Hängt vom Milchpreis ab.


## ZEIT MEINES REICHTUMS

Sieben Wochen meines Lebens war ich reich.
Vom Ertrag eines Stückes erwarb ich
Ein Haus in einem großen Garten. Ich hatte es
Mehr Wochen betrachtet, als ich es bewohnte. Zu
   verschiedenen Tageszeiten
Und auch des Nachts ging ich erst vorbei, zu sehen
Wie die alten Bäume über den Wiesen stünden in der
   Frühdämmerung
Oder der Teich mit den moosigen Karpfen lag, vormittags,
   bei Regen

Die Hecken zu sehen in der vollen Sonne des Mittags
Die weißen Rhododendrenbüsche am Abend, nach dem
      Vesperläuten.
Dann zog ich ein mit den Freunden. Mein Wagen
Stand unter den Fichten. Wir sahen uns um: von keiner
      Stelle aus
Sah man dieses Gartens Grenzen alle, die Neigungen der
      Rasenflächen
Und die Baumgruppen verhinderten, daß die Hecken sich
      erblickten.
Auch das Haus war schön. Die Treppe aus edlem Holz,
      sachkundig behandelt
Flachstufig mit schönmaßigem Geländer. Die geweißneten
      Stuben
Hatten getäfelte Hölzer zur Decke. Mächtige eiserne
      Öfen
Von zierlichster Gestalt trugen getriebene Bildnisse:
      arbeitende Bauern.
In den kühlen Flur mit den eichenen Bänken und
      Tischen
Führten starke Türen, ihre Erzklinken
Waren nicht die erstbesten, und die Steinfliesen um das
      bräunliche Haus
Waren glatt und eingesunken von den Tritten
Früherer Bewohner. Was für wohltuende Maße! Jeder
      Raum anders
Und jeder der beste! Und wie veränderten sich alle mit
      den Tageszeiten!
Den Wandel der Jahreszeiten, sicher köstlich, erlebten
      wir nicht, denn
Nach sieben Wochen echten Reichtums verließen wir das
      Besitztum, bald
Flohen wir über die Grenze.

UNSERE FEINDE SAGEN

Unsere Feinde sagen: Der Kampf ist zu Ende.
Aber wir sagen: Er hat angefangen.

Unsere Feinde sagen: Die Wahrheit ist vernichtet.
Aber wir sagen: Wir wissen sie noch.

Unsere Feinde sagen: Auch wenn die Wahrheit noch
        gewußt wird
Kann sie nicht mehr verbreitet werden.
Aber wir verbreiten sie.

Es ist der Vorabend der Schlacht.
Es ist das Schmieden unserer Kader.
Es ist das Studium des Kampfplans.
Es ist der Tag vor dem Fall
Unserer Feinde.

DIMITROFF

1

Als der Genosse Dimitroff vor Gericht stand
Vieler Vergehen beschuldigt und
Keines einzigen überführt, gestand er ein
Daß er die Gewohnheit habe, beim Lesen von Büchern
Einzelne Stellen anzustreichen, und er fügte hinzu:
Ich studiere immer! Jetzt zum Beispiel
Studiere ich die deutsche Justiz.

2

Genossen, dieses Studieren
War von eigener Art:

Hätte etwa
Ein ganzes Kader besessener Ingenieure
Den Boden aufgespaltet von Konstanz bis Breslau
Und das Land so auseinandergerissen in zwei Hälften,
    nicht mehr
Wäre dies bemerkt worden als
Das Studieren unseres Genossen Dimitroff.


3
Was für ein Schüler, was für ein Riese von Schüler!
Zeigt er, wie man richtig studiert
Welche Lehre erteilt er 60 Millionen!
Seine Lehrer erzittern vor jeder Frage
Eines solchen Schülers. Die Vorschläge
Die der Erforschung der Wahrheit dienen sollen
Verbreiten Schrecken. Was bleibt übrig von diesem Stoff,
    nachdem
Er ihn studiert hat? Und er ist unersättlich.


Wenn dieser Schüler in dem großen Buch ihrer Paragraphen
    blättert
Entsteht ein Wirbelwind, daß die Barette von den Köpfen
    der Richter fliegen.


Daß er ihren Reichstag nicht in Brand gesetzt hat, das ist
    sicher
Aber nun, vor ihren Augen und ohne daß sie ihm in den
    Arm
Fallen können
Verbrennt er ihre ganze Justiz.

4

Ihre Zeugen beginnen zu erzählen
Von den Diebstählen und Betrügereien
Die sie schon begangen haben und
Daß sie die Wahrheit nicht lieben.
Ihre Sachverständigen
Räumen ein, daß nur sie und ihre Auftraggeber
Die Chemikalien kennen, die nötig sind
Gebäude in Brand zu stecken.
Ihre Generäle
Drohen mit Mord, wenn der Mordversuch
Des Gerichts nicht gelingen sollte.

*Fragment*

### BALLADE VOM HERRN AIGIHN

Und sie stellten ihm ein Schaff an den Herd
Und er wusch drin seinen Fuß
Und er dachte: was ist das wohl alles wert
Was ich abarbeiten muß?

Und als sie ihm öffneten die Tür
Hielt er seine Knarre fest.

Sie schlugen ihn nicht und sie plagten ihn nicht
Sie forderten nicht seinen Paß
Sie zweifelten nicht. Sie fragten ihn nicht.
Er dachte: wo bleibt ihr Haß?

*Fragment*

*Anmerkungen, chronologisches Register
und alphabetisches Register der Gedichttitel und -anfänge
am Schluß des Bandes 10 (Gedichte 3)*